융합학문

상징학

I 원리편: 기호와 사고

융합학문 상징학

I 원리편: 기호와 사고

필자

일러두기

- 칸트(I. Kant)의 『순수이성비판』 초판은 "A", 재판은 "B"로 표기했다.
- 칸트의 『판단력비판』은 "KU"로 표기했다.
- 필자의 주와 구별하기 위해, 인용문의 원주는 주의 끝에 "(원주)"라고 표기했다.
- 각주와 참고문헌 등에서, 다권본의 각 권을 지시하는 일련번호는 편의성과 통일을 기하기 위해 "Ⅰ, Ⅱ, Ⅲ…"과 같이 로마 숫자로 표기했다.
- 가장 중요한 내용을 나열할 때는 ❶, ❷, ❸ …, 보다 덜 중요할 때는 ①, ②, ③ …, 단순히 차례를 나타낼 때는 1), 2), 3) …의 기호를 사용했다.
- 시편의 제명은 "「 」"로 표시하고, 시를 제외한 음악이나 미술 등의 예술 작품명은 "〈 〉"로 표시했다.
- 〈주요 용어 해설〉은 필자가 [상징학] 이론체계에서 새롭게 제시하거나, 새롭게 정립한 개념을 중심으로 했다.

융합학문 상징학(Symbology) 요약

우리는 자연계의 다른 존재와는 달리 '사고'라는 고도의 기호 사용 능력을 갖고 있다. 그러한 상징의 능력으로 시・예술・과학과 같은 문화 세계를 창출한다. 우리는 한 순간도 사고를 하지 않고는 생활을 영위할 수 없다. 매순간 사물을 지각하고 추론하며 숙고의 통찰을 해야 한다. 하지만, 놀랍게도 아직까지 사고를 그 대상으로 삼아 체계적으로 연구하는 학문이 마련되어 있지 않다.

융합과학기술 개발의 핵심은 말할 것도 없이 인간의 지능과 원리에 대한 이해와 탐구를 통한 창의성 개발과 함양에 있다. 하지만, 상징 즉 사고에 관한 연구는 제 학문과 이론 전반에 걸쳐 분산되어 단편적으로 진행되고 있다. 따라서, 제 학문들에 산재한 상징과 기호 그리고 사고에 관한 이론과 논의들을 통합하여 다룰 메타 학문의 필요성이 절실한 상황이다.

사고는 본성 · 원리 · 시스템의 세 측면을 살펴볼 수 있다. 사고의 본성은 형식을 통해 의미를 구현하는 일이다. 사고의 본성은 의식과 비의식의 개입에 따라 지각 · 추론 · 통찰 · 영감적 사고로 방법과 깊이를 달리한다. 사고의 본성은 의식 · 비의식과 함께 그와 같은 원리적 사고작용을 생성한다. 우리의 사고는 기호로 표현되고, 정보로 저장되며, 내장된 지식으로 새로운 사고를 수행하는 일련의 과정적 시스템을 형성한다.

상징학은 논리 · 지능 · 창의성 · 영감 · 천재라는 다양한 용어들로 지칭되는 사고의 원리와 시스템에 관한 체계적인 연구를 수행하는 학문으로 규정할 수 있다. 이 책은 사고의 본성과 원리, 작용 시스템에 관한 이론을 체계적으로 규명하여 '상징학'이라는 학문의 형태로 제시한다. 상징학은 사고력 함양을 위한 사고의 방법론은 물론, 창의성과 인공지능의 원리를 비롯한 사고의 이론을 중심으로 시 · 예술 · 인문학 · 자연과학을 지원하는 메타 학문으로서 핵심적인 연구를 수행할 것으로 기대한다.

◉ 주요 용어 : 상징학, 상징, 사고, 기호, 동일화, 동일화 정신작용, 의식, 비의식, 상상력, 원사고, 방법적 사고, 지각, 통찰, 추론, 영감적 사고, 비의식작업기억, 일상비의식, 의식비의식, 심층비의식, 초의식비의식, 기억(내장), 활성기호, 외현기호, 내현기호, 비의식기호, 자의적 기호, 자연적 기호, 판단력, 유비적 사고, 창의성, 천재.

9

| 주요 용어 해설 |

기억(내장)

새로운 정보를 내장하는 일이다. 기억은 반드시 사고 과정을 거친다. 사고는 매개를 사용해서 다른 기호와 동일화하는 일이다. 기억은 새로운 정보를 이미 알고 있는 정보와 동일화하는 일이다. 이와 같이 사고와 기억은 매개를 사용해서 다른 두 기호를 동일화한다는 점에서 동일한 정신작용의 과정을 요구한다. 연구자들은 일반적으로, 정보의 저장이나 인출과 관련하여 기억이라는 용어를 사용한다. 하지만 그런 경우 필자는 '기억' 대신 '내장'이라는 용어를 사용한다.

기억은 반드시 사고로써 이루어진다. 다시 말해 기억은 새로운 정보와 이미 알고 있는 정보를 통일적으로 연결하는 동일화 정신작용이다. 정보의 단순한 연결은 쉽게 망각된다. 장기기억은 기존의 정보들과 많은 측면에서 연결을 이루어야 가능하다. 장기기억은 활성기호를 형성하는 일이며, 활성기호는 통찰의 숙고로써 형성된다. 기억 행위는 사고 행위의 하나이다.

- 이 책의 "v. 7.3. 통찰 · 기억 · 기호" 편 참조

기호

의미 또는 의미체. 상징 즉 사고의 결과물이다. 내현기호와 외현기호로 대별된다. 내현기호는 사물을 지각하는 도식기호, 사고에 사용되는 비의식기호, 사고의 결과물인 심상기호이다. 외현기호는 음성, 문자, 이미지 등 질료 매체에 투사된 의미체들이다. 외현기호는 자의적 기호와 자연적 기호로 구별된다. 전자는 수학, 과학 등에 사용되고, 후자는 시, 예술 등에 사용된다.

- "ⅳ. 상징의 표상체: 기호"에서 상술됨

기호작용

(이 책에서는) 기호에 관하여 사고하는 일. 즉 사고를 의미한다. 왜냐하면, 기호작용은 반드시 사고로써만 이루어지기 때문이다.

내성법

내관법이라고도 한다. 사고나 자각적 인지작용 등 자신의 정신작용을 관찰하는 일로서의 수단을 의미한다. 칸트의 선험적 논리학의 기술과 후설의 현상학적 기술은 대표적인 경우이다. 이 책의 필자의 연구 작업 역시 현상학적 내관이 먼저 행해졌고, 이론적 연구와 검토는 그 이후에 이루어진 사후적 추론의 작업들이다.

내장

이 책의 필자가 기억의 다른 말로 사용하는 용어이다. 기억이나 사고는 모두

매개기호를 사용해서 다른 두 기호를 통일적으로 동일화하는 일이다. 기억 즉 정보의 내장은 반드시 사고에 의해서 이루어진다. 그러므로, 정보 저장의 관점에서는 '기억'이라는 용어 대신에 '내장'이라는 용어를 필자는 사용한다.

내현기호

이 책의 필자는 기호를 정신계의 기호와 물질계의 기호로 대별한다. 내현기호는 전자의 기호로서, 사물을 지각하는 과정에서 나타나는 도식기호, 사고나 회상의 결과물인 심상기호, 사고의 수행에 사용되는 비의식기호가 있다.

논리

인과성에 따른 이치. 사고의 본성인 동일화의 원리이기도 하다. 논리와 동일화는 모두 인과성에 바탕한다.

- "iii. 4. 동일화와 논리" 참조

논리규칙

형식논리학의 규칙을 비롯하여 문법, 수사법, 알고리듬과 같은 모든 방법론적 규칙을 말한다. 추론 사고에 활용된다.

- "iii. 4.2. 논리와 논리규칙" 편 참조

대상기호

동일화는 'A=C'라는 결론적 판단의 형태로 표현된다. 여기서 A는 대상기호이고 C는 목표기호이다.

도식

이미지가 아닌, 개념적 기호를 의미할 때 사용된다.

도식기호

사물을 지각할 때 사용되는 기호. 사물의 부분 인상에 대응되는 원형의 기호를 말한다. 이와 달리, 심상기호는 사물의 전체 인상에 대응하는 기호이다.

동일성

사고의 본성인 동일화의 한 유형을 가리키는 용어. 동일성은 수학이나 과학에서 사용되는 자의적 기호와 그 기호체계에 따라 수행되는 사고에 사용되는 동일화 유형이다. 즉, 추론 사고에 사용되는 동일화 형식이다.

- "iii. 3. 동일화의 유형" 참조

동일화

상징 즉 사고의 본성이다. 동일화는 매개를 통해 다른 기호들을 통일하는 정신기능이다. 동일화는 형식을 통해 의미를 구현한다. 그러한 동일화는 판단과 마찬가지로 인과성에 바탕한다. 하지만, 동일화는 논리학의 판단 개념보다 확장된 개념이다. 통찰, 지능, 창의성, 천재 등으로 불리는 모든 사고 기능의 본질은 동일화이다. 동일화는 동일성과 차이를 구별하는 비교 능력에 기초한다. 천재의 본질이라고 일컫는 유비적 사고 능력 역시 비교 능력에 기초한다. 동일화는 이 책의 필자가 개진하는 상징학의 제1 공리적 원리이다.

- "iii. 상징의 본성: 동일화" 참조

동일화 정신작용

사고를 말한다. 물론 사고는 곧 상징이다.

- "ⅲ. 1. 동일화: 자연의 인식 원리" 참조

동질성

사고의 본성인 동일화의 한 유형을 가리키는 용어이다. 동질성은 시와 예술에서 사용되는 자연적 기호를 생성하는 사고에 사용되는 동일화이다. 즉, 통찰사고에 사용되는 용어이다.

- "ⅲ. 3. 동일화의 유형" 참조

매개어

매개어는 다른 두 기호를 통일적으로 연결하여 사고를 가능하게 하는 기호를 말한다. 사고는 매개를 사용해 다른 두 기호를 동일화하는 정신 기능이다. 여기서 다른 두 기호를 매개하는 것은 다른 두 기호의 외양이나 성질 가운데 공통되거나 유사한 점이다. 매개어는 사고에 없어서는 안 되는 필수 기호이다.

- "ⅲ. 2. 동일화의 구조와 원리" 참조

목표기호

동일화 'A=C'에서 A는 대상기호이고, C는 목표기호이다.

방법적 사고

추론 사고이다. 언어와 같은 기호와 기호체계를 사용하는 사고이다. 문명의 발달과 함께 사용 기회가 늘어나는 사고이다.

- "ⅴ. 11.1. 추론: 방법적 사고" 참조

비의식

자각되지 않는 정신 상태. 사고가 수행중인 상태이다. 비의식은 내장된 지식 세계에 대해서도 사용된다.

- v. 2. 비의식(unconsciousness)" 참조

비의식기호

사고의 수행 중에 사용되는 기호이다. 우리의 정보체에 내장되어 있는 기호이기도 하다. 비의식기호와 유사한 개념으로, 제리 포더 교수는 사고언어라는 개념을 사용했다(1975). 심리학의 의미부호 역시 비의식기호와 같은 맥락의 용어이다. 의미부호는 내장된 지식이다.

- "ⅳ. 2.2.2. 비의식기호" 참조

비의식작업기억

작업기억은 의식중에 우리가 파지하는 정보기호이다. 사고는 비의식상태로 수행된다. 비의식상태에서 사고가 수행될 수 있는 건 우리가 내장하고 있는 정보기호들을 사고 수행 중에 비의식상태에서 파지하기 때문이다. 그와 같이 비의식상태로 수행되는 사고과정에서 우리의 정신이 내장된 정보를 파지하는 기능을 이 책의 필자는 비의식작업기억이라 한다.

- "v. 10. 통찰에서의 비의식작업기억 기관: 해마" 참조

사고

매개기호를 사용해서 다른 기호들을 동일화(통일)하는 정신작용이다. 사고는 곧 상징 활동이다.

- "v. 상징의 실체: 사고" 참조

상상력

사고의 결과물을 표상하는 정신작용이다. 우리의 사고는 비의식상태로 수행되고 의식에 상상력을 통해 표상된다. 엄밀히 말하면, 상상력은 인지 작용 또는 의식작용 그것으로 이해할 수 있다. 상상력은 사고 작용이 아니다.

- "ⅴ. 3. 상상력과 사고 · 기호" 참조

상징

매개기호를 사용해서 다른 기호들을 동일화(통일)하는 일로서 곧 사고이다. 상징의 본성은 동일화이고, 그 실체는 동일화 정신작용인 사고이며, 그 결과물은 의미인 기호이다.

- "ⅰ. 2.1. 상징의 본성(동일화) · 실체(사고) · 결과물(기호)" 참조

상징학(Symbology)

이 책의 필자가 제시하는 학문이다. 사고의 본성 · 실체 · 표상의 작용원리와 그 시스템을 탐구하여 사고력을 함양하고 인공지능에 활용함을 목적으로 하는 융합학문이라고 간략히 말할 수 있다.

- "ⅰ. 융합학문 상징학" 참조

신호작용계 연구

사고 연구와 관련된 신경생리적이고 전기적 작용의 연구 분야. 대표적으로 신경생물학, 뇌과학, 인지과학, 인지심리학 등이 있다.

- "ⅴ. 5. 사고에 관한 연구 방법론: 의미작용계와 신호작용계 연구의 상보적 필요성" 참조

심상기호

사고의 결과나 회상 등에 의해 우리의 의식에 나타난 기호. 도상 형태의 이미지와 서술 형식의 도식이 있다.

심층비의식

통찰 사고를 수행할 수 있는 주의가 집중된 정신 상태 또는 통찰 사고를 말한다.

- "v. 4. 사고의 유형: 지각 · 추론 · 통찰 · 영감적 사고" 참조

영감

오랜 기간 심층비의식 상태에서 수행된 통찰의 결과가 의식에 나타나기 직전에 우리의 정신에 먼저 나타나는 기호적이거나 비기호적인 신호.

영감적 사고

시인, 예술가, 스포츠맨, 예지자 등이 수행하는 고도로 집중된 사고이다. 이 책의 필자가 규정한 개념의 용어이며 초의식비의식 사고라고도 한다. 뇌파검사에서 30Hz 이상의 감마파가 발생한다. 이와 달리, 통찰이나 추론 사고는 13-29 Hz의 베타파, 지각 사고는 8-12 Hz의 알파파, 회상의 상상은 3.5-7Hz의 세타파가 나타난다.

- "v. 13. 영감적 사고" 참조

외현기호

질료 매체에 투사된 기호를 말한다. 약속이나 임의적 구성에 의한 자의적 기호와 유사한 형상이나 속성을 띤 자연적 기호로 대별된다.

원사고

추론을 제외한 지각, 통찰, 영감적 사고이다. 비의식 상태로만 수행되며 언어와 같은 기호를 사용하지 않는다. 유아나 문맹인, 고대인, 그리고 학자, 예술가, 일반인 모두 누구나 행하는 인간의 보편적 사고 형식이다.

-“Ⅴ. 4. 사고의 유형: 지각 · 추론 · 통찰 · 영감적 사고” 참조

유비

성질이나 형상이 다름에도 특정한 면의 유사성을 토대로 동일화를 이루는 비유.

유비적 사고

형상이나 속성이 다름에도 특정한 면의 유사성을 토대로 동일화를 이루는 사고. 창의성, 천재 등으로 불리는 창조적 사고의 본질적인 특징이다.

-“Ⅴ. 7.2.3. 창의성의 본질: 동일화 정신작용” 참조

은유

이 책에서는 유비적 수사법 일반을 가리키는 용어이다.

의미역

다양하거나 폭넓은 의미를 지닌 기호의 '의미 영역'을 말한다. 대체로 기호학자들은 의미역이 넓은 경우 상징이라 하고 단일 의미를 지니면 기호라 한다. 하지만, 상징은 사고이고, 기호는 사고 즉 상징의 결과물인 의미 또는 의미체이다.

-“Ⅱ. 3.2. 의미역” 참조

의미작용계 연구

자연언어와 같은 기호 조작을 연구대상으로 하는 사고에 관련된 모든 연구 분야. 대표적으로 논리학, 심리학, 철학, 수사학, 기호학, 언어학, 문법학 등. 상징학은 신호작용계와 의미작용계의 연구를 아우른다.

- "v. 5. 사고에 관한 연구 방법론: 의미작용계와 신호작용계 연구의 상보적 필요성" 참조

의식

이 책에서는 사고의 결과를 인지하는 정신작용을 말한다. 의식은 특히, 데카르트, 칸트 등을 거치면서 사고라는 용어와 혼용되었고, 마음, 정신, 각성 등의 개념과도 혼용되었다. 하지만, 이 책에서는 사고의 결과를 인지하는 정신작용으로 제한하여 사용한다. 의식은 추론 사고와 영감적 사고를 가능하게 하고, 비의식 상태로 수행되는 통찰의 방향(주의)을 합목적적으로 유도한다. 아울러, 통찰의 내용을 추론으로써 확인하고, 재인식하게 함으로써 지식을 보다 완전하게 한다.

- "v. 1. 의식" 참조

의식비의식

추론 사고가 이루어지는 정신 상태나 추론 사고를 말한다. 추론은 문법이나 논리규칙에 따라서 수행한다. 그런 까닭에 비의식에서 수행된 사고가 절차에 따라 제대로 수행되었는지 의식 상태에서 수시로 확인해야 한다. 이와 같이 추론은 비의식과 의식이 수시로 교차 수행되므로 의식비의식 사고라 한다.

- "v.4. 사고의 유형: 지각 · 추론 · 통찰 · 영감적 사고" 참조

인과성

물리적 사태의 변화 속성. 또는 물리적 사태를 바라보는 원리. 논리와 '동일화'의 원리이기도 하다.

- "iii. 4. 동일화와 논리" 참조

인지

이 책에서는 의식의 다른 말로 사용한다. 감각이나 사고의 결과를 알아차림. 표상력(상상력)에 의함.

일상비의식

지각 사고를 수행하는 정신 상태 또는 지각 사고를 말한다. 사고는 비의식 상태로 수행되고 지각 사고는 일상생활 가운데 수시로 일어나므로 일상비의식 사고라 한다.

- "v. 4. 사고의 유형: 지각 · 추론 · 통찰 · 영감적 사고" 참조

자연적 기호

형상(기표)이나 뜻(기의)이 닮은 기호이다. 대체로 시와 예술에서 사용된다.

자의적 기호

형상(기표)이나 뜻(기의)이 닮지 않은 기호이다. 자의적 기호는 약속에 의해 만들어진다. 대체로 수학이나 과학에서 사용된다.

지각

사물이나 어떤 현상들을 알아차리는 사고이다. 칸트는『순수이성비판』에서

지각 이론을 기술했다. 심리철학은 감각질의 규명과 관련하여 지각을 연구한다. 인지과학은 로봇에 적용할 인공지능 계발을 위해 연구한다. 지각은 우리 인간의 사고와 인공지능의 연구에 있어서 기초적이고도 본질적인 분야의 사고이다.

- "v. 6. 지각" 참조

직각

지각 사고의 다른 표현이다. 즉각 알아차림이라는 의미를 강조적으로 드러내는 용어이다. 주로 추론 사고의 설명 과정에서 사용된다. 추론 사고는 얕은 통찰로 수행된 사고의 내용을 수시로 의식 상태에서 확인한다. 이때 확인하는 사고를 이 책의 필자는 관용적으로 직각이라 표현한다.

직관

통찰의 다른 용어이다. 철학이나 심리학 등에서 사용한다. 직관은 지각이나 직각의 의미 등으로도 사용되어온 까닭에 이 책의 필자는 비의식 상태에서 전일적으로 이루어지는 사고에 통찰이라는 용어를 사용한다.

- "vi. 7. 사고 관련 용어의 혼란과 정리" 참조

창의성

새로운 과제를 성공적으로 수행하는 사고 능력이다. 하지만, 창의성에 대해 심리학을 비롯한 학계에서는 아직 통일된 의견을 갖고 있지 않다. 이 책의 필자에게 창의성의 본질은 '동일화'이다.

- "v. 7.2. 창의성: 유비적 사고의 동일화 정신작용" 참조

천재

선천적으로 탁월한 사고 능력. 천재는 동일화를 빠르고 폭넓게 할 수 있는 재능이다. 그 두 요소 가운데 '광범성'이 '신속성'보다 중요하다. '광범성'은 원대한 지적 과업을 수행하려는 도전 정신과 지적 모험성이 요구된다. 그러한 품성을 지니지 않은 경우, 천재는 특이한 재능의 싹에 그치고 만다. 그러한 덕성을 지닌 경우 평범한 두뇌지만 광범한 동일화의 사고를 수행함으로써 전문 분야에서 인류 사회에 공헌할 수 있는 업적을 이룰 수 있다. 따라서, 영재에게는 무엇보다도 그러한 덕성을 체화시키는 일이 필요하다.

초의식비의식

영감적 사고를 수행하는 정신 상태 또는 영감적 사고를 말한다. 영감적 사고는 심층비의식의 통찰 사고를 수행하면서도 그 수행 내용을 의식 상태에서 자각하기 위해 심층비의식과 의식을 동시적으로 교차 수행한다. 심층비의식 상태에서 의식 상태로 순간적으로 교차 수행하기 위해선 고도의 정신 집중이 필요하다. 그런 까닭에 초의식비의식 사고라고 한다. 이때는 30Hz 이상의 고도의 감마파가 나타난다.

- "v. 13. 영감적 사고" 참조

추론

설명이나 이해를 위한 사고이다. 특징은 언어, 문법, 논리규칙과 같은 기호와 기호체계를 사용한다. 따라서, 방법적 사고라고도 한다.

- "v. 11. 추론: 얕은 통찰과 직각의 교차 수행 정신작용" 참조

통찰

비의식 상태에서 복합판단이 총체적이고도 전일적으로 이루어지는 사고이다. 과학에서 가설 착상, 시나 예술에서 작품을 창작할 때 사용된다. 한편, 사고는 지각, 통합, 추론, 영감적 사고로 분류된다. 그런데 이러한 사고는 모두 본질면에서 통찰적이다. 다만, 심층비의식의 통찰은 가장 대표적인 유형의 통찰 사고로서 영감적 사고와 함께 시, 예술, 과학 등의 창조를 수행하는 사고이다.

- "v. 7. 통찰" 참조

투사

상징 즉 사고의 결과를 물질 매체의 기표에 내장함으로써 심상기호와 외현기호가 이루어진다. 이와 같이 사고의 결과를 기표에 내장하는 일을 투사라 한다. 한편, 이러한 투사의 결과로 인해 상징과 기호가 동일한 것으로 오해된다.

판단력

논리학, 심리학, 철학의 인식론 등에서 사고의 본질적인 능력으로 간주된다. 하지만 그러한 판단력의 개념은 매개념, 비의식과 같은 통찰 사고 개념의 요소들을 고려하고 있지 않다. 판단력과 동일화의 차이는 거기에 있다. 판단력은 사고의 실체가 아닌, 사고의 형식에 관련된 개념이다.

- "iii. 4.3. 철학의 수단: 추론" 참조

형식

이 책에서는 상징 즉 사고와 기호를 구현하는 방식을 의미한다. 사고에는 동일성과 동질성의 형식이 있다. 그리고 기호에는 외현기호와 내현 기호의 형식이 있다. 내현기호는 도식, 비의식, 심상의 형식이 있고, 외현기호는 자의적,

자연적 형식이 있다.

확산 은유

원관념(대상기호)에 대한 보조관념(목표기호)의 의미가 1개 이상인 수사학적 은유의 형식을 말한다. 시 · 예술에서 확산 은유는 자의적 기호를 사용할 때보다 강력한 효과를 얻는다. 자의적 기호는 보조관념과 원관념이 서로 무관하다 싶을 정도로 의미의 거리가 멀다. 데뻬이즈망 또는 병치 은유라고 불리는 것들이 해당한다. 이 책의 필자는 '먼 비유'라고도 한다.

활성기호

우리가 지닌 모든 정보들과 연결되어 완전히 이해된 기호. 활성기호만이 창조적인 사고를 수행하게 한다. 암기된 기호는 비활성기호로서 사고를 경직되게 하고 고착시킨다. 이러한 문제를 벗어나기 위해 후설은 사물에 대한 지각에서부터 본질을 통찰(직관)하는 현상학을 제창했다.

- “ⅳ. 3. 활성기호” 참조

24

| 머리말 |

상징학이라는 제명의 이 책은 사고의 본성과 작용원리에 관한 연구서이다. 상징이 사고라는 말은 생소할 것이다. 사고는 매개를 통해 대상들을 동일화하는 상징 활동이다. 이성 중심의 칸트(I. Kant)를 겨냥하여 카시러(E. Cassire)가 인간은 이성적 동물이 아니라 상징적 동물이라고 한 것은 이러한 맥락에서 정당하다.

리차즈(I. A. Richards)와 오그덴(C. K. Ogden)은 명징한 언어 사용의 규준에 관한 저서 『의미의 의미』(1923)를 저술한바 있다. 그들은 서문에서 자신들의 작업이 상징학으로 이해되기를 희망했다. 카시러는 『상징형식의 철학』(1923-9)과 『인간론』(1944) 등을 통해 상징 기능을 철학의 화두로 삼았다.

이러한 야심찬 작업 외에도 상징은 아리스토텔레스(Aristoteles)의 『시학』(*Poetics*)과 그의 논리학 저작들인 『오르가논』(*Organon*)에서부터 오늘날 인공지능을 연구하는 인지과학에 이르기까지 제 학문과 예술 분야에서 연구되어 왔다. 하지만 아직까지 대학에는 상징학과가 설치되어 있지 않고 상징학이라는 제명의 서적조차 찾아볼 수 없는 실정이다.

직업적으로 노동행정 · 법률 업무에 종사한 이 책의 필자는 직무 외의 시간에는 거의 모든 시간을 시 창작과 시평 작업에 할애했다. 시의 본질이 비유라고 생각한 필자는 사고가 곧 상징이라는 생각을 했다. 그리고 사고 역시 상징이며, 사고와 상징이 모두 어떤 매개를 사용해서 다른 기호나 사물들을 동일화하는 일이라는 걸 깨달았다. 아울러, 사고는 의식되지 않는 상태에서 이루어지며 사고의 종료 후 의식에서 인지된다는 사실을 체험을 통해서 알았다.

나아가, 시 창작에서의 자동기술은 의식과 비의식이 동시적으로 교차하는 영감적 사고 상태에서 강력히 수행된다는 사실 또한 체험했다. 앙드레 브르통(Andre Breton)은 20세기 초에 쉬르레알리슴을 선언하면서 자동기술을 언급했다. 1990년도 노벨 문학상 수상 시인 옥타비오 파스(Octavio Paz)는 그러한 사실을 영감과 결부지어 언급했다.

이러한 내용을 접하기 이전에, 시의 본질이 비유라고 생각한 필자는 혼자 시 쓰기 훈련을 통해 그러한 사실을 직접 체득했다. 체험에 의한 인식의 지식은 독서에 의한 간접 지식보다도 훨씬 강력한 신념을 불러일으키는 법이다. 필자는 그러한 체험적 사실들을 기회 있을 때마다 문예지에 기고했다.

우리의 사고 특히 시를 쓸 때, 강력한 집중 아래 수행되는 사고의 순간에는 아무 것도 인지되지 않는다. 이 책의 필자는 확산적 은유의 시작(詩作)일수록 비의식 깊이 침잠하여 수행된다는 사실을 인식하고 확산은유의 시편을 제작했다. 하지만, 2000년도를 전후하여 서정시와 리얼리즘 시가 주류를 이루던 우리 시단에 필자와 같은 시작 태도나 이론은 난해성으로 인해 관심을 끌지 못했다.

잘 알려져 있듯 시인은 의식을 잃은 망아 상태에서 신의 음성을 모방하는 자라고 플라톤(Platōn)은 말했다(『이온』, 534a-c). 그리고, 모방자는 실재(to on)가 아닌 현상(to phainomenon)만을 안다고 하였다(『국가』 제10권, 601b). 이러한 의식 중심주의의 인식론은 데카르트(Ren□ Descartes)에 이르러 철학사에서 다시 한 번 추인되고 강조된다. 이어서 불멸의 철학자 칸트는 『순수이성비판』에서 사고를 의식의 통각 아래 수행되는 판단 기능으로 공표했다.

사물을 지각하는 오성과 판단력으로 개념을 연결하는 추론을 사고의 전형으로 규정하고, 비의식에서 수행되는 직관(이 책의 필자의 통찰)은 그의 명저에서 배제했다. 이러한 철학사적 맥락의 전통 아래서 철학자들이 사고가 명석판명한 의식상태에서 수행된다고 생각하는 것은 어쩌면 당연한 일일 것이다. 하지만, 영혼의 실체로서 수행되는 시인의 통찰 사고는 분명히 비의식 상태임을 인지할 수 있고, 또한 당연히 그래야만 한다고 생각했다. 그런데, 주변의 사정은 그렇지 않았다.

플라톤은 소크라테스의 음성을 통해, 사물에 대한 탐구는 이름을 통해서가 아니라 사물 자체를 통해서 이루어져야 한다고 했다(『크라튈로스』, 439b). 그로부터 2,300여년 뒤에 후설은 현상학이라는 이념 아래 그러한 선구적 견해를 다시 반복한다. 후설은 이름의 권위와 역사적 전통의 지식을 사물에 대한 직접 인식으로 대체할 것을 주장했다. 그러한 후설에게 인식의 권리원천은 본질 파악의 직관과 이를 수행하는 통

찰이다.[1)]

주위의 무관심 속에서도 필자의 견해는 보다 더 확고해지고 체계화되어갔다. 두 번째 시집의 원고를 끝낸 2002년경 접어들어 필자는 사고의 본성과 작용원리에 관한 보다 체계적인 저술을 위해 관련 자료들을 검토하기 시작했다. 그리고 시단에 발표해오던 "메타기호학: 비의식의 상징"이라는 이론을 근년 들어 상징학이라는 학문의 형태로 제시하고자 생각하기에 이르렀다.

고대의 현인은 이렇게 말한다. 이름은 혼의 생성에 대한 욕구이다. 그것은 본질을 직관하는 '노에에시스'(noésis) 즉 사고의 작용이다. 사물에는 저마다 어떤 본질(ousia)이 있다. 이름은 사물의 본성을 드러내는 것이다. 이름은 그러므로 당연히 사물의 본성에 걸맞아야 한다. 제일 좋은 이름은 사물을 닮은 것이다(『크라튈로스』, 390a-435cd).

하나의 학문이 성립하려면 먼저 연구 대상이 (상징학의 경우에는 상징 즉 사고) 명확히 설정되어야 한다. 아울러, 학적 연구 대상에 대한 본질적 인식과 개념의 정립이 있어야 한다. 과문한 탓인지 모르나, 상징을 사고로 규정하고 사고를 탐구의 대상으로 삼고 있는 학문은 현재까지 없는 것으로 안다. 그런데, 관련 연구자들의 자료에 의하면, 상징과 사고에 관한 개념과 용어는 기호와 함께 백가쟁명을 이룬다[2)]

이러한 상황에서는 우선 무엇보다도 상징과 사고 그리고 그 표현 매체인 기호에 대한 분명한 인식과 개념의 정립이 필요하다. 하지만, 철

1) Edmund Husserl. 『순수현상학과 현상학적 철학의 이념들』 I (이종훈 역). 한길사. 2009. pp. 50. 107, 218.
2) 필자의 이 책 "ii. 4. 상징 개념의 혼란", "iv. 7. 사고 관련 용어의 혼란과 정리" 참조.

학의 인식론 · 심리학 · 인지심리학 · 인지과학 · 논리학을 비롯하여 수사학조차도 상징과 사고에 관한 용어의 통일적 정립과 정리에 관해서는 시도조차 되고 있지 않다. 기호학 역시 (적어도 필자의 관점에서는) 통일된 기호 개념을 세우기를 포기한 것으로 보인다. 그만큼 기호 개념에 관한 의견들이 상대적 규준들을 내세우며 다양해진 것이다(필자의 이 책 "ⅳ. 1.1. 기호: 의미체" 참조).

이러한 상황에서 상징학이라는 학문이 존재할 수 없음은 어쩌면 당연한 일일 것이다. 상징과 상징 기능에 관한 코페르니쿠스적 전회를 이룬 인식론적 작업으로 『상징형식의 철학』과 『인간론』을 비롯한 카시러의 연구가 있다. 카시러는 우직스럽도록 현상학적 연구 태도를 취했다. 하지만 정작 상징의 본질을 명료히 수렴하는 일에는 그렇게 성공적이지 않다.

그런 카시러는 상징을 사고의 문제로 확장하지 않았다. 카시러는 상징을 수사학의 영역으로부터 상징 기능이라는 사고의 형식에 관한 문제로 이행하는 다리를 놓았다고 할 수 있다. 하지만, 카시러는 상징의 본성과 실체를 목전에 두고서 더 이상 나아가지 않았다. 그런 점에서 그의 연구는 여전히 기호학적 영역에 머물러 있다는 평가를 내리게 한다.

사고에 관한 연구는 실로 인문 · 자연과학의 제 학문에서 널리 일정 부분씩 두루 수행되고 있다. 문법학 · 논리학 · 수학은 추론 사고의 형식에 관해서, 수사학 · 시학은 은유적 통찰 사고의 형식에 관해서, 기호학은 의미의 형식 전반에 관해서 연구한다. 심리학 · 교육학 · 언어학 · 인지심리학 · 정신의학 등은 사고와 기억의 현상에 관해서 연구한다.

한편, 인지과학은 인공지능과 관련한 인간의 사고 원리에 관해서, 뇌과학 · 신경생물학 · 양자물리학은 사고의 기반을 비롯한 뇌신경생리작용에 관해서, 정치 · 행정 · 사회학은 개인의 사고관 관점에서 연구되고 있다. 이러한 제 방면의 연구 노력에도 불구하고, 정작 사고의 본성과 작용원리는 그 어느 분야에서도 본질적인 정리를 제시하고 있지 않은 상황이다.

개개의 연구들은 사고의 본성과 작용원리에서 비껴나 있거나, 사고작용의 원리와 현상에 관심을 두고 있더라도 일부 사안에 국한된다. 근년에 쏟아져 나오는 지능 · 창의성 계발 관련 서적들 역시 사고의 본성과 작용의 원리에 관해서는 비껴가거나 모호한 태도를 취하고 있다.

사실, 학문적 체계화란 학문을 구성하는 기초 개념들을 명석판명하게 하는 일에 다름 아니다. 그런 명료화 작업 가운데 개념들이 분화되고 의미의 그물망이 형성된다. 아울러 개념의 의미망은 인드라의 그물처럼 하나가 전체를 수렴하고 전체는 모든 개별적 개념에 홀로그램처럼 내장된다. 이 책의 필자의 [상징학]에서 그와 같은 유기적이고 통일적인 작업을 뒷받침하는 개념은 사고의 본성인 '동일화'이다.

사고는 동일화의 심도에 따라 원사고의 통찰과 방법적 사고의 추론으로 대별된다. 그리고 원사고는 지각 · 통찰 · 영감적 사고로 구별된다. 동일화는 사고의 본성이자 사고 수행을 이끄는 제1의 원리적 공리이다. 나아가 동일화는 문화 창조의 열쇠이자 자연 작용의 원리이다. 필자는 이 책에서 동일화의 구조와 원리, 동일화의 유형, 동일화와 논리 등을 비롯한 사고의 본성에 관해 적지 않은 지면을 할애했다.[3)]

필자가 상징학이라는 이론체계의 학문을 제시함에 있어서 관심을 기울인 또 하나의 문제는, 필자의 이론 체계와 유사한 이론들이 있는지 혹은 이미 제시된 선구적 이론들을 필자가 한 구절이라도 되풀이하는 것은 아닌지 확인하는 일이었다. 그리고, 이러한 작업은 또 다른 측면에서 요구되는 일이기도 했다. 우선, 선구적 자료들을 드러내어 밝히는 건 선각자의 노고에 대한 예이다.

한편, 자료에 대한 확인 과정을 통해 사고의 본성과 작용원리가 고려되지 않은 화용론적 주장의 논의들에 대한 비판적 검토를 수행할 수가 있다. 사실, 이러한 작업은 사고에 관한 상징 이론을 발전시켜 나가는 과정에서 누군가는 해야 할 부득이한 작업이기도 한 것이다. 언급했듯이, 기존의 사고에 관한 연구들은 기초 개념들의 본성과 개념들 상호작용의 관계가 고려되고 있지 않거나 고려되고 있더라도 단편적이고 제한적 논의에 그친다.

우선 몇 가지 예를 들면, 칸트(I. Kant)는 오성을 사고 기능 또는 판단력으로 규정하면서도 정작 오성이나 판단력의 본성이 매개를 사용한 동일화라는 사실을 언급하지 않는다. 헤겔(G. W. F. Hegel)은 사고가 매개로써 이루어진다는 사실을 언급하나, 사고의 본질이 통찰이라는 사실을 고려하지 않았다.

우리의 모든 사고는 언어 기호나 그 체계를 초월하여 비의식 상태로 순간적이고도 전일적으로 이루어지는 통찰 작용이다. 이러한 사실은 칸트의 기념비적인 연구결과에도 불구하고, 그를 비롯한 전통 철학계의 인식론적 연구 상황을 사고의 문제에 있어서는 반쪽 세계의 연구라는 평가를 내리게 한다.

3) "iii. 상징의 본성: 동일화"는, "1. 동일화: 자연의 인식 원리, 2. 동일화의 구조와 원리, 3. 동일화의 유형, 4. 동일화와 논리, 4.1. 동일화는 비의식의 통찰이다, 4.2. 논리와 논리규칙, 4.3. 철학의 수단: 추론, 4.4. 동일화와 논리, 5. 동일화의 형식과 사고, 6. 동일화의 의미"로 구성되어 상술되고 있다.

카시러 또한, 상징을 수사학의 영역으로부터 사고 기능의 문제로 이동시킨 지대한 공이 있음에도 같은 비판을 받을 처지에 있다. 그리고, 카시러는 칸트나 사르트르(J. P. Sartre)와 달리 상상력을 시 · 예술 창조에 조력하는 사고기능의 일종으로 이해했다. 오늘날 많은 창의성 또는 두뇌계발 연구자들 역시 상상력을 참신하다거나 환상적인 내용의 사고 등으로 간주하는 것을 볼 수 있다.

본문에서 상술될 것이나, 이것은 그들이 사고의 본성과 작용원리를 간과했음을 공표하는 일이다. 사고와 상상력은 배타원리가 작용한다. 사고가 끝나는 곳에서 상상력은 시작되고, 상상력이 끝나는 곳에서 사고가 시작된다. 상징 · 기호 · 의식 등의 문제가 그러하듯 상상력에 대한 비본질적인 이해는 사고 연구의 이론 체계를 무원칙하게 흔드는 걸림돌로 작용한다.[4)]

이러한 가운데 수학자 아다마르(J. S. Hadamard, 1865-1963)가 쓴 소책자 『수학분야에서의 발명의 심리학』(*Essai sur la Psychologie de L'inventin Dans le Domaine Mathé matique*, 1944)은 이 책의 필자에게 강렬한 인상을 안겨주었다. 물론 이 외에도 몇 가지 주요한 저서들이 있다. 예를 들면, 신경생물학자 크리스토프 코흐(Christof Koch, 1956-)의 『의식의 탐구: 신경생물학적 접근』은 특별한 감회를 안겨준 책이다. 코흐는 필자와 마찬가지로 "비의식"이라는 용어를 사용한다. 또한 이 책에는 필자와 마찬가지로 의식을 자각적 인지작용으로 이해한다고 선언한 크릭(Francis H. C. Cric, 1916-2004)의 추천사가 실려 있다.

---

4) 상상력을 사고의 일종으로 여기는 연구자들과 그 문제성은 "Ⅴ. 4. 상상력과 사고 · 기호" 편에서 상술된다.

한편, 칸트의 『순수이성비판』은 인식과정과 사고의 기능들에 관해 더 이상 구현할 수 없을 만큼 정치하게 기술하고 이성의 한계를 비판한 불후의 저작이다. 이에 관해서는 필자의 이 책 "ⅳ, 1. 칸트와 카시러의 사고론 비평", "2. 칸트의 사고론"을 통해 상술된다. 아울러, 『판단력비판』은 상징과 기호를 구별하고, 상징을 유비적 판단의 형식으로 규정한 효시적 철학서이다.

레이코프(G. Lakoff)와 존슨(M. Johnson)의 『몸의 철학: 신체화된 마음의 서구 사상에 대한 도전』은 사고가 무의식적이며 은유적이라는 사실을 인지과학적 관점에서 제시한다. 사고는 비의식 상태로 수행되는 동일화 상징작용이다. 그들의 책은 이러한 필자의 현상학적 통찰을 인지과학적 관점에서 뒷받침하는 의미로운 저서의 하나이다.

에버딘 대학의 논리학 교수 배인(Alexander Bain, 1818-1903)은 사고의 본성을 유사연합 개념으로써 필자의 동일화 개념에 가장 근접되게 설명한다. 윌리엄 제임스(William James, 1842-1910)는 『심리학의 원리』에서 베인 교수의 업적을 평가하며 소개하고 있다. 그러한 제임스의 『심리학의 원리』는 사고 · 기억 · 상상 · 무의식 등의 정신기능을 방대하고도 깊이 있게 추궁하는 명저이다.

이 책은 필자의 지각 · 추론 · 통찰 · 기억 · 상상력과 같은 주요 개념들에 대한 설명과 관련하여 필자가 예증적으로 가장 많이 인용하는 책의 하나이기도 하다. 그의 책은 지금으로부터 한 세기 훨씬 전인 1890년에 출간되었다. 하지만 그의 통찰은 오늘날 연구자들 이상으로 깊이 있고 본질적이며 많은 면에서 선구적이다.

사고의 본성과 함께 의식 · 무의식(이 책의 필자의 비의식)은 사고의 원리가 작동하는 기반이다. 직관과 논리는 이 책의 필자가 말하는 통찰과 추론이다. 앞서 언급한 아다마르(J. S. Hadamard)는 필자의 [상징학] 사고이론의 핵심 개념인 의식 · 무의식 · 직관 · 논리와 같은 개념들에 대해 누구보다도 집약적이고 예리한 관찰의 흔적들을 남겨두고 있다.

수학자 푸앵카레(Henri Poincare, 1854-1912)는 창의적 사고에 많은 관심을 가졌다. 그는 학생들이 수학을 잘 이해하지 못하는 이유를 원리보다 추론적 풀이의 과정에 만족하기 때문임을 확인했다. 이에 대한 해결책으로 아다마르가 쓴 책이 『수학분야에서의 발명의 심리학』이다. 이론물리학자이자 수학자인 로저 펜로즈(Roger Penrose, 1931-)는 통찰과 인공지능의 문제를 다루는 『황제의 새마음』에서 아다마르의 이 책을 독자들에게 일독할 것을 권한다.

필자 역시 그 책은 상징(사고)의 연구와 관련하여 권하고 싶은 몇 안 되는 책 중의 하나이다. 아다마르는 수학자다운 날카로움으로 사고와 무의식의 관련성을 추궁하고, 사고를 직관과 논리로 대별한다. 그리고, 직관 사고의 중요성을 강조한다. 현재 이 책은 수학도들의 필독서로 알려져 있다.

하지만 이 책은 오늘날 창의성을 중시하는 교육학계 전반은 물론 시 · 예술 창작인들과 인문 · 과학 연구자들 역시 반드시 읽어야 할 책으로 추천하고 싶다. 물론, 필자의 [상징학] 또한 반드시 필요할 것이다. 아다마르나 칼 융 등이 모호한 이미지로 스케치 해둔 단상들을 선명하게 정리하고 있을 뿐만 아니라, 현재까지 알려지지 않은 보다 본질적인 사고작용의 원리와 기반 시스템 전반을 체계적으로 설명하고 있다.

베르그송(Henri Bergson, 1859-1941) 역시 사고를 직관과 분석으로 구별했다. 그런데 칼 융(C. G. Jung, 1875-1961)은 베르그송이나 아다마르에서 한 걸음 나아가 예술이나 과학 모두 직관 사고에 의지하고 있음을 지적한다. 하지만, 사고의 본성이나 의식 · 비의식의 상호작용에 관한 구체적이고도 체계적인 언급을 하고 있지는 않다.

사고에 관한 연구는 양자물리학자들과 신경생물학자들의 관심 대상이기도 하다. 이론물리학자 로저 펜로즈는 원자와 분자의 상호작용을 제어하는 화학적 힘들이 양자역학에 그 기원을 두고 있다고 생각한다. 펜로즈는 골격세포의 미세소관 내 양자들의 조직적 운동과 의식의 관계를 연구한다. 하지만, 분자생물학적 입장의 에델만(Gerald Edelman, 1929-2014)은 펜로즈가 의식의 이해에 필요한 심리학적 · 생물학적 지식을 무시한다고 생각한다.

사실, 양자 · 뉴런 · 사고의 각 수준은 어떤 임계점을 통과한 질적으로 차원을 달리하는 질서들이 작용하는 세계들이다. 에델만의 지적처럼 분자생물학적 차원의 뉴런들의 세계는 양자역학적 질서와 작용을 뛰어 넘은 생물학적 신경생리작용의 질서가 나타난다. 이러한 신경생물학적 수준의 설명에 있어서 양자역학적 수준의 설명은 오히려 불필요한 장애물일 수 있다.

마찬가지로, 분자생물학적 관찰대상인 뉴런들의 전기 · 화학적 작용으로 인한 뇌신경생리작용은 보다 상위 수준인 감각질 현상과 의미작용의 세계를 생성한다. 우리의 사고작용은 그러한 의미 기호들을 연결하는 상징 활동이다. 그러한 까닭에 기호학적이고 상징학적 수준의 의미작용의 세계에 관한 사고 이론은 특별한 경우가 아니면 뇌신경생물학적 수준의 설명을 요구하지 않는다.

양자물리학적 설명이나 분자생물학적 설명은 모두 '뇌의 기능과 작용'에 관한 설명이다. 이와 달리, 사고는 뇌신경생리작용의 결과로 구현된 의미 기호를 연결하는 수의적 정신활동이다. 다시 말해, 사고는 양자역학적 질서와 신경생물학적 작용의 결과로 생성된 최상위 수준의 의미론적 세계의 일이다. 그러한바, 의미 기호와 그 연결 작용의 원리를 대상으로 하는 사고 이론의 작업은 사고작용에 대한 내성적인 현상학적 관찰과 통찰로써 가능하다. 한편, 양자역학 · 신경생물학 · 인지과학적 접근의 연구는 의미론적 연구의 토대에 관한 지원을 수행할 수 있다.

필자의 집필 동기이자 중요한 또 하나의 바램은, 우리의 교육제도가 근본적으로 변화되었으면 하는 것이다. 오늘날 우리의 교육 상황은 어떤 마지막 한계 수위를 향해 치닫고 있다는 생각을 갖게 한다. 일례로, 심리학은 기억이 암송을 하거나 어떤 의미와 맥락적 연결을 함으로써 이루어진다는 점들을 언급한다. 그러나 기억은 다름 아닌 사고 행위이다. 기억은 새로운 정보를 우리가 지니고 있는 정보와 연결하는 사고 활동이다. 의미와 의미를 연결하는 동일화 사고의 수행 없이 기억은 결코 이루어지지 않는다.[5]

특별한 기억술 전문가들은 한정된 시간에 초인적인 암기를 할 수 있다. 하지만, 과학자나 예술가들은 결코 그와 같은 암기법을 사용하지 않는다. 설령 아인슈타인(Albert Einstein)이 그러한 방식으로 도서관의 모든 책들의 문장을 암기했다 하더라도 그의 상대성이론에 관한 통찰에는 아무런 도움이 되지 않았을 것이다. 그러한 비본질적 정보들을 매개로 이용하는 단순 암기는 다만 하나의 특별한 재주로서 의미를 지닐

---

5) 기억과 사고에 관해서는 "ⅳ, 1.2. 기호 · 사고 · 기억(내장)" 편 참조.

뿐이다.

오늘날 우리의 교육 현실에서 필자는 그와 유사한 상황들을 목도한다. 푸앵카레 역시 지적했듯 학생들은 통찰 사고로써 원리를 규명하기보다 교과서의 단순한 설명적 연역과정에 대한 이해만으로 학습을 끝낸다. 이것은 일종의 단순 암기와 유사한 공부법이다. 그러한 단순 연결의 암기가 어떤 특정 학생 개인에게 도움이 될지는 모르나, 사회 전체로 보아서는 전혀 도움이 되지 않는다.

물론, 이러한 상황은 학생들에게 잘못이 있지 않다. 학생들은 더 이상 원리의 규명을 위해 파고들 시간이 없다. 학생들의 통찰력을 억압하고 저해하는 이러한 교육은 오히려 우리사회 전체의 창조성을 일실하는 결과를 초래한다. 단순 연결에 의한 공부는 시험을 치르고 나면 본질적인 내용을 제외한 대부분을 잊게 된다. 필자로서는 우리 사회가 왜 이러한 낭비적이고 불필요한 학습을, 그것도 잠자는 시간을 제외한 모든 시간을, 모든 학생들에게 동일하게 강요하는지 이해가 가지 않는다.

전문가 사회에서 사고의 신속함은 그렇게 중요하지 않다. 많은 경우, 영재나 천재들은 광범한 정보 연결 능력보다 제한된 영역에서의 신속한 처리 능력을 보여준다. 물론, 이러한 영재들은 앞으로 성장 과정을 거치면서 보다 광범한 정보들을 상대적으로 효율적이고도 신속히 연결할 수 있을 것이다. 그러나 현재의 상황에서는, 극단적 표현일지 모르나, 이러한 재능은 신통한 암기술을 사용하는 단순 연결의 암기력이나 다를 바 없다.

자신의 분야에서 성공하기 위해선 제한된 영역에서 신속한 정보처리 능력보다는 광범한 정보 연결 능력이 요구된다. 새로운 창조는 신속함에서 나오는 것이 아니라 광범한 정보의 연결로써 가능하다. 물론, 광범한 정보의 연결은 동시에 깊이를 요구한다. 지능 측정 테스트는 짧은 시간에 동일성과 차이를 얼마나 더 판별할 수 있는지를 주요 항목으로 채우고 있다. 그런데, 신속한 정보처리능력을 가진 학생이 앞으로 자신의 인생에서 지속적으로 광범한 정보연결 노력을 기울일 수 있을지는 또 다른 문제이다.

신속한 정보처리 재능만을 발휘하도록 하는 우리 사회에서 학생들이 앞으로 사회에 나와 기여할 수 있는 일은 과연 어떤 것들일까? 우리는 왜 OECD 회원국 간의 수학 성취도 검사에서 수위를 차지하면서도 막상 대학에서는 독창적인 논문을 써내기보다 베끼기에 익숙해지는 것일까? 일반적 교육상황을 바탕으로 특수한 문제를 거론할 것은 아니지만, 우리는 왜 필즈상(Fields Medal) 수상자나 관련 분야에서 노벨상(Nobel Prize) 수상자가 나오지 않는 걸까? 왜 해마다 수많은 학생들이 외국의 저명한 학자나 대학을 찾아 공부를 하러 나가야 하는 것일까?

깨달음에 있어서 지능의 신속성과 시간의 지연은 중요하지 않다. 조금의 인내와 훈련은 지능의 신속성을 능가하며, 광범한 인식을 구현하는 깨달음에 이르게 한다. 조급함이 이런 길을 가로막고 있는 것이다. 사고와 기억이 다름 아닌 하나라는 사실을 간과한 채, 단순 연결의 암기에 의할 때 그러한 학습은 엄청난 사회적 낭비를 초래한다. 그러나 사실은 그러한 낭비는 단순한 낭비가 아니라 상대적으로 우리사회의 정체와 퇴보를 의미한다. 청소년기 학창 시절의 필자에게 가장 힘들었던 건 생각할 자유가 허용되지 않는 것이었다. 하지만, 오늘날 우리 사회의 교육 환경은 그때보다도 더 가혹한 상황으로 보인다.

오늘날 창의성 계발 연구자들은 시 · 예술의 교육과 훈련이 창의성

함양에 절대적으로 필요하다는데 의견을 같이한다. 그들은 창의성의 본질이 은유, 패턴, 모델화, 확산적 사고와 같은 것이라고 생각한다. 그런데 이러한 사고 형식들의 본성은 '동일화'이다. 동일화 정신작용의 사고는 통찰과 추론으로 대별된다.

과학의 경우 가설의 창출은 통찰을 사용하나, 보고서의 작성은 추론을 사용한다. 이와 달리 시의 경우는 은유의 생성과 기호적 표현 모두 통찰을 사용한다. 다만, 감상과 비평은 대체로 추론을 사용한다. 다시 말해, 시 창작이 과학적 가설 창출을 위한 학습보다 효과적인 통찰 사고 훈련을 할 수 있다는 말이다. 이것은 과학과 함께 시 · 예술 창작 수업이 교육 현장에서 필수적으로 병행되어야 하는 이유를 말해준다.

아울러, 시 · 예술 창작 수업 역시 수학과 마찬가지로 본질적 원리에 따른 사고 훈련이 필요하다. 칸트는 과학과 달리 시는 천재의 산물이므로 시작법은 가르쳐지지 않고 배울 수도 없다고 하였다. 그러나, 이 책의 필자의 생각은 다르다. 일반적인 정보처리 능력을 지닌 학생이라면 누구나 배움과 훈련에 의해서 좋은 시를 창작할 수 있다. 사고의 원리는 언급했듯이 매개를 사용해서 다른 대상들을 동일화하는 일이다. 시 창작의 사고 역시 마찬가지이다.

이 책이 천재를 박대할 이유는 없다. 그러나 필자는 일반적 두뇌의 소유자라면 누구나 전문 분야에서 창의성을 발휘할 수 있다는 확신을 갖고 있다. 그리고 이 책은 그러한 이론적 근거들을 개진하고 있다. 이미지의 효과나 다양한 은유 구성의 형식을 학습한다고 하여서 시가 잘 써지는 것이 아니다. 그러한 형식적 기교에 관한 지식은 시인으로서 갖추어야 할 기초적 소양일 뿐이다.

은유는 통찰 사고로 이루어진다. 그리고 상상력에 의해 우리의 의식에 투사된다. 시의 창작에 있어서 은유의 시문을 통찰하는 유비적 사고 능력의 함양은 필수적이다. 그러한 노력 없이는 시론과 수사학을 공부한 만큼의 시 창작이나 과학적 학습 사고를 할 수 있을 뿐이다. 왜냐하면, 그러한 공부도 통찰 훈련의 일부이기는 하기 때문이다.

2002년에 미국에서부터 시행된 나노공학 · 생명공학 · 정보과학 · 인지과학을 중심으로 한 융합과학기술정책(NBIC)의 핵심 분야는 말할 것도 없이 인간 지능의 원리를 탐구하는 인지과학 분야라 할 수 있다. 창의적 사고의 본성과 원리에 관한 연구는 미래 전략산업을 창출하는 핵심 분야이다.

오늘날 우리 대학에서는 문 · 사 · 철의 인문학이 마른 나무처럼 밑동에서부터 잘려 나가는 안타까운 일들이 일어나고 있다. 본질적 차원에서 철학은 앎에 관한 인식론을 형성해왔다. 아울러 지식이 인간에게 어떻게 사용되어야 하는지를 고찰하는 존재론적 사유를 구축해왔다. 상징학의 궁극의 목적 역시 형식을 통해 의미를 구현하는 동일화 사고 능력의 함양에 있다.

동일화의 '형식'은 칸트나 카시러 등이 구축해온 인식론이나 논리학과 같은 사고의 형식이자 규칙을 포함한다. '의미'란, 소크라테스로부터 비트겐슈타인 등에 까지 이르는 애지자들이 그러했듯, 사고의 방법론을 통해 체현하는 삶에 관한 지혜이다. 동일화를 본성으로 하는 우리의 사고 즉 상징 행위는 궁극적으로 자연과 인간에 대한 이해와 깨달음의 문제로 귀결되고 수렴된다.

상징학은 인간의 문화를 창조하고 표현하는 제 학술 · 예술 · 기술에 기초이론을 제공하는 메타 학문이자 범 융합학문이다. 이러한 상징학의 정립은 현재 쓰러져가는 인문학을 다시 되살리는 계기를 마련하는 일이기도 하다. 이 책의 필자는 [상징학]이 사고에 관한 단편적 차원의 논의를 넘어 하나의 통일된 체계의 학문으로서 자리매김 되길 기대한다. 아울러, 대학에 상징학과나 상징학부가 설치되어 상징학이 연구되기를 희망한다.

이 책은 사고에 관한 체계적 연구에 있어서 이제 막 시작의 발걸음을 내디뎠을 뿐이다. 출간 시점에서 돌아보니 선구적 작업들에 대한 보다 폭넓고 깊이 있는 연구가 있어야 함을 절실히 느낀다. 설령, 하나의 학문이 불변의 공리로부터 연역된다 하여도 이론체계는 다양한 방향으로 분화 발전할 수 있다. 그리고, 불변의 공리 역시 언젠가는 새로운 사실 앞에서 하나의 특수한 질서의 원리로 자리매김 되기 마련이다. 혜안을 가진 선후배 제현들과 명민한 독자들에 의해 보다 깊이 있는 논의들이 이 책 위에 더해지기를 기대한다.

2015년 9월 22일

창밖 한뫼도서관 가로수 길을 바라보며

변의수

| 차 례 |

융합학문 상징학

| 차 례 |

Ⅰ. 원리편: 기호와 사고

ⅰ. 융합학문 상징학

| 차 례 |

iii. 상징의 본성: 동일화

ⅳ. 상징의 표상체: 기호

Ⅱ. 응용편: 창의성과 천재론

ⅴ. 상징의 실체: 사고

| 차 례 |

ⅰ. 융합학문 상징학

산드로 보티첼리, 비너스의 탄생, 1485년경, 캔버스에 템페라

장미꽃잎의 세례를 받으며 해변으로 밀려오는 비너스를 계절의 신이 맞이하는 이 그림은 무척이나 아름답다. 하지만, 비너스의 목은 모딜리아니의 초상처럼 길고, 수줍은 듯 흘러내린 왼 팔은 가슴을 향한 팔에 비해 상대적으로 커서 균형감을 잃은 듯하다. 바다에서 태어난 비너스는 역설적으로 로마신화에서는 풍요와 재생을 기원하는 대지와 농경의 여신이기도 하다.

1. 상징학의 필요성 제기

1.1. 신화적 상황의 사고 연구

신화에는 신비로움도 있고 과학도 있다. 그리고 온갖 형상들을 조형하는 화가와도 같은 마법사와 아름다운 마녀도 있다. 신화는 태고의 인간과 정령들이 함께 모여 사는 물활론적 세계로서 정신의 규범과 삶의 원형을 시적으로 담아낸 이야기라 할 수 있다. 그러한 신화는 과학이 태어나는 대지이기도 하다.

논리가 깨어나는 순간 신화는 과학이 된다. 논리학을 정초한 아리스토텔레스는 신화에 내재하는 지혜의 놀라움을 잘 알고 있었다. “언제나 그렇지만 초기의 사상가들을 철학적 사유로 이끈 것은 경이로움이었으며 신화를 사랑한다는 것은 결국 자신이 철학자라는 것을 보여준다"고 아리스토텔레스는 말했다(『형이상학』, A2, 982b).

19세기 후반에 프랑스 식물학자에 의해 캄보디아의 밀림에서 폐허의 상태로 발견된 신화적 양식의 불가사의한 건축 앙코르와트와 이집트의 대피라미드는 72년에 1°씩 이동하는 세차 각의 숫자 72를 바탕으로 축조되어 있다. 그리고, 파라오는 북극성을 향해 썩지 않는 천에 싸여 그 중심부에 누워 있다. 이집트의 장인들은 신성한 왕에 대한 영생의 기원과 헌신의 맹세로써 측면의 얼굴에도 정면의 눈을 그렸다고 한다.

신화적 연금술은 물질의 변성만이 아니라, 불사의 육신과 영혼의 구원을 그 목적으로 삼는다. 이해할 수 없는 문양의 기호 문자들과 함께 그들이 사용한 마법적 주술은 영적 기술의 은닉과 객관화되지 않은 당시의 기술의 한계를 극복하기 위한 초월적 방편이었을 것이다. 시와 과학 그리고 주술이 하나의 신화적 형태로 녹아든 연금술은 17세기까지도 지속되었다.

하지만, 물활론적 정신의 연금술은 화학이라는 현대적 의미의 학문으로 전환되고 변금술과 영혼의 정련은 융합될 수 없는 세계의 것으로 규정되었다. 일부에선 그러한 상황이야말로 물질과 영혼을 분리하는 과학의 독단과 타락으로 이해한다. 그러나, 오늘날 많은 현대인들에게 마법적 주술의 연금술은 과학의 역사에서 이해할 수 없는 어두운 기억으로 인식되고 있을 것이다.

2015. 2. 6. 나사의 탐사선이 화성과 목성 사이에 있는 미지의 천체로 알려진 왜소행성 세레스의 궤도에 진입했다. 지구를 떠나 7년 5개월

간 49억㎞를 비행한 결과이다. 우주의 새벽을 찾아 나선 던(Dawn)은 세레스의 궤도에 앞으로 약 16개월을 머물며 얼음이 있는지, 그리고 생명체가 존재하였는지 살펴볼 것이라고 AFP통신은 전한다.

오늘날 인류는 자연과 사물에 대한 많은 지식을 갖고 있다. 그러나 노벨 생리의학상 수상자(1977) 기유맹(R. C. L. Guillemin)이 지적했듯, 우리가 의외로 결여하고 있는 것은 인간 자신에 대한 지식이다. 카시러(Ernst Cassirer)는 철학사에서 인간에 관한 탐구는 언제나 변함없는 부동의 중심 주제였음에도, 형이상학이나 과학과는 달리 그에 대한 탐구는 아직도 출발점에 서 있다고 하였다.

신체・생리・심리를 비롯한 우리의 체내 현상 중에서도 특히, 사고에 관한 연구는 아직도 신화적 안개에 싸여있는 형편이다. 사고에 관해선 아리스토텔레스의『시학』과 형식논리학에서부터 오늘날 인공지능을 연구하는 인지과학에 이르기까지 유사 이래 다양한 분야에서 수많은 노력들이 있었으나 그렇게 성공적이었다고는 할 수 없는 형편이다.

최근에 부상하고 있는 뇌신경계 연구분야로 커넥톰이 있다. 커넥톰은 뉴런과 시냅스간의 미시적 상호작용에서부터 대뇌 피질의 기능과 구조를 비롯하여 거시적 상호작용을 규명하기 위해 뇌신경 연결망에 대한 지도를 제작하는 일이다. 커넥톰은 우리의 기억・지식 등이 어떻게 뇌에 저장되는지 뇌혈류를 통해 파악하는 현재의 방식 보다 더 상세하게 들여다 볼 수 있을 것으로 기대하고 있다.

커넥토믹스(뇌지도학) 분야의 권위자인 메사추세츠공과대학의 승현준 교수는『커넥톰, 뇌의 지도』의 첫 장을 이렇게 시작하고 있다: 2012년 4월 어느 날 아침, 백악관의 이스트 룸은 신경과학자들로 가득 찼다. 오바마 대통령은 "21세기의 원대한 도전에 미국인들을 초대

했다"며 뇌 연구를 위한 보다 진보된 기술을 계발하여 인간 정신에 대한 이해를 근본적으로 변혁하자는 취지의 연설을 했다.

승현준 교수에 의하면, 1990년대 들어 유럽에서는 뇌과학에 대한 관심이 높아지면서 '인간 뇌 프로젝트(Human Brain Project)'라는 10억 유로짜리 연구가 시작되었다고 한다. 그것은 수학적 이론늘 바탕으로 인간 뇌의 시뮬레이션을 성공시키겠다는 플랜으로, 뇌 연구 경쟁은 이미 시작되었으며 이것은 마치 20세기 미국과 소련 사이에서 벌어졌던 우주 계발 경쟁을 연상시킨다고 말한다.[1]

평행우주론의 창시자 미치오 카쿠(Michio Kaku, 1947-) 교수에 의하면, 미국의 오바마 정부가 지원하는 '인간 커넥톰 프로젝트(Human Connectome Project)' 리더의 한 명인 승 교수와 연구원들은 몇 세대가 지나야할지도 모를 프로젝트에 전력을 기울이고 있다고 한다. 아울러, 언젠가는 자동현미경과 인공지능 기계가 데이터를 24시간 분석해줄 것이라는 희망을 갖고 있다고 전한다.

하지만, 우리의 뇌를 현재의 전자현미경으로 촬영하면 그 데이터의 양이 제타바이트(Zettabyte)에 이르며, 이것은 전 세계 인터넷 데이터를 모두 합한 양에 이른다고 한다. 따라서 프로젝트가 완수된다 하더라도 그 엄청난 양의 데이터에 대한 이해는 또 하나의 과제로 남으며, 뇌 정보를 모두 이해하려면 다시 몇 십 년이 소요되리라는 게 평론가들의 견해이다.[2]

커넥톰이 완성되더라도 뉴런들의 기능에 대한 해석은 여전히 미지

1) 승현준. 『커넥톰, 뇌의 지도』(신상규 역). 김영사. 2014. p. 8.
2) Michio Kaku. 『마음의 미래』(박병철 역). 김영사. 2015. pp. 409-12.

의 세계라는 것이다.

그 뿐만 아니다. 뇌신경계의 연결과 기능에 대한 연구가 곧 '사고'에 관한 연구는 아니다. 뉴런들의 신경생물학적 신호작용은 형이상적 해석을 통해 의미로 번역되어야 한다. 그리고 의미들은 논리학이나 수사학과 같은 기호조작과 그러한 기호들을 비의식계에서 운용하는 우리의 동일화 정신작용인 상징에 대한 연구로 이행되어야 한다.

1.2. 상징학: 신경 · 인지과학적 사고연구와 인문 · 의미론적 사고연구의 융합

이론물리학자 로저 펜로즈(Roger Penrose, 1931-)는 인공지능의 전자회로와는 달리 생물학적 기관인 우리의 두뇌는 '의도성(intentionality)'과 의미 '해석(sementics)' 능력이 있으며, 이것이야말로 정신 활동을 규정하는 특성이라 한다.[3] 그런데, 여기서 펜로즈가 말하는 '정신활동'은 다름 아닌 '사고의 수행'이다.

존 설(John R. Searle, 1932-)은 '중국어방' 사고실험으로써, 기계가 인간과 같은 지능을 갖추었는지를 판별하는 튜링테스트로는 기계의 인공지능 여부를 판정할 수 없다는 주장을 폈다. 중국어방 안에 있는 이방인이나 튜링기계는 중국어를 모르지만, 질문에 대한 답변 목록을 보고서 중국어 질문들에 대한 답변을 완벽하게 수행할 수 있다고 가정해보자. 이 경우 그 이방인이나 튜링기계는 중국인과 동일한 사고를

---

3) Roger Penrose. 『황제의 새마음』 I (박승수 역). 이화여자대학교 출판부. 1996. p. 56.

수행했다고 할 수 있는가? 그렇지 않다는 게 존 설의 주장이다.

존 설은 튜링기계가 비록 중국인과 똑 같이 중국어 질문에 대응하는 답변을 완벽히 수행해내었다고 해서, 튜링기계의 작업을 사람의 사고 수행과 동일한 성질의 것으로 볼 수 없다고 한다. 다시 말해, 질문을 답변으로 변환하는 튜링기계의 통사전환 알고리듬의 연산처리가 곧 중국어에 대한 의미를 이해하는 과정은 아니라는 것이다. 마찬가지로, 펜로즈는 신호를 조작하는 컴퓨터 계산의 인공지능과 달리, 우리 인간의 사고는 의미에 바탕하며, 의미를 조작하는 의미작용의 활동이라는 사실을 잘 인식하고 있다.

사고에 관한 연구는, 신경생물학이나 뇌과학 등에 기반한 인지과학적 신호작용계의 연구분야와 철학 · 심리학 · 창의성 연구 분야와 같은 정신과학적 논의의 의미작용계 연구 분야로 대별할 수 있다. '뇌의 기능이나 작용'과 그에 기반하여 '의미 기호를 조작'하는 사고는 구별된다. 전자가 전기 · 화학적 신호작용의 신경생리적 자연현상이라면, 후자는 의미에 기초하여 수행되는 문화 행위이다. 전자가 불수의적 정신작용의 세계라면, 후자는 수의적 정신활동의 세계이다.

캐나다의 인지과학자 필리신(Zenon Pylyshyn, 1937-)은 심적 과정의 연구를 생물 · 물리적 수준, 기호 · 통사적 수준, 지식 · 의미적 수준으로 구별했다. 그런데, 생물 · 물리적 수준은 신경생물학적 신경작용계의 연구이고, 기호 · 통사적 수준은 인공지능의 알고리듬 연산처리 연구 분야이다. 그리고 지식 · 의미적 수준은 인문 이론적 해석단계의 연구이다.

그러한바, 신경작용계와 알고리듬 과정은 공히 의미화 이전의 신호작용의 단계로서 우리는 이들을 신호작용계의 연구로 분류하고, 지식

· 의미적 수준은 의미작용계의 연구로 분류할 수 있다. 따라서, 사고의 연구는 의미작용계의 연구와 신호작용계의 연구로 대별할 수 있다.

그런데 엄밀히 말해, 언급한바와 같이 '사고'는 의미작용의 정신활동이다. 따라서, 신경생물학 등에 바탕한 신호작용 측면의 연구는 의미작용계의 연구를 지원하는 성격의 분야라 할 수 있다. 신경생물학적이고 알고리듬적인 설명은 뇌의 기능과 작용에 대한 기술(記述)이다. 반면에, 사고는 그러한 뇌기능에 기반하여 자연언어에 상응하는 의미기호[4]를 인과적으로 연결하는 수의적 기술(技術)의 세계이다.

이와 같이 두 세계의 경계에 '의미'라는 기호가 자리한다. 바로 이 지점을 지나면서 신경과학자나 인지과학자는 모두 의미론자가 되어야 한다. 신호작용계의 연구는 의미작용계의 연구로 들어서는 것이다. 하지만 연구의 성격상 신호작용계의 연구자는 의미 수준의 이론화에 어려움을 겪기 마련이다. 그리고 의미작용계의 연구자 역시 의미 이전의 신호작용계의 연구로부터 도움을 받아야 하는 것은 마찬가지이다. 어떤 경우, 의미작용계의 연구나 설명은 신경생리적이고 생물학적 자료의 부재로 근거를 잃고 사상누각이 될 수 있다.

이러한 상황에서 '상징학'은 철학을 비롯한 인문학적 의미작용계의 연구 분야와 신경생물학 · 인지과학 등의 신호작용계의 연구 분야에

---

4) 기호는 의미 또는 의미체이다. '의미 기호'라는 표현은 동어반복성의 표현이다. 그럼에도 여기서 '기호' 대신에 '의미 기호'라는 표현을 쓰는 것은, 인지과학을 비롯한 신호작용계의 연구자들이 자연언어가 아닌 알고리듬 과정의 '신호작용'에 '기호'라는 명칭을 사용하는 까닭이다. 여기서는 그와 같은 신호작용과 자연언어적 의미의 기호를 구별하기 위해서이다. '기호' 편에서 다시 언급되나, 자연현상 · 신경생리작용 · 기계작용 등은 우리가 그 어떤 의미를 부여하면 기호가 되지만, 의미를 부여하지 않는 경우 신호작용에 머문다.

가교 역할을 수행할 수 있다. 형식을 통해 의미를 구현하는 동일화 정신작용의 상징은 사고이고 기호는 그 산물인 의미체이다. 이러한 우리의 창조적 사고작용의 본성과 원리를 제대로 이해하고 그 수행 능력을 함양하기 위해서 기본적으로 신경생물학 · 인지과학과 같은 신호작용계의 연구와 철학 · 수사학 · 논리학 등 의미 기호론적 수준에서 이루어지는 의미작용계의 연구가 상호 협력해야 한다.

1.3. 사고의 본성과 원리에 관한 연구의 중요성

상징, 즉 우리의 동일화 정신작용의 사고는 먼저 전적으로 비의식으로 수행되는 통찰과 수시로 의식을 활용하는 추론으로 대별된다. 때로 인지심리학과 인지과학 그리고 뇌과학을 비롯하여 교육학 관계자들 또한 '논리적 사고'와 '통찰'을 상반된 것으로 생각하는 것을 볼 수 있다. 이들은 현재의 교육상황에 대해 논리적 사고를 강조하는 좌뇌 중심의 학교수업이 주종을 이루며, 우뇌적 사고인 직관(이 책의 필자의 통찰)의 계발과 중요성을 외면하고 있다고 한다(Litvak & Senzee, 1986: 147). 아울러, "수학교육에서 통찰에 대한 탐구는 논리와 연역적 사고를 중시하는 측면에 대한 반성에서 출발할 수 있다"고도 한다.[5)]

아다마르는 사고 · 언어 · 무의식의 관계 등에 대한 깊이 있는 성찰이 담겨 있는 『수학분야에서의 발명의 심리학』(1944)을 저술하였다. 푸앵카레는 아다마르의 저술에 많은 영감을 제공하였다. 그런데 푸앵

---

5) 이대현. "직관에 관한 연구 역사와 수학교육적 의미 고찰". 한국학교수학회논문집. 제1권 제3호. 2008. pp. 363-76.

카레와 아다마르 역시 논리적 사고와 직관을 상반된 성격의 사고로 이해하였음을 볼 수 있다. 그의 저서에서 아다마르는 이렇게 말한다.

"하나의 중요한 구분이 부각되었는데, 어떤 수학자들은 직관적이고 다른 수학자들은 논리적이라는 구분이다." "클라인과 마찬가지로 푸앵카레도 논리적 정신과 직관적 정신의 구분에 대해 말하였다."[6] "논리는 최초의 직관 다음에 개입한다." "아이디어가 결합하는 수준이 깊을 때엔 보다 직관적인 정신이라 하고, 이 수준이 의식과 충분히 가까운 곳에 있을 때에는 논리적인 정신이라고 보는 것은 자연스러운 일이다. 논리와 직관을 이렇게 구별하는 방식은 나에게는 가장 중요하고 합리적인 구분으로 여겨진다."[7] 한편, 그런 아다마르에 대해 번역자 정계섭은 "해제"에서 다음과 같은 반론을 편다:

> 논리주의의 입장에서는 수학은 논리학의 연장에 지나지 않으며, 그 자체로는 내용이 없는 기호의 결합 활동에 불과하다고 보고 있다. 러셀과 화이트헤드는 『수학의 원리(Principle Methemetica)』에서 수학과 논리학의 통일성을 결정적으로 입증했다고 생각한다. 이러한 입장에서는 직관이 배제되는 것이 당연한 귀결이다. 그러나 직관과 논리의 구분은 문제가 없지 않은데, 모든 수학자는 어쨌든 논리적 정신의 소유자로 볼 수 있다는 점에서 그러하다.[8]

---

6) Jacques Hadamard. 『수학분야에서의 발명의 심리학』(정계섭 역). 범양사. 1990. pp. 105-06.
7) 같은 책, pp. 108-09.
8) 같은 책, pp. 153-54.

한편, 논리규칙의 '탐구'나 논리규칙의 '운용' 모두 직관 없이 수행될 수 없다. 그런 점은 별론으로 하고, 정계섭 연구자가 "모든 수학자는 어쨌든 논리적 정신의 소유자"라고 한 것은 정곡을 찌른 말이다. 직관 사고 역시 '논리'에 바탕하는 논리적 기관이다. 그러한바 직관(이 책의 필자의 통찰)이나 추론 모두 논리에 바탕한다.

우리의 사고는 매개를 사용해서 어떤 것을 다른 것으로 나타내는 상징 즉 동일화 정신작용이다. 그러한 사고의 본성인 동일화는 인과성에 바탕한다. 그리고 논리 또한 인과성을 배경으로 한다. 그러한바, 통찰이든 추론이든 우리의 사고는 모두 인과성에 바탕하는 논리적 사고이다.

그러니까, '논리'가 우리의 정신이 나아가는 길이라면, 추론 사고에 사용되는 '논리규칙'은 우리가 의지하는 지팡이에 비유할 수 있다. 우리의 동일화 정신작용의 사고는 인과성의 논리를 그 본성으로 한다. 삼단논법과 같은 논리규칙은 우리가 선택한 길이 안전한지 두드려보고 걸음을 의지하는 지팡이와도 같은 수단이다.

일찍이 흄은 논리적 인과성을 추구하는 우리의 정신을 본능적인 '습관'으로 이해했다. 물론 그러한 습관이 만능의 램프는 아니다. 그러나, 인과적 논리성에 대한 인식은 우리가 자연을 이해하고 자연과 하나임을 알 수 있도록 자연이 우리에게 부여한 정신의 기호이자 내밀한 지표라 하겠다.

문제는 '논리적 사고'가 아니라, 원리의 생성을 탐색하는 통찰 사고보다, 주어진 규칙을 사용하여 문제를 해결하는 것을 학습의 완성으로 여기는 일이다. 이러한 사고는 아다마르가 말한 '의식과 가까운 곳에서 아이디어가 결합되는 사고'로서, 추론 활동이다. 이러한 추론 사고 중심의 교육에 대한 개선은 학생들이 원리를 통찰할 수 있도록 충분한 시간을 부여하는 일이다. 그리고, 스스로 탐구할 수 있도록 지도하는 일일 것이다.

푸앵카레 역시 많은 학생들이 수학을 이해하지 못하는 이유와 원인에 관심을 가졌는데 그 까닭을 이해의 내용과 수준에서 찾았다. 이에 대해 아다마르는 푸앵카레가 문제를 인상적으로 드러내 보였다며, 참된 이해란 규칙에 대한 이해가 아니라 그 규칙의 원리에 대한 이해라는 사실에 관해 이렇게 설명한다.

> 어떤 정리의 증명을 이해한다는 것은 그 증명을 구성하는 삼단 논법들을 계속적으로 검토하고 그리고 그것들이 틀림없다는 것을 확인하는 것인가? 몇몇 사람들은 그렇다고 답변한다. 그래서 이러한 확인 작업을 한 다음에 '나는 이해했다.'라고 그들은 말할 것이다. 그러나 대다수의 사람들은 훨씬 더 많은 것을 요구한다. 이들은 증명을 구성하는 모든 삼단 논법들이 정확할 뿐 아니라 왜 이것들이 다른 순서가 아니고 꼭 이러이러한 순서로 이어지는지를 알고 싶어 한다. 이 삼단 논법들이, 도달해야 할 목표를 계속적으로 의식하고 있는 지성에 의해서가 아니라 변덕에 의해서 전개되는 것처럼 보이는 한, 수학자들은 이해했다고 믿지 않는다.[9)]

영국식 교육 시스템을 채택하고 있는 인도는 특히, 노벨 화학상 · 물리학상은 물론, 천재적 수학자를 많이 배출하고 있다. 미국 · 유럽 등

---

9) 같은 책, pp. 102-03.

의 기업에서는 인도 출신의 인재 영입에 적극적이라고 하는데, 인도의 학교에서는 학생들이 단순히 문제를 푸는 것에 그치지 않고, 그 문제나 수학 공식의 성립 이유와 원리를 탐구토록 한다. 그러한 교육이 가능한 것은 의외로 간단한데, 무엇보다도 우선 수업 과목을 줄이는 일이다. 그러한 인도의 학생들은 고등학교에서부터 철저하게 필요한 과목만을 원리 규명 중심으로 흥미를 갖고 집중적으로 공부할 수 있다.

경제개발협력기구(OECD)가 2000년부터 3년마다 공동으로 실시하는 '국제학업성취도평가'(PISA)에서 한국 학생들의 수학 성취도는 언제나 1-3위를 유지해오고 있다. 그러나 이것은 단순계산 성적이 높게 나왔기 때문일 뿐, 정작 중요한 응용력 측정 문항과 흥미도에선 순위가 떨어진다. 그런데, 단순계산은 사고의 신속성과 관련되고, 응용력은 사고의 확장성과 관련되며, 흥미도는 집중력과 관계된다.

우리 한국의 학생들은 사고의 신속성을 중심으로 높은 점수를 보이고 있다. 이것은 우리의 교육 상황이 규칙이나 원리 자체를 탐구하는 순수한 인과적이고 맥락적인 동일화 사고의 통찰에 흥미를 갖게 하기보다, 시간에 쫓겨 주어진 규칙의 사용으로 우선 문제의 답을 찾는데 주력하도록 하기 때문이다. 이것은 전적으로 학생들의 잘못이 아닌 교육정책 관계자들의 잘못이다.

근자에 우리 교육부는 일명 '수포자'라는 수학 포기 학생을 양산하는 수학 교육의 문제를 개선하기 위해 '제2차 수학교육 종합계획'을 발표했다. 2019년까지 초중고 교육과정에서 수학의 학습량과 난이도를 적정화하고, 실생활과 연관된 내용을 늘리겠다는 것이다. 그리고, 학생들에 대한 평가 방식도 체험과 탐구과정 중심으로 바꾸겠다고 한 것으로 전해진다.

또한 최근에는 교육 당국에서 학생들이 수학시간에 단순 계산을 전자계산기로 하도록 허용하겠다는 얘기도 있다. 이것은 표피적이고 단세포적인 문제풀이 중심의 수학교육에서 규칙이나 원리에 대한 이해 중심으로 교육방향을 전환하기 위한 계획의 일환으로 여겨진다. 하지만, 언급된 그러한 조치들은 문제에 대한 근본 해결책이 되지 않을 것이다.

일례로, 단순 계산은 동일화 정신작용의 본질적 속성인 동일성과 차이에 대한 비교・확인의 민활함과 신속성에 대한 더없이 좋은 사고 훈련의 하나이다. 지능의 본질이자 원리가 작동하는 이러한 기초적 동일성 여부 판단의 능력문제를 소홀히 하고도 개념 구성이나 원리의 발견능력이 향상될 것이라는 생각은 현실화되기 어려울 것이다.

고도의 통찰 사고는 동일화 정신작용의 민활함과 인과적 맥락의 이해에 의한 활성기호의 축적 그리고 집중력으로 이루어진다. 다시 말해 사고의 신속성과 확장성, 그리고 집중력은 통찰 사고의 세 수레바퀴로서 모두 다 필요하다. 학생들에게 충분히 생각할 기회를 부여하지 않고서, 단순계산을 등한히 하기 쉬운 계산기의 사용에 대한 허용은 학생들로 하여금 동일화 정신작용의 기초적 훈련조차 포기하는 결과를 초래할 가능성이 크다. 물론, 학생들이 원리의 탐구에 몰입할 단계에 이르렀고 또한 원리의 탐구에 치중할 충분한 시간이 배려되는 학습 환경에서라면 사정은 다를 것이다.

'사교육 걱정 없는 세상'이라는 시민운동단체는 학생들이 "차근차근 기본적인 것들을 이해할 수 있게 하려면 지금의 양이 너무 많다."며 "교과서에서 다루는 각각의 기초 개념을 아이들이 하나하나 이해하고 습득하기 위해 천천히 고민하고 생각할 시간을 줘야"한다고 주장한다.[10] 아울러 이 단체는, 무엇보다도 교과서가 다루는 범위와 대학수학능력시험의 범위를 줄일 것을 주장하는데, 이것은 문제의 본질을 올바로 지적한 것으로 보인다.

이 시민단체 관계자들이 궁극적으로 희망하는 것은 학생들이 개념의 이해와 함께 개념이나 규칙의 생성원리에 대해 관심을 갖도록 하는 일일 것이다. 그러기 위해서는 다량의 주입식 교육에 대한 개선은 물론, 사고의 본질적 속성과 원리에 대한 이해와 그러한 사고 훈련 과정을 학습에 접목할 필요가 있다.

현재 베네수엘라에서는 모든 학생이 일주일에 두 시간씩 '사고'에 대한 교육을 받고 있으며, 말레이시아의 과학 학교에서는 10여 년 전부터 사고를 별도로 교육하고 있다고 한다. 그리고 싱가포르, 오스트레일리아, 뉴질랜드, 캐나다, 멕시코, 미국에서는 많은 학교가 에드워드 드 보노(1933-) 박사의 창의력 계발 프로그램(CoRT: Cognitive Re-serch Trust)을 이용하고 있다. 보노 박사의 'CoRT 사고 훈련법'은 현재 다양한 문화권에서 여러 능력 수준의 사람들에게 이용되고 있는 것으로 알려진다.

CoRT는 현상학적 주의력의 수평적 사고와 집중적 몰입의 수직적 사고를 모토로 하는 사고의 방법론이다. 이것은 문제해결을 위한 사고의 접근법이자 방법론이다. 그리고, 이러한 방법론뿐만 아니라, 오늘날 두뇌계발 또는 창의성 계발 등에 관한 많은 이론들이 양산되고 관련 서적들이 출간되고 있다. 그런데 이러한 논의들은 일종의 '사고의 방법

---

10) "재미없고, 범위는 넓고, 이상한 '수포자'들의 나라". 한겨레인터넷신문. 2015.03.20 21:00. 박기용 기자.

론'의 제공에 치중할 뿐, 사고의 본성 · 원리 · 시스템 등과 같은 본질적이고도 원리적 측면들을 체계적으로 제시하고 있지는 않다.

문제는 사고의 본질과 원리에 관한 이해이다. 그것이 전제된다면 사고의 기술과 방법론은 다양하게 전개될 수 있다. 이 책이 제시하는 상징학은 사고의 본질과 원리에 관한 체계적이고도 일원적인 논의를 추궁하고 전개하는 학문이다. 이러한 상징학은 다양한 사고의 방법론에 사고의 본질과 원리에 관한 일반이론을 제공할 수 있다. 나아가 상징학은 일반 학습, 학술연구, 시 · 예술의 창작 활동 등에 부합하는 다양한 특성적 사고의 방법론에 관해서도 직접 연구를 수행할 수 있다.

오늘날 학문의 세계는 유기적이고 상호텍스트적으로 직조되며 일원화되고 있다. 인문학과 자연과학은 '하나의 대상과 본질 그리고 하나의 원리'를 지녔다는 생각과 서로가 서로의 모델이라는 생각 하에 유비적 사고의 영감을 전해주며 하나의 공동체적 세계를 이루어 나가고 있다. 시 · 예술 · 철학 · 과학의 관계 역시 마찬가지로 그러한 양상들을 보여준다. 이러한 상황은 사고와 기호의 궁극의 지향점이 인간과 자연에 대한 이해라는 점을 고려할 때 어쩌면 당연한 일일 것이다.

사고의 연구에 있어, 20세기 중반 들어 인지심리학과 인지과학이 대두되었고, 특히 인지과학은 언어학 · 철학 · 신경과학 · 컴퓨터과학 · 인류학 · 사회학 · 로보틱스 등과 연계하여 사고와 인공지능의 원리에 관한 연구 결과를 축적해오고 있다. 한편, 미국은 2002년부터 나노공학 · 생명공학 · 정보과학 · 인지과학을 중심으로 미국국립과학재단(NSF)을 통해 융합과학기술정책(NBIC)의 틀을 제시하고 연구계발에 박차를 가해오고 있다.

유럽공동체는 2004년에 인문학 · 사회과학 · 공학 분야를 NBIC에 융합하여 보다 업그레이드 된 '유럽지식사회를 위한 융합과학기술(CTEKS)'을 제시하였다. 2008년에는 일본 문부과학성이 산하 과학기술진흥기구(JST)를 통해 수학 · 물리학 · 화학 · 생물학 · 정보과학 · 공학 · 심리학 · 사회학 등의 전문가들이 참여한 가운데 향후 융합과학기술의 방향을 논의했으며, 최근 들어서는 친환경 융합녹색기술 영역을 확장해나가는 추세에 있다.

우리나라는 2010년에 나노·바이오·정보통신·인지과학 기술이 융합된 NBIC 국가융합기술 정책을 세우고 70여개 신기술을 2020년까지 선진국 대비 90%까지 높인다는 계획을 세운 것으로 알고 있다. 그런데, 이러한 융합과학기술의 핵심에 자리하고 있는 것은 인간 지능의 원리를 탐구하는 인지과학과 우리의 창의성인 사고의 본성과 원리에 관한 연구이다. 그리고, 인공지능을 연구하는 능력은 우리의 사고이다. 따라서, 사고에 대한 연구는 미래 전략산업 연구의 핵심 분야라 할 것이다.

사고에 관한 연구는 전통적으로 철학에서 인식론과 논리학 등을 중심으로 논의되어 왔다. 19세기 말에 심리학이 철학에서 분리되어 독립함으로서 사고작용에 관한 연구는 대체로 심리학이 수행하게 되었다. 그리고, 1950년대에는 인지심리학이 대두되었다. 그러나 심리학과 인지심리학의 사고에 관한 연구는 사고의 본성과 원리적 당위를 떠나 심리현상의 관점에서 수행되는 제한적 측면의 연구이다. 다시 말해 심리학은 인과적 논리성에 바탕한 사고 전개의 문제에 대해서는 직접적인 관심을 갖고 있지 않다. 그들 심리학자의 말과 같이, 심리학은 진

리인식의 수단이나 도구로서의 역할이 아니라 심리현상의 해명에 그 목적이 있다.[11)]

인지심리학 역시 사고를 비롯한 인지 과정을 마음의 현상 측면에서 연구한다. 하지만, 인지심리학은 마음을 컴퓨터나 유사 신경망 체계와 같은 하나의 정보처리체계로 간주한다. 그러한 인지심리학은 정보의 입력과 출력 과정을 물리적 상징체계로 모형화하여 사고 현상을 기술한다. 한편, 인지과학은 인간의 마음을 인공지능의 영역으로 확장하여 사고를 정보체의 관점과 차원에서 연구한다.

이와 같이, 심리학은 당위적 사고론이 아닌 심리적 차원에서 사고 현상을 연구하고, 인지심리학은 사고 현상을 인지과정의 측면에서 디지털 정보처리방식으로 기술하며, 인지과학은 우리의 사고를 인공지능의 관점과 차원에서 다룬다. 그렇듯이, 심리학 · 인지심리학 · 인지과학은 우리 인간의 사고를 인과적 의미작용의 관점에서 연구하기에는 한계를 지닌 학문이다.

순수한 우리 인간의 정신작용을 살핀다는 점에서는 신경생물학이나 뇌과학 등이 오히려 본질적이라 할 수 있다. 하지만, 신경생물학 등은 원천적으로 뇌신경계의 기능과 작용 등에 관한 해명을 주된 목적으로 한다는 점에서 사고에 관한 원리론적 의미화에 한계를 갖는다. 그러한 바 사고에 관한 연구에 있어서, 신경생물학 · 뇌과학 · 인지과학과 같은 신호작용계의 연구와 철학 · 수사학 · 기호학 등의 인문학적 의미작용계의 연구 상황을 종합하고 상호 교통하게 할 새로운 학문의 필요

---

11) 정양은, 『심리학 통론』. 법문사. 1985. p. 386.

성이 요구되는 것이다.

1.4. 상징학의 기능과 역할

'상징학'은 직관 · 통찰 · 논리 · 분석 · 추론 · 지능 · 창의성 · 영감 · 천재와 같은 다양한 용어들로 지칭되는 상징 즉 사고의 본성과 원리 그리고 운용시스템에 관한 체계적인 연구를 수행하는 학문으로 규정할 수 있다. 이러한 '상징학'은 철학, 논리학, 수사학, 기호학, 시학은 물론 심리학, 인지심리학, 신경생물학, 뇌과학, 인지과학 등의 제 학문에서 단편적으로 진행되고 있는 '사고'에 관한 연구 상황들을 종합적으로 수렴하여 정리하고 개별 학문에 자료와 영감을 제시할 중추적 기능을 수행할 수 있다.

나아가 상징학은 창의성과 인공지능의 원리를 비롯한 사고의 이론을 중심으로 시 · 예술 및 인문 · 자연과학을 가로지르는 중심 학문으로 기능할 수 있을 것이다. 그러한 상징학은 문화 창조와 형성의 근원적 뿌리라 할 사고 및 기호 기능의 연구와 그 수행 능력의 함양을 위한 연구의 중심 학문으로서 총체적이고도 복합적인 융합 학문의 성격을 갖는다.

상징학은, 형식론 측면의 연구에 있어서는 논리학 · 기호학 · 수사학 · 시학 · 언어학을 비롯하여 현상학 등이 관련되며, 의미론 측면에서는 철학 · 미학 · 윤리학 · 사회학 · 법철학 · 종교 등이, 사고 실체의 문제에 있어서는 심리학 · 인지심리학 · 인지과학 · 뇌과학 · 신경생물학 · 양자물리학 등의 학문이 관련된다. 한편, 이 책에서 제시하는 '비의식기호' 개념과 유사한 사고언어(language of thought) 개념을 제시한 인지과학자이자 철학자인 제리 포더(Jerry Fodor, 1935-) 교수는 이렇게 말한 바 있다.

> 촘스키의 화법을 빌리자면, 심적 과정이 어떻게 동시에 실행 가능하고 귀추적이고(이 책의 필자의 '통찰') 기계적(이 책의 필자의 '추론')일 수 있는가는 '문제'가 아니라 '불가사의'다. 더 나아가 현 상태에서 이 문제는 의식이라는 수수께끼와 함께 마음에 관한 두 개의 궁극적 불가사의처럼 보인다는 것이 나의 생각이다.
>
> 결국 이는 현재 우리에겐 인지에 관한 근본적인 이해가 없으며, 이 존재하지 않는 근본적인 이해에 도달할 때까지는 큰 진보를 이룰 가능성이 없다고 말하는 셈이다. 이 상황에서 비탄에 젖을 필요는 전혀 없다. 분명 누군가가 조만간 그런 이해에 도달할 테고, 진보는 계속될 것이다.[12]

그리고 인지과학자 Gilles Fauconnier와 Mark Turner는 이렇게 말한다: 의식은 마음이 행하는 일들 중에서 몇몇의 흔적만을 찾아낸다. 과학자, 공학자, 수학자, 경제학자들은 매우 인상적인 지식과 기술을 갖고 있다. 하지만, 그들이 어떻게 그처럼 사고하는지는 모르고 있다. 진화는 우리가 인지의 본질을 직접 보지 못하도록 설계해놓은 것 같다. 인지과학은 감추어진 그 정신적 능력을 우리의 정신 능력으로써 밝혀내어야 하는 어려운 상황에 놓여 있다.[13)]

---

12) Jerry Fodor. 『마음은 그렇게 작동하지 않는다』(김한영 역). 알마. 2013. pp. 203-04.

실로 상징학은 필자와 같은 개인 연구자 혼자의 힘으로 수행할 수 있는 영역의 일이 아니다. 뿐만 아니라, 언급한 바와 같이 현재까지 상징 즉 사고에 관한 연구는 제 학문과 이론 전반에 걸쳐서 개별적으로 이루어져 통일적이지 못하고 분산되어 있다. 그러한바, 제반 인문・자연과학의 학문들에 개별적으로 산재한 상징과 기호 그리고 사고에 관한 이론과 논의들을 통합하여 다룰 학문의 필요성이 절실히 요구된다.

뒤에서 언급이 되겠지만, 철학은 논리학에 바탕한 인식론과 존재론을 중심으로 사고 이론을 전개해왔다. 이러한 의미작용계의 사고이론은 인지과학이나 신경생물학적인 신호작용계의 사고이론에 그 기초 개념과 원리론을 제공한다. 그리고, 철학・심리학・수사학・시학을 비롯한 관련 인문학과 시・예술 창작은 또한 사고 이론을 연구하는 '상징학'에 중요한 본질적인 자료들을 제공한다. 한편, '상징학'은 이러한 인문・예술학의 이론들을 인지과학 분야의 이론들과 상호 교통하게 한다. 나아가 상징학은 인간의 지능과 창의성의 원리는 물론 사고력의 함양을 위한 보다 정치하고 효과적인 사고의 방법론 등을 연구하게 될 것이다.

이상으로 간략하게, '융합학문으로서의 상징학'의 필요성에 대한 언급을 맺는다. 이어서, 사고론의 주제적 관심사라 할 상징・기호・사고・기억・의식・비의식・상상력・통찰・추론・창의성 등에 관한 '상징학의 원리론적 요체' 편이 이어진다. 물론, 이러한 개념들은 어느

---

13) Gilles Fauconnier, Mark Turne. 『우리는 어떻게 생각하는가』(김동환 외 역). 개정판. 동녘사이언스. 2007. pp. 61-62.

하나라도 독립적으로 설명될 수 있는 것이 아니다. 편의상 해당 개념들을 중심으로 일련 번호 아래 분절하여 소개하고 있으나, 이들은 모두 동일화 정신작용의 사고를 중심으로 유기적 관계를 이룬다. '원리론적 요체' 편은 이러한 관점에서 이해되기를 희망한다.

2. 상징학의 원리론적 요체

상징학은 상징을 탐구하는 학문이다. 따라서 상징의 실체에 대한 파악과 개념의 정립은 상징학의 주춧돌을 놓는 일이다. 에른스트 카시러(Ernst Cassirer, 1874-1945)는 평생을 상징에 관한 연구에 바쳤다. 그러나 카시러는 우직스럽도록 귀납적인 연구 방법론을 택했다. 카시러는 『인간론』에서 "오직 대화적 혹은 변증법적 사고에 의해서만 우리는 인간의 본성에 관한 지식으로 나아갈 수 있다."며 자신의 연구 방법론을 소크라테스의 산파술에 비유했다.

그는 언어 · 신화 · 역사 · 철학 · 수학 · 과학의 분야 등에 관한 박물학적이고도 역사학적인 자료 검토와 연구를 수행했다. 그러한 끝에 그가 '상징'에 관해 내린 결론들의 주요 내용을 우리는 이렇게 요약해

낼 수 있다: 상징은 의미를 구성하는 정신기능이며, 기호는 의미를 감각화한 물리적 실체이다. 그리고, 문화를 형성하는 인간의 본성인 상징의 전형적 속성은 '비유적 전용'이다. 아울러, 그러한 상징의 기능은 '관계적 사고'를 가능하게 한다(『인간론』, 1944).

카시러는 상징을 의미작용의 기능자로, 기호를 물리적 의미체로 엄격히 구별했다. 하지만, 상징이 사고 그것이라는 인식으로 나아가지는 않았다. 반세기가 더 지나 인지언어학자 레이코프와 분석철학자 존슨 또한 사고가 '은유적'인 것임을 주장했다(『몸의 철학: 신체화된 마음의 서구 사상에 대한 도전』, 1998). 그러나, 그들 역시 사고를 은유 즉 상징과 동일시하지는 않았다. 하지만, 필자의 이 책은 사고가 은유적인 것이 아니라 '은유이고 상징' 그것임을 주장한다. 사고는 매개를 통해 다른 둘을 동일화하는 일이다.

카시러나 레이코프 등과 달리 창작의 현장에서 상징의 실체와 본성 그리고 생성원리에 관해 현상학적 경험을 통해 얻은 필자의 결론은 그러하다. 상징의 본성은 동일화이고, 실체는 동일화 정신작용의 사고이며, 또한 본성은 형식을 통해 의미를 구현하는 일이다. 이에 대해 필자가 문화 자료를 통해 상징의 형식을 확인하는 귀납적 검증작업을 수행할 필요는 없을 것이다. 언급했듯이 이미 카시러는 『상징형식의 철학』(1923-29)과 『인간론』 등을 통해 문화가 상징 형식으로 구조화되어 있음을 검토했다. 그리고, 레이코프와 존슨은 사고가 상징이라는 필자의 현상학적 고찰의 결과를 신경생물학적이고 인지과학적 측면에서 기술함으로써 뒷받침하고 있다.

이 책은 사고의 본성과 작용의 원리 그리고 사고 수행 능력의 함양에 관해 이제까지 논의되지 않은 여러 내용들을 제시한다. 이 책에는 언급한바와 같이 많은 생경한 내용들이 기술된다. '상징학'이라는 지금까지 존재하지 않았던 이론체계를 제시한 점이 그렇기도 하지만, 특히 상징 · 사고 · 기호 · 논리 · 추론 · 통찰 · 창의성 · 상상력 · 의식 · 비의식 · 기억과 같은 사고 이론의 기반적 용어들에 대한 개념과 정체성을 추궁하여 사고의 본성과 작용원리를 통일적이고도 일원적 체계 아래 기술한다. 그러한 중심 원리는 다름 아닌 '동일화'이다.

동일화'라는 개념은 분명, 평범하고 단순해 보인다. 하지만 다른 한편으로, 상징에 관한 자료의 산재와 누적이 오히려 이와 같은 상징의 본성을 가렸을 수 있다. 상징의 본성과 원리에 대한 자기 관찰의 내성적 연구에 바탕한 필자와는 달리, 카시러는 언어 · 신화 · 역사 · 예술 · 철학 · 과학 등의 방대한 자료의 검토를 통해 그것들을 본질에서 관류하는 성질이 상징임을 드러내고자 했다. 그러한 카시러는 이렇게 말하고 있다.

> 심리학, 민족학, 인류학 및 역사학은 놀랄 만큼 풍부한 그리고 끊임없이 증가하는 사실들을 쌓아 놓았다. 관찰과 실험기구는 크게 개량되었고, 우리의 분석은 더욱 날카롭고 철저하게 되었다. 하지만 여전히 우리는 이러한 것들을 조직화하는 방법을 찾지 못하고 있다. 자료의 풍부함에 있어서, 과거는 상대적으로 빈약해 보일 것이다. 하지만 자료의 풍부함이 사상의 풍부함은 아니다. 우리가 이 미궁에서 빠져 나올 아리아드네의 실을 찾지 못하는 한, 인간 문화의 보편적 성격에 대한 참된 통찰을 얻을 수 없다. 개념적 통일도, 어떤 연결도 없이 산재한 자료들의 한가운데서 우리는 길을 잃고 서 있을 것이다.[14]

언급했듯이 이 책은 무엇보다도 상징이 사고임을 주장하고 있다. 상징은 이미지나 숫자와 같은 기호가 아니다. 칸트는 상징이 그와 같은 기호가 아님을 효시적으로 지적하였다(KU 255 이하). 나아가 카시러는 상징이 비유적 전용의 의미작용임을 피력했다.[15] 그러한 의미작용은 다름 아닌 우리의 사고이다. 기호는 사고 즉 상징의 산물이다. 기호는 동일화의 형식을 통해 구현된 이미지나 숫자와 같은 의미체이다. 이미지는 동질성의 동일화 형식에 의해 구현된 기호이고, 숫자는 동일성의 동일화 형식에 의해 구현된 기호이다.[16]

상징은 어떤 것을 매개로 하여 다른 것을 또 다른 그 무엇으로 삼는 일이다. 그러하듯 상징의 본질적 속성은 동일화이다. 아울러, 동일화는 형식을 통해 의미를 구현하는 일이다. 그러한즉, 상징은 '형식'이나 그 형식을 통해 구현된 의미체의 기호가 아니다. 상징은 형식을 통해 의미를 구현하는 우리의 동일화 정신작용이다. 그러한 우리의 동일화 정신작용의 상징은 다름 아닌 사고이다. 상징 즉, 사고의 원리(A=C)는 언급하였듯이 매개를 사용하여 어떤 것을 다른 것으로 대리하는 일이다. 우리는 매개(B)를 통해 A=B, B=C ∴ A=C 라는 생각을 한다.

'동일화'는 의미의 수준에서 발현되는 정신 활동으로서 기호에 바탕한다. 그러한 '동일화'는 자연 만물의 인식원리이자 생명현상의 근원적 힘이다. 다른 존재들이 신호작용의 동일화에 머문다면 우리는 '의

14) Ernst Cassirer. 『상징형식의 철학』 I (박찬국 역). 아카넷. 2013. pp. 45-46.
15) Ernst Cassirer. 『인간이란 무엇인가』(최명관 역). 서광사. 1988. p. 184.
16) 동일화의 유형과 기호의 유형에 관해서는 이 책 "iii. 상징의 본성: 동일화, 3. 동일화의 유형; iv. 상징의 표상체: 기호, 2.1. 외현기호" 참조 요망.

미'라는 기호의 연결에 의한 동일화를 수행한다. 이것이 또한 자연 현상과 문화 활동의 차이이다. [상징학]은 그러한 동일화라는 공리적 원리 아래 체계화된 이론이라고 해도 좋을 것이다. 사고와 사고작용에 관한 이론은 모두 '동일화'라는 하나의 원리 아래로 수렴된다. '동일화' 그것은 사고의 본성으로서 통찰과 추론의 원리이다.

심리학자 스피어먼(Chares Spearman, 1863-1945)은 언어 · 음악 · 기계 분야 등의 특수지능(special intelligence) 요인과 그것들에 공통적으로 나타나는 일반지능(general intelligence) 요인으로 구별했다. 연구자들은 그러한 지능과 인지, 창의성, 사고의 성격을 달리 보기도 하고, 유사하거나 동일한 것으로 보기도 한다. 그러나 지능 · 인지 · 창의성은 물론 일반지능요인 역시 사고 능력을 배제하면 생각할 수 없다. 동일화는 문화를 창조하는 근원적 능력이다. 지능 · 인지 · 창의성을 비롯한 일반지능요인의 본질은 모두 사고의 본성인 '동일화'로 수렴된다.

주황 · 파랑 · 검정 그 몇 개의 시각적 효과로 영혼의 뜨거움과 자유를 구성하는 힘, 그리고 붉거나 푸른빛으로 멀어지는 별들의 거리를 측정하는 힘은 다름 아닌 상징 즉 사고의 능력이다. 이러한 사고의 '본성'은 다른 둘을 하나로 잇는 '동일화'이며, 그러한 사고의 '실체'는 '동일화 정신작용'이다. 우리는 상징을 화가처럼 색과 형상으로 나타내기도 하며, 우주의 팽창으로 멀어지는 별빛의 쏠림 현상을 '적색편이'라는 용어로 편리하게 나타내기도 한다.

시와 예술, 학술을 비롯한 제반 문화의 창조는 '어떤 것을 다른 것으로 나타내는' 상징에 의한다. 그러한 상징은 본성 · 실체 · 결과의 세 측면에서 살펴볼 수 있다. 상징의 본성은 '동일화'이고 이를 수행하는 우리의 정신작용은 상징의 실체이다. 그리고, 동일화 정신작용의 결과물은 기호이다. 덧붙이면, 상징의 본성 '동일화'는 형식을 통해 의미를 구현하는 일이다.

지금까지 상징의 연구는 시적 이미지와 같은 상징물과 그러한 상징물을 구성하는 은유나 알레고리와 같은 상징의 형식에 치중했다. 그러나, [상징학]은 상징의 실체인 동일화 정신작용의 사고를 중심으로 연구한다. 이 책은 '상징'이 사고라는 사실과 함께 사고의 수단이자 산물인 기호를 비롯하여 사고의 본성과 작용원리 등을 효시적으로 제시한다. 아울러, 시 · 예술 · 과학을 창조하는 우리의 사고는 궁극적으로 인간과 자연에 대한 이해의 문제로 수렴됨을 언급한다. 이제 이 책이 제시할 사고의 본성과 사고 현상들, 그리고 사고작용의 원리 등을 중심으로 주요 내용을 개략적으로 스케치해 보이고자 한다.

말레비치, 여성 토르소, 1933

2.1. 상징의 본성(동일화) · 실체(사고) · 결과물(기호)

상징은 매개를 사용하여 어떤 것을 다른 것으로 동일화하는 '일'로서 ① 상징의 본성, ② 상징의 실체 ③ 상징의 결과, 그 세 측면을 생각할 수 있다. 김동명의 시구 "마음은 호수"에서, 상징의 본성은 '고적함'을 매개로 하여 마음을 호수로 표현한 '동일화'이다. 동일화는 형식을 통해 의미를 구현하는 일이다. 예문의 경우, 동일화의 형식은 '은유'이고 구현된 '의미'는 '호수 같은 고적한 마음'이다.

상징의 실체는 그러한 은유를 수행하는 '동일화 정신작용'인 우리의 사고이며, 구현된 의미는 '마음은 호수'라는 시구로 표현된다. 여기서, 상징의 결과물인 기호는 구현된 '의미'나 그 의미를 외부에 나타낸 "마음은 호수"라는 시구이다. 전자는 내현기호이고, 후자는 외현기호이다[이에 관해서는 "ⅰ. 2.8. 내현(도식 · 비의식 · 심상)기호와 외현기호"에서 간략히 설명된다].

문예창작 강단에서는 동일화의 형식인 은유와 같은 비유법을 이해하게 하고, 원관념(마음)에 대한 보조관념을 찾게 한다. 그런데, 은유의 개념을 이해하기는 쉽지만, 실제로 보조관념의 시어를 생각해내는 건 쉽지 않다. 그것은 은유를 생성하는 동일화 정신작용의 훈련이 전제되기 때문이다. 과학 연구 또한 마찬가지이다. 다른 두 자연 현상을 움직이는 통일적 원리에 대한 이해는 쉽다. 하지만, 그러한 원리를 실제로 찾아내는 일은 어렵다. 이 또한 마찬가지로 유비적 현상의 원리를 통찰하기 위한 동일화 사고의 훈련이 요구되기 때문이다.

상징 본성의 형식은 논리학 · 수사학 · 기호학 등에서 주로 논의되며, 상징의 결과물인 기호에 관해서는 기호학·상상학·시학·정신의학(정신분석학·분석심리학 등)·신화학 등에서 탐구되고 있다. 그리고 상징의 실체는 신경생물학·뇌과학·심리학·인지심리학·인지과학 등에서 마음·인공지능·뇌신경생리작용 등과 관련하여 제한적으로 연구되고 있다. 이와 달리 [상징학]은 이들 이론에 대한 연구와 함께 동일화 정신작용의 사고 전반을 탐구 대상으로 한다.

2.2. 상징과 기호 개념의 통일적 정리

상징과 기호는 그 어원적 기원에서조차 혼용되고 혼재되어 왔다. 그리고 오늘날 상징과 기호에 관한 논의 역시 그러한 혼란을 벗어나지 못하고 있다. 이에 관해서는 다시 상술될 것이나, 오늘날 제 인문학에 산재한 상징과 기호의 이론은 그들 개념의 모호성과 불일치로 인해 상호 호환되지 못하고 이론적 혼란을 가중시키고 있다. 그러한 상황은 상징과 기호 이론에 관한 학문간 유기적 호환을 원천적으로 가로 막는다. 따라서, 상징과 기호의 정체성 규명과 개념의 통일적 정리는 상징학을 세우는 정지(整地) 작업이 된다. 그리고, 동시에 제 인문학에 산재한 상징과 기호 이론의 호환을 위한 고속도로를 내는 일이기도 하다.

오늘날 기호학계나 상징 이론가들은 상징이 기호와 유사하거나 기호와 동일한 범주의 것으로 인식한다. 아울러, 그 변별성을 '자의성' 여부나 '의미의 영역' 등에 두고 있다. 하지만, 이와 같은 논의는 문제를 해결하는 열쇠가 아니라 오히려 미궁의 늪으로 밀어 넣을 뿐이다. 그러나 문제를 해결하는 열쇠는 의외로 간단하다. 그것은 상징의 실체에 대한 인식에서 출발한다. 상징물의 기호가 상징이 아님은 일찍이 칸트가 지적한바 있다, 그리고 상징이 의미작용의 사고를 형성하는 정신기능임은 카시러가 언급했다.

상징의 실체는 동일화를 수행하는 우리의 정신작용이고, 기호는 그 결과물이다. 언급된 자의성과 자연성은 기호를 구성하는 형식의 방법론이다. 그리고 의미의 단일성과 확산성은 상징 즉 동일화 정신작용의 수행 결과로 나타나는 기호의 의미론적 효과이다. 농등성(등기성)과 추론성의 문제 역시 기호의 의미론적 기능과 효과에 대한 논의이다.

정리하면, 상징의 실체는 '동일화 정신작용'이며, 기호는 상징의 결과물인 '의미체'이다. ① 자의성 또는 자연성, ② 의미의 단일성 또는 확산성, ③ 의미의 동동성 또는 추론성의 문제는 상징물이나 동일화의 형식에 관한 논의일 뿐 상징과 기호를 가르는 본질적 속성이 아니다(이에 관해서는 'ⅱ. 상징과 기호의 구별' 편에서 상술된다.).

한편, 상징과 기호의 혼용만이 아니라, '상징'의 개념과 '기호'의 개념 역시 그 통일적 견해를 갖지 못한 채 혼란한 상황에 처해 있다. 일례로, 뤽 브노아(Luc Benoist)는 『기호, 상징, 신화』(Signes,Symboles et Mythes)에서 상징의 대용어로 Signe(기호), Image(이미지), Allé-gorie(우의), Figure(형상), Représentation(재현) 등을 비롯한 44 개의 용어를 열거한다.[17)]

한편, 움베르토 에코에 의하면 기호에 관해 『로베르 대사전』(*Le Grand Robert*)은 11개의 정의를, 『라루스 불어 대사전』(*Le Grand Laroussede la langue française*) 역시 11개, 『렉시스 사전』(*Lexis*)은 7

17) Luc Benoist. 『기호, 상징, 신화』(1975). Georges Jean. 『기호의 언어; 정교한 상징의 세계』(김형진 역). 시공사. 1997. pp. 187-89. 재인용.

개, 『리테르 사전』(*Littreé*)은 15개의 정의를 싣고 있다. 하지만, '상징'은 상징물이나 동일화의 형식이 아닌 '동일화 정신작용'의 사고이다. '기호'는 상징의 결과물인 '의미체'이다. 그리고 동일화의 형식 역시 도식의 의미체인 기호이다.[18] (이에 관해서는 "ⅳ. 상징의 표상체: 기호, 1. 기호와 사고"에서 상술된다)

2.3. 상징의 본성: 동일화

우리의 사고는 어떤 것을 다른 것으로 나타내는 정신작용으로, 사고의 본성은 동일화이다. 언급했듯 '동일화'는 매개를 사용하여 어떤 것을 다른 것으로 대리하는 일이다. 이것은 다른 두 표상을 동일한 것으로 이해하는 일로서, 'A=Ā'라는 유비적 원리에 바탕한다. 다시 말해, 이질적인 다른 형상들에서 동일한 본성을 포착하는 일이다. 어떤 표상 A를 다른 표상 C로 나타내는 표상작용 다시 말하면 A=C라는 동일화 정신작용이 상징이다.

우리의 사고 즉 상징은 'A=C'라는 형식이 보여주듯, 'A=B, B=C'라는 전제 즉 인과적 이유의 판단이 내재되어 있다. 그러하듯, 우리의 사고는 어떤 인과적 이유의 산물이다. 그러한 우리의 사고는 또한 인과적 이유들이 선・후행적으로 무한히 추궁될 수 있음을 의미한다. 그러한 까닭에 퍼스(C. S. Peirce, 1839-1914)는 기호에 대해 하나의 기호를 토대로 또 다른 기호를 탐색하는 무한 추궁이 이어진다고 하였다.

---

18) Umbert Eco. 『기호: 개념과 역사 *Il Segno*』(김광현 역). 열린책들. 2000. p. 24.

지능의 본질이자 두뇌계발 연구자들이 찾고자 하는 학습능력이나 창의성의 원리는 다름 아닌 '상징 즉 사고'의 '본성'인 동일화 그것이다. 우리는 그러한 사고 즉 상징의 본성을 'A=C'라는 판단의 형식으로 제시할 수 있다. '동일화'는 형식을 통해 의미를 구현하는 모든 사고와 표상의 원리이자 수단이다.

상징의 본성인 동일화는 '형식'을 통해 '의미'로 구현되며, 의미는 형식을 통해 구현된다. 그러한바, 의미는 형식과 분리되어 존재하지 않으며 의미와 형식은 언제나 하나를 이루어 동일화'를 구현한다. 그러한 동일화는 형식의 측면만을 두고 보면 수사학적 세계의 문제이다. 그러나 의미론적 측면에서 동일화는 궁극적으로 자연과 인간에 대한 이해의 문제로 수렴되고 귀결된다.

2.4. 상징의 유형

2.4.1. 원사고와 방법적 사고

태어나면서 우리는 비의식 상태에서 자동적으로 수행되는 우반구 중심의 사고를 한다. 그러나 점차 언어와 같은 기호를 사용하면서 의식 상태에서 주의를 요하는 좌반구를 많이 사용하게 된다. 다시 말해, 우리는 생래적으로 통찰 사고를 수행한다. 통찰적이라 함은 비약적이라는 말이다. 우리는 말이나 글로써 표현하듯이 문법적 질서나 삼단논법의 규칙에 따라 사고를 수행하지 않는다. 그러한 우리의 사고는 의식(인지)하지 않는 가운데 순간적이고도 전일적으로 이루어진다.

말이나 글로써 풀어내면 매우 긴 내용들을 우리의 정신은 비의식 속에서 한 순간에 미상불 떠올린다. 그러한바, 우리의 사고는 마치 도약적이고도 비약적으로 수행되는 듯 여겨진다. 하지만, 순간적으로 이루어지는 우리의 사고는 언급한바와 같이 많은 전제적 이유들이 내재되어 있다. 그러한 인과적 이유의 판단들을 우리의 사고는 비의식 상태에서 순간적으로 이루어낸다. 이러한 우리의 모든 사고는 통찰 행위로서 '방법적 사고'인 추론과 달리 '원사고(原思考)'라 한다.

한편, 사고는 '동일화의 심도'에 따라, 지각 · 추론 · 통찰 · 영감적 사고로 구별된다. 지각은 일상생활에서 사용되는 사고이며, 통찰은 과학이나 시 · 예술의 창조에 사용된다. 영감적 사고는 시 · 예술의 창조, 영매나 점술사들의 영적 작업, 고도의 신체 활동 시에 사용된다. 추론은 그러한 원사고의 내용을 설명하는 사고이다.

우리의 사고는 '감각 → 지각 → 통찰 · 영감적 사고 → 추론'의 순으로 발현된다. 감각을 토대로 지각이 일어나고, 몰입된 집중으로 통찰과 영감적 사고가 수행된다. 우리는 그러한 지각 · 통찰 · 영감적 사고의 수행 후 의식을 활용하여 추론 사고를 수행한다. 그럼으로써 통찰과 같이 비의식 상태에서 수행된 사고의 내용을 심상기호나 외현기호로 구현할 수 있다. 심상기호는 우리의 의식에 표상된 심상이고, 외현기호는 문자나 도상과 같은 질료 매체의 기호이다(심상기호와 외현기호는 "ⅳ, 2. 외현기호와 내현기호" 편에서 상술된다).

지각을 비롯한 통찰 · 영감적 사고는 어떤 것을 다른 것으로 대신하는 동일화 정신작용으로서, 태고적부터 현재는 물론 앞으로도 인간이라면 인종이나 문화·학식·배움의 여부를 떠나 누구나 동일한 방식으로 수행하는 원사고이다. 반면에, 추론은 그러한 원사고에 문명(文明)의 옷을 입힌 '방법적 사고'이다.

다시 말하면, 추론은 인간이 언어·문법·지식과 같은 기호와 규칙들을 사용하게 되면서 그러한 표현의 틀에 따라 원사고를 분절하고 정리하여 표현하는 사고이다. 그러니까, 원사고가 순수한 통찰 사고라면, 추론은 지각 · 통찰 · 영감적 사고'의 원사고를 언어 기호 등으로 표현하는 사고로서 원사고를 명료히 정리하거나 이해하기 위한 사고이다.

우리는 머릿속에서 이루어진 사고 특히 깊은 숙고에 의한 통찰의 결과와 내용에 대해선 그러한 사고의 과정을 명료하게 정리해낼 필요가 있다. 그때 우리는 추론 사고를 수행한다. 우리가 어떠한 사고의 과정을 거쳐서 그러한 결론에 이르게 되었는지를 다시 한 번 곰곰이 생각해보면서 그러한 결론의 인과적 논리 과정을 살펴보는 것이다. 이때 우리는 문법과 삼단논법이라는 논리규칙 등을 사용한다.

한편, 지각 역시 통찰 사고이다. 지각은 표면적으로는 단일 판단이다. 하지만, 내용은 복합판단을 내포하고 있다. 지각은 '기억의 내용' 즉 과거에 경험된 많은 판단의 내용들을 비의식 상태에서 암묵적으로 파지하여 사물을 인식한다. 통찰 역시 대상에 관한 기억된 정보들에 바탕하나, 여러 새로운 복합판단들을 비의식 상태에서 상대적으로 오랫동안 수행한다는 점이 지각과 다르다. 우리의 사고는 본질에서 모두 통찰적인 것으로서, 지각 역시 내용적으로는 통찰 사고이다. 그리고 추론 또한 통찰 사고임은 말할 것이 없다. 다만 인위적 규칙의 틀 속에서 수행된다는 점이 다르며 그러한 까닭에 추론을 '방법적 사고'라 한다.

2.4.2. 일상비의식 · 의식비의식 · 심층비의식 · 초의식비의식 사고

우리의 사고는 본질적으로 어떤 것을 다른 것으로 표현하는 일로서

'A=Ā'라는 비 동질성의 동일화라는 유비적 원리에 의한다. 그러한 통찰 사고는 의식하는 가운데 이루어지는 것이 아니라 결코 우리가 의식하지 못하는 비의식의 상태에서 수행된다. 그리고 사고의 결과는 우리가 상상력이라고 말하는 표상력을 통해 의식에서 인지된다. 그러니까, 통찰 사고의 내용은 의식에 투사되는 상상력과 추론에 의해 비로소 분명하게 인지된다.

그와 같이 의식과 비의식은 우리의 사고에서 중요한 역할을 하는데, 의식의 개입이 적을수록 깊은 사고를 할 수 있다. 의식의 개입 정도에 따라 우리의 사고는 의식이 상시 개입되는 일상비의식(지각), 숙고를 요하지만 의식의 확인이 개입되는 의식비의식(추론), 의식의 개입을 불허하는 심층비의식(통찰), 의식의 개입 아래 수행되는 초의식비의식(영감적 사고) 사고로 구별된다.

2.4.3. 영감적 사고

사고의 수행 중에 의식에 감각적 상들이 나타난다는 건 상상력이 발현된다는 것이다, 그런데, 상상력에 의한 의식에서의 인지작용은 사고의 흐름을 방해한다. 그런 까닭에 특히 시작 과정의 통찰 수행 중에는 가급적 이미지를 확인하려 해서는 안 된다. 앙드레 브르통이 초현실주의의 작법 원리로서, '자동기술'을 제안한 것은 그러한 까닭에서다. 자동기술은 앞도 뒤도 보지 않고 쓰는 일 즉 통찰과 즉시적 표상의 수행에만 몰입하는 일이다. 이러한 자동기술은 '영감적 사고'의 수행 시에 원활히 수행된다.

영감적 사고는 비의식과 의식이 찰나적으로 교차하는 사고로서 고도의 주의집중 상태에서 시인 · 예술가 · 예지자 운동선수 등이 주로 행하는 특별한 창조능력이다. 기운이 떨어지면 통찰로써 대신하는데, 영감적 사고는 문체에 힘이 있으며 동일화의 전개가 거침이 없다. 그와 달리, 통찰은 힘을 덜 들이지만 시간을 두고 충분한 인과적 동일화를 이루므로 내용에 있어서 영감적 사고보다도 깊이와 울림을 더할 수 있다.

한 순간 주의집중력을 극대화하여 '영감적 사고'의 상태에서 창작을 하거나 문제 해결을 할 수는 있다. 그러나, 평소에 많은 동일화 정신작용의 의미화 작업이 이루어져 있지 않으면 영감적 사고에 의한 결과물은 빈약하다. 타고난 천재이든, 극도의 주의집중에 의한 '영감적 사고'에 의해서이든 평소에 동일화 정신작용의 의미화 작업이 충분히 이루어져 있지 않으면 한 분야에서 깊은 창의성을 발휘하지 못한다.

성 마태오. 830년경. 필사본 복음서의 한 페이지

E. H. 곰브리치는 성 마태오의 초상을 그린 화가에 관해 "성 마태오가 하느님의 말씀을 받아쓰고 있는 영감을 받은 사람으로 보였을 것이다. 그가 의도했던 초상이나 글을 쓰고 있는 사람의 형상 속에 자신의 경외심과 감동 같은 것을 전달하는데 성공했다는 것은 미술의 역사상 지극히 중요하고 가장 감격적인 사건이었다."고 말한다.[19] 이 그림은 신의 계시를 기록하기 위해 영감적 사고에 몰입한 성 마태오의 머리카락과 옷이 온 몸과 함께 격렬히 떨고 있음을 잘 보여준다.

19) Ernst Gombrich. 『서양미술사』(백종길 외 역). 예경. 1997. p. 164.

2.5. 상징의 실체: 사고

상징의 실체는 '동일화 정신작용'으로 다름 아닌 우리의 사고이다. 상징과 사고는 '동일한 정신작용'에 대한 다른 표현이며, 생각 · 사고 · 유비 · 비유 · 은유 · 유추 · 지각 · 직각 · 직관 · 추론 · 통찰 등은 모두 동일화 정신작용의 다른 말로서 용도를 달리하여 쓰일 뿐이다. (" v. 상징의 실체: 사고, 7. 사고 관련 용어의 혼란과 정리" 편 참조 요망.) 이러한 모든 사고는 통찰과 추론 사고로 환원되며, 추론 역시 본질에서는 통찰 사고이다. 그러한 우리의 동일화 정신작용은 비의식의 신경생리작용으로 수행된다.

우리의 뇌신경세포의 축삭돌기와 수상돌기들은 수초(水草)처럼 끊임없이 움직여 동일화의 의미를 이룬다. 우리는 1,000억 개의 천문학적 양의 대뇌 속의 뉴런과 그 개개의 축삭 · 수상돌기들에 의한 100조 개의 연결 시냅스 하나하나를 결코 마음대로 움직일 수 없다. 그러한 신경세포가 전달하는 정보의 실체는 화학물질에 의해 수시로 변화하는 전기작용들이다. 우리의 감각 · 지각 · 통찰은 모두 그와 같은 비의식에서 수행되는 화학물질들에 의한 전압파의 생성과 그 작용의 결과이다.

활동성의 액틴 단백질 사슬의 분해와 결합으로 세포원형질막의 돌출 부위는 끊임없이 유동적으로 움직인다. 그러한 우리의 뇌신경세포들의 연결은 의식 상태에서 확인할 수 있는 논리규칙에 따라 움직이지 않는다. 그것은 본능적이고 자동적이며 습관화된 경로와 자율성에 따라 움직인다. 그러한 동일화 정신작용의 사고는 우리의 뇌신경계에서 전기 · 화학적 신호작용으로 이루어지며 '사고의 결과'는 '사고'의 수행 즉시 또는 필요에 따라 의식에서 표상되어 인지된다.

시 · 예술의 창작과 비평의 현장에서 우리는 상징을 수행하고 기호화하며 그 기호를 이해하고 감상한다. 그러나 시학을 비롯한 제 인문학의 상징에 대한 인식은 '관념을 표상하는 이미지나 수사학적 형식의 논의'에 그친다. 하지만 그러한 인식의 지식은 실제 시 창작과 비평에서 직접적인 도움이 되지는 않는다. 중요한 것은 우리가 시문을 떠올릴 수 있고, 시편의 기호들을 스스로 감상하고 이해하며 비평할 수 있는 '동일화 사고' 능력이다. 시문학과 예술에서 상징은 그 본질적 특성이라 할 형식이 반드시 필요하다. 하지만, 보다 중요한 건 그 형식과 상징물을 창조하는 우리의 동일화 정신작용인 통찰 능력이다(이에 관해서는 "v, 8. 시와 사고" 참조).

2.6. 의식과 비의식

우리는 인지 즉 의식을 하려면 할수록 사고작용이 중단됨을 알 수 있다. 사고작용은 비의식 상태에서 이루어지므로 인지되지 않으며 사고작용의 결과물인 기호만 의식에서 인지된다. 인지작용인 의식은 비의식의 사고작용을 방해한다. 실제 사고의 수행 과정에 있어서 심상기호는 의식에 표상되지 않는다. 의식은 비의식에서 진행되는 '신호적 상징작용'을 상상력으로써 기호적 표상으로 인지할 수 있게 한다. 다시 말하면, '의식'이란 상상력을 이용한 '기호화 정신작용'이라고도 할 수 있다. 이러한 까닭에 사르트르는 이미지를 '상상하는 의식작용'으로 이해했다(『상상력』, 1936).

의식이 지각이나 자각의 인지작용이며 사고가 비의식으로 진행된다는 것을 인식한다는 것은 단지 그러한 사실을 아는 그 이상의 중요한 의미가 있다. 우리의 비의식의 동일화 정신작용은 의식 상태에서 인식되는 음운체계와 조사체계, 도상적 형식 등의 감각 의존적 기호 대신 전기・화학적 신호작용에 의한 비의식기호인 초감각적 기호를 사용한다. '비의식'은 우리가 기호를 초감각적인 방법으로 파지하는 사고의 과정에서 나타나는 의미로운 현상이다.

신경학적으로, 시각 처리는 일차시각피질에서 두정엽으로 향하는 무의식적 시각 처리와 측두엽으로 가는 의식적 시각 처리 과정으로 구분된다. 전전두피질에서 일차운동피질까지 신경전달은 의식화되지 않으며, 하측두엽의 일부와 전전두엽에서만 의식적으로 인식이 가능한 것으로 알려지고 있다.[20)]

의식에서의 상의 표상이나 비의식에서의 사고의 수행은 뇌신경계에서 전기적이고 화학적인 신호작용으로서 매우 빠른 속도로 이루어진다. 감각자극으로부터 인식에 이르기까지는 약 0.1초 정도로 알려져 있다. 한편, 캘리포니아 대학교의 리벳(Benjamin Libet) 박사의 실험(1979)에서, 우리의 행동은 약 0.35-0.65초 뒤에 인식되는 것으로 측정되었다. 하지만 우리는 행동 이전의 의사결정 사실을 지각하지 않는다. 짧은 시간이나마, 우리의 의사 결정 다시 말해 우리의 사고는 의식되지 않는 비의식 상태에서 수행된다는 말이다.

전통 철학에서는 '의식'을 '사고'나 '마음'과 동의어로 사용함으로

---

20) 박문호. 『그림으로 읽는 뇌과학의 모든 것』. 휴머니스트출판그룹. 2013. pp. 640-41.

써 '의식'에 관한 연구는 철학과 심리학자들을 괴롭혔고, 사고에 관한 연구를 방해해왔다. 하지만 사고의 연구에 있어서, 의식은 지각이나 자각의 인지기능에 한정해서 이해하고 사용해야 한다. 그래야만 사고작용의 시스템과 작용원리를 제대로 연구해 나갈 수 있다. 이러한 사실을 이해하지 않으면 사고에 관한 연구는 앞으로 나아가기 어렵다.

▷ 비의식은 다음과 같은 기능을 수행한다.

1. 우리는 기억된 지식을 암묵적으로 파지함으로써 대상의 지각을 단일 판단의 직각으로써 인지한다. 만약에 어떤 대상을 지각함에 있어서 과거의 경험적 지식이 모두 의식에 표상된다면 우리는 과거의 경험 지식과 현재 경험하는 대상의 관계에 대한 판단을 거쳐서 통일된 의미의 인식을 하게 된다. 그럴 경우 우리는 인식과정의 과부하로 모든 일상적 생활의 수행에 있어서 어려움을 면치 못할 것이다. 하지만, 우리의 정신은 기억된 지식을 비의식 상태에서 암묵적으로 파지함으로써 "이것은 책상"이라는 단일 판단의 직각적인 지각을 수행할 수 있다.
2. 우리가 통찰을 수행함에 있어서도 비의식은 보다 편하게 복합 판단을 할 수 있게 한다. 통찰은 매우 많은 과정의 선택적이고 가정적인 복합 판단들을 거친다. 만약 이러한 복합 판단들 하나하나를 의식 상태에서 확인해가며 사고를 수행한다면 우리는 어쩌면 결코 원하는 통찰의 결과에 이르지 못할 것이다. 우리는 많은 판단의 과정들을 비의식 상태에서 암묵적으로 파지하고 수행함으로써 복잡한 문제를 신속하고도 효율적으로 처리할 수 있다.

▷ 의식은 사고와 관계하여 다음과 같은 기능을 수행한다.

우리가 말하는 의식은 '각성 상태'라는 의미에서가 아니라, 자각의 인지가 가능한 상태를 의미한다.

1. 의식은 우리가 외부 세계에 적절히 대처하기 위해 내・외적 상황을 인지하게 한다.
2. 의식은 사고의 결과를 표상력에 의해 심상기호로 나타나게 한다.
3. 비의식의 통찰 내용은 기호 체계로 객관화할 필요가 있으며, 이때 추론이 수행된다. 추론은 얕은 통찰과 직각이 순차적으로 수행되는데 그때마다 의식은 얕은 통찰의 수행 결과를 곧 바로 확인할 수 있게 한다.
4. 의식은 우리의 비의식의 사고를 합목적적으로 수행하게 한다. 비의식의 정신작용은 본능적인 것으로, 비의식 상태에서의 사고는 의도된 방향으로 줄곧 나아가 집중하고 몰입하게 한다. 하지만 사고의 수행이 완료되거나, 피로하여 집중력이 약화되면 곧 상상력이 작동하거나 혹은 맹목적 원망에 따라 공상을 하게 된다. 이러한 때 의식은 비의식의 사고를 의도한 방향으로 전환토록 한다. 그럼으로써 맹목적이거나 질주하는 비의식의 사고를 합목적적으로 이끈다.
5. 의식은 회상 내용을 인지하게 함으로써 작업기억을 가능하게 하고 우리가 일상생활을 영위할 수 있게 한다. 의식은 과거의 사고 내용 즉 기억물을 기호로 인지(회상)하게 한다. 의식은 관념으로 든 질료적 매체로서 이든 모든 사고된 것들 즉 지식(기호)을 인식하게 하는 기관이다. 또한 그러한 기호들에 대한 인지나 인식을 바탕으로 직각의 판단, 추론과 통찰을 수행하게 한다.

2.7. 사고 · 기호 · 기억 · 상상력 · 의식 · 비의식의 관계

감각은 지각이 되고, 지각은 통찰을 이루며, 통찰은 추론에 의해 의식화 된다. 이러한 사고는 곧 바로 의미체 즉 기호가 되어서 기억의 내용이 된다. 우리의 지각 · 통찰 · 추론 등의 사고는 기호에서 시작하여 또 다른 기호를 생산한다. 그러한바, 사고 · 기호 · 기억은 불가분의 관계에 있다.

상징 즉 사고는 어떤 기호(A)와 '비동질적 동일성의 유비적 관계(A=Ā)'에 있는 또 다른 기호(C)를 찾는 일이다. 그와 같이 'A=C'라는 동일화를 위해선 'A=B, B=C'라는 전제적 판단들을 찾아야 하며, 그러기 위해선 우선 'B'라는 매개 기호를 찾아내어야 한다. 이와 같이 사고는 대상기호(A)에서 시작하여 매개기호(B)를 탐색하고 판단들을 구성하여 목표기호(C)에 도달한다. 그리고 이 기호는 다시 또 다른 기호와 동일화를 이루는 사고를 제기하고 촉발한다.

기호는 사고를 잉태하고 사고는 기호를 생성한다. 기호 없이 사고는 수행되지 않으며, 사고의 수행 없이 기호는 생성되지 않는다. 사고를 시작하는 대상기호와 동일화의 결과물인 목표기호는 외현기호로 명시된다. 외현기호는 상상력에 의해 의식에서 직접 인지되는 기호이다. 동일화 정신작용의 사고는 맥락화에 의한 이해로써 지식이 되어 정보체에 내장된다. 우리의 정보체의 지식은 홀로그램 형식으로 연결망을 이루고 있는 비의식기호이며 상상력에 의해 의식에 심상기호로 표상된다.

상상력은 어떤 것을 다른 것으로 대리하는 '동일화' 정신작용이 아니다. 상상력은 지식이나 앎의 관념적 기호를 표상하거나 회상하는 정신작용이다. (사고와 달리 상상력은 주의와 집중을 요하지도 않는다.) 상을 형성하는 상상력은 사고가 진행되면 자취를 감춘다. 그것은 사고를 방해하지 않기 위해서이다. 사고가 종료되면 상들은 상상력에 의해 의식에서 심상기호로 인지된다.

일찍이 칸트는 상상력에 관해, 우리의 직관에 대상을 나타내는 능력(B 151)으로서, 형상을 구성하는 능력(KU 54)이며, 이와 달리 오성은 사고 능력임을 분명히 하였다(A94, B152, B162 등). 그리고, 윌리엄 제임스는 상상이란 "원래 경험의 복사물을 재생하는 능력에 붙인 이름"이라 하였다.[21] 사르트르 역시 상상력은 이미지를 의식에 나타내는 정신작용으로 이해했다[『상상력』(1936),『상상계』(1940)].

상상력은 창의력이나 창조적 사고작용이 아니다. 그러한 사고의 결과를 의식에 나타내는 표상작용이다. 이러한 사실은 현상학적 관찰과 뇌과학 등의 자료로써도 뒷받침되고 있다("Ⅴ. 상징의 실체: 사고, 4. 상상력과 사고 · 기호" 편 참조). 그리고, 이러한 사실은 상상력과 이미지 연구자들을 비롯하여 콜리지나 바슐라르 연구자들, 그리고 오늘날 상상력을 창의성으로 이해하는 창의력 계발 연구자들로 하여금 상상력 배면의 통찰 세계로 연구의 방향을 이동하게 할 것이다. 놀라운 이미지를 드러내는 상상력은 사고된 의미를 의식의 거울에 심상기호로 비춰내는 조명 활동이다. 이미지 배후에서 상상력의 빛을 투사하는 건 다름 아닌 우리의 통찰 사고이다.

---

21) William James. 『심리학의 원리』 I (정양은 역). 아카넷. 2005. p. 132.

기억은 기억할 기호를 우리 정보체에 있는 기호와 결합하는 일이다. 그리고 동일화 정신작용의 사고 역시 기호와 기호를 결합하는 일이다. 그러한바, 기억은 기억할 대상에 관하여 동일화의 사고를 수행하는 일이다. 기존의 지식과 결합하지 않으면 기억은 이루어지지 않는다. 기존 지식과 결합하는 사고 활동 없이 암송만을 하거나 열심히 밑줄을 긋는다고 하여 기억이 되는 것이 아니다. 단적으로 말해, 동일화 정신작용에 의해 새로운 정보와 기존의 정보를 결합하는 기억은 사고의 다른 표현이라고 말할 수 있다.

지각은 새로운 대상에 관해 사고함으로써 대상에 관해 우리가 기억하게 된다. 개념 지식 역시 그에 관한 동일화 사고를 함으로써 우리의 정보체에 내장된다. 이와 같이 기억은 다름 아닌 사고의 활동으로서 곧 '사고'이다. 사고는 우리의 정보체에 내장된 정보들인 비의식기호를 활용해서 기호들을 동일화하는 일이다. 이러한 동일화 정신작용으로써 우리는 기억할 대상을 기존의 지식과 결합한다. 또 그럼으로써 새로운 정보가 우리의 정보체에 내장된다.

사고 · 기억 · 기호를 별개의 관점에서 다루는 건 대상의 구조와 기능을 분리하여 연구하는 것이나 다름없다. 기호는 사고의 수단이자 결과물인 '의미체'로서 의식 · 비의식 · 상상력 등의 정신작용과의 관계 속에 동일화 정신작용의 사고와 함께 논의됨으로써 그 정체성 · 기능 · 특성 등이 온전히 드러날 수 있다.

2.8. 내현(도식 · 비의식 · 심상)기호와 외현기호

일찍이 퍼스는 관념을 기호로, 그리고 기호를 사고라고 한바 있다. 그런데, 이 책은 기존의 질료적 표상체의 기호를 '외현기호'로 분류하고, 관념을 심상기호라고 한다. 아울러 이 책의 필자는 심상기호를 비롯하여 지각의 수단인 도식기호, 개념적 사고의 수단인 '비의식기호'와 같은 '내현기호'를 제시한다.

야콥슨(Roman Jakobson)은 "내적인 사고는—특히 이 사고가 창조적일 때—언어보다 덜 규범화되고 보다 융통성 있는 다른 체계를 사용하는데 이런 기호 체계는 창조적 사고에 보다 많은 자유와 활력을 준다."고 한바 있다.[22] 그리고, 철학자이자 인지과학자 포더(Jerry Fodor, *The Language of thought*, 1975)와 언어학자이자 인지과학자인 핑커(Steven Pinker, 1954-)는 사람이 자연언어로 생각하지 않고 '사고 언어(language of thought)'라는 심성언어(mentalese)로 생각한다고 주장했다.

한편, 심리학에서는, 장기기억에 저장된 정보들은 의미부호로 기호화되어 있고, 의미부호는 심상부호(imagery code)와 어의부호(semantic code)로 구별되어 저장된다고 한다. 우리는 정보를 내적 표상으로 약호화(encoding)하여 저장하며, 사고는 그러한 장기기억 속에 저장되어 있는 의미단위들로 구성된다.[23] 그러한 우리의 정보체인 의미망은

---

22) Jacques Hadamard.정계섭 역, 같은 책, pp. 94-95.
23) William James.정양은 역, 같은 책 Ⅰ, p. 478.

보이지 않는 홀로그램에 비유할 수 있다.

이러한 정보들은 인지과학자 포더 등이 말하는 '사고 언어(language of thought)'의 자료들로서, 이러한 기억된 정보들과 함께 사고의 수행 중에 파지되는 정보들을 이 책에서는 '비의식기호'라 한다. 비의식기호와 같은 내현기호의 설정은 사고와 언어의 상호작용은 물론, 기호·사고·기억의 상호작용과 함께, 비의식 상태에서 수행되는 통찰 사고의 구조와 그 수행방식을 설명 가능하게 한다.

기호는 먼저 내현기호와 외현기호로 구별된다. 외현기호는 감각 매체를 통해 표현된 기호로서 문자·음성·도상 등과 같은 것이다. 외현기호는 텍스트 구현 방식에 따라 자의적 기호와 자연적 기호로 나뉜다. 자의적 기호는 수학의 '+. -, =' 등과 같이 약속에 의해 구성된 기호이다. 자의적 기호는 통사 전개가 '신호적'으로 이루어지므로 전달속도가 빠르고 '동일화'의 오차가 없다. 그런 까닭에 수학·과학의 언어로 사용된다.

자연적 기호는 형상이나 성질의 유사성에 바탕한 기호이다. 대표적인 자연적 기호의 '은유'는 시·예술을 비롯하여 상업광고 등에도 유효하게 사용된다. 현대시는 지적 쾌감을 높이기 위해 형상이나 성질의 유사성과는 반대가 되는 역설적이고 모순적인 결합방식을 사용하거나 때로는 전혀 무관해 보이는 이미지의 결합을 사용하는데 이 역시 자의적 기호로 분류된다.

내현기호는 우리의 의식계나 비의식계의 기호로서, 사물의 지각 과정에 사용되는 도식기호, 통찰 사고의 수행 중에 파지되는 비의식기호, 사고의 종료 뒤에 의식에 나타나는 심상기호로 구별된다. 우리는 사물을 경험할 때 부분들에 대한 어떤 의미를 얻고자 한다. 그러한 각 부분들의 '의미체'가 '도식기호'이다. 그리고, 완성된 지각의 기호는 심상기호이다.

언급하였듯이, 우리의 사고는 비의식 상태로 수행되는데, 의식되지 않지만 사고의 수행 중에 탐색된 여러 기호들이 사고가 이루어지도록 우리의 정신에서 암묵적으로 파지(인지)된다. 이때의 기호들이 '비의식 기호'이다. 그리고, 사고가 종료되면 의식에 그 결과가 표상되는데, 이것은 '심상기호'이다. 오늘의 기호이론가들과 달리 퍼스는 일찍이 '관념'을 이 책의 필자와 마찬가지로 기호로 이해했다.

비의식기호의 실체는 의식되지 않는 뇌신경계의 흔적들과 전기・화학적 신호작용들이라고 할 수 있다. 우리의 통찰 사고는 복합판단으로 구성된다. 그러한즉 의식되지 않을 뿐이지 비의식 상태에서 우리의 정신은 그 어떤 의미 자료들을 파지하여 사용한다. 한편, 비의식기호에 상응하는 개념으로서 심리학은 심상부호・어의부호라는 용어를 사용한다, 그리고, 인지과학자 포더와 핑커의 경우, '사고 언어'라는 개념의 용어를 사용하였음은 앞서 언급한바와 같다.

2.9. 활성기호

이 책은 창조적 사고의 수행이, 암기에 의한 각인이 아닌, 인과적 맥락의 동일화 사고에 의한 '활성기호'로써 가능함을 언급한다. 심리학자들이 말하듯, 장기기억으로부터 정보를 인출하기 위해서는 기억의 내용을 조직화 해두어야 한다. 심리학은 사진 찍듯 저장하는 '축어기억(verbatim memory)'과 추론과정을 거치는 '요점기억(gist memory)'

으로 기억을 대별한다.

그리고, 축어기억과 요점기억에 대응하는 시연방략(rehearsar strategy)과 조직화방략(organization strategy)이라는 용어를 사용한다(Naus & Ornstein, 1983). 축어기억과 같은 시연방략은 기억해야 할 대상이나 정보를 눈으로 여러 번 보아 두거나 말로 되풀이해 보는 것이다. 조직화 방략은 맥락적으로 서로 연관이 있는 것끼리 연결하거나 의미를 중심으로 범주화하여 묶는 방법이다.

이러한 조직화는 대체로 의미에 기초하며(Ericsson, 1985), 위계적으로 형성된다.[24] 심리학의 이와 같은 방법들은 활성기호의 생성을 위한 하나의 방법론이라 할 수 있다. 그러나, 이러한 조직화 방략들은 하나의 형식을 보여줄 뿐, 본질적인 원리를 말하고 있지는 않다. 새로운 정보는 되도록 기존의 많은 정보와 동일화를 이루어야 한다. 그럴수록 기억은 확고해지며 우리의 정보세계는 확장되고 보다 활발한 창조적 사고를 수행할 수 있다.

결론적으로, 통찰 사고는 '활성기호'의 축적이 전제된다. 활성기호는 각인과 같은 단순 연결에 의한 암기가 아닌, 원리에 바탕한 맥락적 이해로서 이루어진 기호이다. 단순히 암기된 지식의 기호들은 동일화의 기능성을 갖지 못 한다. 그러한 활성기호의 생성은 끊임없는 동일화 정신작용의 수행으로 가능하다.

일찍이 윌리엄 제임스(William james, 1842-1910)는 가장 많이 고찰하고 체계화하는 사람이 가장 좋은 기억력을 지닌다며 맥락적 이해의

---

24) S. K. Reed.『이론과 적용 인지심리학』(박권생 역). 센게이지러닝코리아. 2011. p. 292.

기억에 관하여 상세하게 기술한바 있다. 형태심리학의 창시자 베르타이머(Max Wertheimer, 1880-1943) 역시 기계적 암기와 원리에 기초한 문제 해결로 구별한다. 그리고 전자는 쉽게 잊어버리지만, 후자는 문제의 본질적 이해에 기초한 것으로 오랫동안 기억된다고 하였다. 이들은 모두 활성기호 생성의 원리를 언급한 것으로, 이들이 말한 기억의 원리는 다름 아닌 인과성에 기초한 동일화의 사고 그것이다.

2.10. 기호와 사고의 만남

통찰은 비의식기호를 사용한다. 그리고 추론은 비의식기호와 함께 외현기호를 활용한다. 추론은 우리가 의식 상태에서 비의식의 통찰 내용을 인지할 수 있도록 외현기호의 체계에 따라 드러내는 사고이다. 그러므로 기호와 그 기능에 대한 연구는 추론의 구조에 대한 연구로 이어진다. 한편, 추론 구조에 대한 연구는 곧 통찰의 구조에 대한 연구를 의미하는 것이기도 하다. 왜냐하면, 통찰의 구조와 내용은 추론에 의해서 해명되기 때문이다.

추론의 과정에 사용되는 기호 또는 기호체계와 그 기능에 대한 연구는 추론의 과정만이 아니라, 통찰의 과정과 그 구조에 대한 연구로 이어진다고 할 수 있다. 그러므로 기호 기능과 체계에 관한 연구는 '상징적 사고'의 형식에 관한 연구에 다름 아니다. 기호 기능과 체계에 관심을 갖는다는 것은 결국 사고에 관심을 갖는 일이기도 한 것이다.

이러한 점에서 기호 기능에 대한 연구는 사고의 의미론적 과정과 흐름에 관한 형식적 측면의 연구라 할 수 있다. 그러한바, 의미의 생성조건을 탐구하는 그레마스(Algirdas J. Greimas, 1917-1992)를 비롯한 파리 기호학파의 연구는 (기호를 소멸 내지 해체시켰다고 하는 그들이 '의미'를 기호로 인식하고 있는지 여부와는 별개로) 결국 사고의 구조적 형식에 관한 연구를 수행한다고 말할 수 있다.

모든 사고는 상징 행위이며, 그 결과물의 의미체는 기호로서, 우리의 정보체에 내장되고, 또한 상상력에 의해 심상기호로 우리의 의식에 표상된다. 그리고 심상기호는 질료적 매체를 통해 외현기호로 표현되며, 이러한 기호들은 다시 사고를 생성하고 우리의 정보체에 비의식기호로 내장된다. 아울러, 기호들은 다시 동일화의 사고를 통해 새로운 기호를 생성한다.

사고와 기호의 이러한 상보적 순환 과정이 우리의 창조 과정이다. 그러한 기호와 사고는 뫼비우스의 양면을 이루어 창조를 수행한다. 무엇보다도 상징은 비유의 형식이나 상징물의 기호이기 전에 실체적 작용으로서 '동일화 정신작용'의 사고이다. 이러한 사실은 기호와 상징에 관한 기존의 논의들을 형식적 수사학의 영역으로 규정하고, 상징을 사고에 관한 논의로 이동하게 한다.

상징과 기호에 관한 명확한 구별과 상호 의존성에 관한 이 책의 언급들은 철학·수사학·기호학·심리학·인지과학 등 제반 학문에 산재한 상징과 기호에 관한 개념과 이론들을 호환 가능하게 할 것이다. 그리고, 상징이 곧 사고라는 사실과 사고의 결과물이 기호라는 언급은 상징 즉 사고와 기호의 상보성을 드러내 보여준다. 나아가, 이러한 사실은 기호학의 학적 대상과 관심을 기호에서 사고의 문제로 확장하게 한다. 또한, 비의식기호와 같은 내현기호와 활성기호의 제시는 심리학의 기억·사고 이론과 기호학의 기호이론을 상호 호환하게 한다.

이상과 같이 언급된 '융합학문으로서의 상징학'은 이 책의 주요 내용에 대한 얼개를 제시한 것으로 [상징학]의 원리적 내용과 기획을 개략적이나마 한 눈에 볼 수 있게 했다. 이제 다음 장을 기술하기 전에 먼저 주요 내용들의 주제를 다시 한 번 상기하는 차원에서 간략히 정리하여 제시한다:

1. 이 책은 상징이 사고임을 기술한다.
2. 상징과 기호의 각 개념 · 본성 · 실체를 기술한다.
3. 상징을 형식 · 실체 · 결과의 측면에서 기술한다.
4. 사고 · 창의성의 본질이 동일화이며, 형식을 통해 의미를 구현하는 일임을 기술한다.
5. 전통적으로 기호학에서 논의되는 질료 매체의 기호(외현기호) 외에, 사고를 가능하게 하는 도식기호 · 비의식기호 · 심상기호의 '내현기호'를 제시하고, 사고와 기호의 상호작용성을 기술한다. 아울러, 사고를 원활하게 하는 활성기호에 관해 언급한다.
6. 의식 · 비의식의 기능과 사고와의 관계를 기술한다. 그리고, 사고는 비의식에서 수행되며, 의식에서 표상됨을 언급한다.
7. 상상력은 사고가 아니라는 사실과 아울러, 상상력과 사고의 관계를 기술한다.
8. 사고를 동일화의 심도에 따라 지각 · 추론 · 통찰 · 영감적 사고로 구별하고 그러한 사고의 성격과 수행 원리 등에 관해 언급한다. 또한, 사고는 의식의 개입 정도에 따라 일상비의식 · 의식비의식 · 심층비의식 · 초의식비의식 사고로 구별됨을 기술한다. 나아가, 통찰의 원사고와 추론의 방법적 사고를 기술한다.
9. 사고 · 기호 · 기억 · 상상력 · 의식 · 비의식의 각 기능과 관계를

언급하고, 특히 기억이 다름 아닌 사고활동임을 언급한다.

10. 이 책은, 상징・사고・기호・창의성의 본질과 그 관계를 '동일화'의 원리 아래 통일적 관점에서 기술하고 있다. 나아가 시・예술・학술・기술 등 제반 문화 창조의 원동력인 사고의 본성과 작용원리에 관한 이론을 [상징학]이라는 새로운 학문의 형태로 체계화하여 제시한다.

☞ 이 책에서 열거되는 용어나 개념들에 쉼표가 사용되기보다, 가운뎃점(・)이 많이 사용되는 것은 나열되는 개념들이 서로 무관한 성질의 것이 아니라 상호보완적이며 유기적 관계의 것임을 나타내기 위해서이다. 예를 들어 '시・예술'이라고 표기하는 것은 시가 미술이나 음악, 무용 등과 같은 예술 장르들의 본질소인 까닭에, '시'와 '예술'을 분리하는 것이 상징학의 논의에서는 바람직하지 않다는 생각에서이다. 마찬가지로, '사고・기호・기억'과 같이 표현하는 이유는, 기호가 사고를 수행케 하고 그러한 사고의 결과는 기억의 내용으로 전환되는 까닭에 사고, 기호, 기억이 개별적으로는 존재할 수 없는 성질의 것들로서 그 밀접한 관련성을 나타내기 위해서이다.

ii. 상징과 기호의 구별

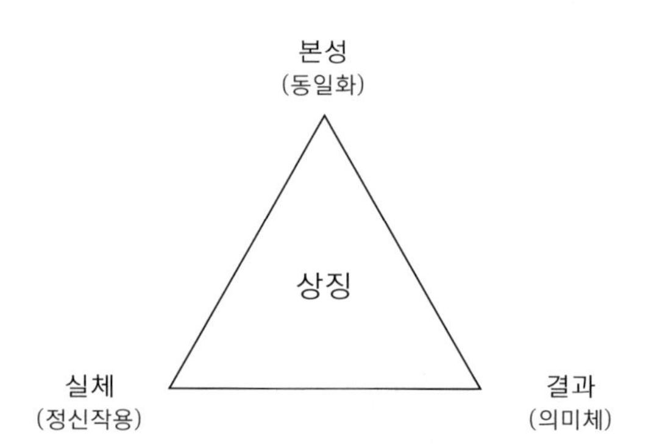

◉ 본성: 동일화 → 형식을 통해 의미를 구현
◉ 실체: 동일화 정신작용 → 사고
◉ 결과: 동일화 정신작용의 의미체 → 기호
☞ '상상력'은 상징을 의식에 기호로 나타내는 정신작용인 표상력이다.

시 · 예술 · 학술을 비롯한 제반 문화의 창조는 '매개를 사용하여 어떤 것을 다른 것으로 대신하는' 상징에 의한다. 상징은 세 가지 측면에서 논의되며 그것은 본성 · 실체 · 결과이다. 상징의 본성은 형식을 통해 의미를 구현하는 '동일화'이다. 상징의 실체는 동일화를 수행하는 우리의 '정신작용'이다. 상징의 결과물은 (형식을 통해 의미를 구현하는 동일화 정신작용의) 의미체인 '기호'이다.

상징 즉 동일화 정신작용의 사고는 형식을 통한 의미화 작용이요, 기호는 상징의 결과물인 '의미체'이다. 그러한즉, 기호는 우리가 사고한 모든 내용의 지식들로서, 모든 사고된 의미는 기호이다. 상징은 그러한 기호를 연결하여 새로운 기호를 생성하는 우리의 창조적 정신작용이다. 간략히 줄여 말해 상징은 의미작용이요, 기호는 그 의미체이다.

1. 상징 관련 연구 분야

◉ 본성: 형식을 통해 의미를 구현.

형식론: 논리학, 수사학, 기호학, 현상학, 언어학, 문법학, 시학, 수학 등 어떤 대상의 구조 · 기능 · 관계 등 형식을 다루는 분야.

의미론: 시 · 예술, 철학, 미학, 윤리학, 법학, 종교 등 존재의 의미 · 가치를 다루는 분야.

☞ 의미론 분야 중에서 종교와 시 · 예술을 제외한 철학, 미학 등의 일반 인문학은 사실은 형식론을 더 많이 다룬다. 이것은 의미와

형식이 언제나 하나를 이루기 때문이다. 한편, 과학은 형식과 의미 분야를 모두 다룬다고 할 수 있다.

◉ 실체: 동일화 정신작용의 사고

관련 분야: 철학, 심리학, 인지심리학, 뇌과학, 인지과학, 신경생물학, 정신의학, 기타 인지 · 인식 · 사고 관련 연구 분야.

◉ 결과: 의미체로서의 기호

관련 분야: 기호학, 수사학, 시학 등.

2. 상징과 기호의 혼쟁사

상징과 기호는 그 어원에서조차 야누스적 양면성을 보여준다. 그리스어 기호 세메이온(σημειον)은 라틴어로 signum(기호)와 nota(상징)으로 번역된다. 그런데, 그리스어 상징인 심볼론(σύμβολον) 역시 라틴어로는 nota이다. 그리고 심볼론의 어원에도 증표라는 뜻과 함께 '기호'라는 뜻이 내재되어 있다. 그러하듯 상징과 기호의 어원은 오늘날 상징과 기호 개념의 혼란을 예고라도 하듯 이중적 양면성을 띠고 있다.

기호학에서 일반적으로 회자되고 있는 "모든 상징이 기호일 수 있다. 그러나 모든 기호가 상징은 아니다."라는 말에서도 볼 수 있듯, 오늘날 상징은 대체로 기호와 유사하거나 기호와 동일한 범주의 것으로 인식되고 있으며, 논자들은 상징과 기호의 변별성을 '자의성' 여부나 '의미역' 등에 두고 있다.

고대 그리스에서 기호는 추론의 단서가 되는 지표물을 가리켰으며 상징은 유사 동일물을 가리켰다. 아리스토텔레스는 상징을 관습적 대리의 것으로, 기호는 추론적 성질의 것으로 인식했다. 이것은 상징이 등가성임에 비해 기호는 논리적 수단의 성격이었음을 뜻한다. 2-3세기 무렵의 클레멘스(150-215)는 천평저울과 정의의 관계와 같은 자연적 상징의 사용례를 언급한다.

중세의 스콜라철학에 이르면 기호 세메이온(σημειον)은 어떤 그 무엇인가를 지칭하는 그 무엇(Aliquid stat pro aliquo)이라고 하여 상징과]마찬가지로 등가성 개념을 받아들인다. 그리고 아우구스티누스는 기호를 자연적 기호(signum naturale)와 자의적 기호(signum ad placidum)로 구별한다.

라이프니츠는 수학적 기호와 같은 자의적 상징물들을 상징이라 하였다. 그러나 칸트는 '언어', '대수학 기호' 등은 대상을 닮은 것이 아니며 단지 연상으로 개념을 떠올리도록 하는 감각체일 뿐으로 상징이 아니라 기호임을 분명히 하였다. 칸트는 '판단하는 능력'으로서의 '오성'의 기능이 '동일화 정신작용'으로서 상징의 실체라는 사실을 인식하지는 않았으나, 상징의 '형식'과 '상징물'을 명확히 구별했다.

헤겔은 상징을 개념적 사고에 미치지 못하는, 감성적 특수성의 세계에 함몰되어 있는 것으로 본다. 이와 달리, 기호는 감성적 소재에 낯선 의미를 혼으로 부여하여 보존하는 것으로 헤겔은 피라미드에 비유한다. 결론적으로 헤겔은 상징을 모호한 것, 기호는 명료한 것으로 간주한다.

20세기에 이르러 기호와 상징은 퍼스(C. S. Perce)와 소쉬르(F. d. Saussure)에 의해 기호학이라는 이름 아래 또 다시 대별되어진다. 소쉬르는 언어를 결코 상징이라 불러서는 안 된다며 기호라고 말한다. 명료한 차이성과 자의성을 그의 언어학의 제1원리로 삼는 소쉬르에게 모호한 의미체인 상징은 수용될 수 없는 것이었다.

소쉬르는 정의의 상징인 저울은 아무 것으로나, 가령 마차 따위로 대체할 수 없을 것으로서, 상징은 비어있지 않으며 기표와 기의 간에 얼마간의 자연적 결합이 있다고 한다. 이러한 소쉬르의 입장은, 언어가 관습적이므로 상징이라고 한 아리스토텔레스의 견해와 비교할 때 자의성은 공유하나, 그 이름은 기호와 상징으로 달리한다.

그러나, 퍼스는 언어를 기호의 한 유형으로서 '상징'으로 이해한다. 그리고 기호와 대상의 관계에 따라 도상(등가성적 속성), 지표(실재성 · 추론적), 상징(자의성 · 등가성)으로 구별한다. 그런 퍼스에게 상징은 자의적이고 등가성적인 기호이다.

고대 스토아학파의 기호의 삼원성[1)]을 재현한 리차즈와 오그덴은 『의미의 의미』(1923)에서 언어와 대상의 완전한 대응을 꿈꾸며 언어를 상징이라고 하였다. 언어에 대해 논리실증주의적 입장을 취한 그들은 소쉬르와는 달리 아리스토텔레스나 라이프니츠의 전통을 이어서 언어를 상징이라 한다.

카시러는 『상징형식의 철학』(1929)에서 '감성적인 것을 통해서, 어떤 정신적 의미가 지시되거나 표현되고 있다면 어느 것이나 상징 혹은

1) 기호 내용(signifíe) · 기호 표현(signifiant) · 대상(objet).

기호'로 이해했다. 그러나 『인간론』(1944)에서는 '신호는 지시자요 상징은 조작자'라는 찰스 모리스의 견해를 인용하며 상징은 의미작용의 정신기능, 기호는 물질적인 것으로 구별했다.

행동주의적 입장의 모리스(Charles W. Morris, 1901-1979)는 신호인 어떤 기호 A를 대리하여 대상을 지시하는 기호 B를 상징이라 했다. 한편, 수잔 랭거(Susanne Langer, 1895-1985)는 찰스 모리스가 자신보다 더 우수한 용어법을 채용하고 있다며 랭거 자신이 '사인'이라고 부른 것을 모리스는 '신호'라 부르고 있다고 하였다.

상징과 기호를 동일시한 바 있는 카시러의 문화철학의 상징형식 개념에서 영감을 받은 레비-스트로스를 비롯한 구조주의자들에 의해 상징과 기호는 다시 동일시된다. 그리고 오늘날 논의자들 역시 그러한 경향에 있다. 질베르 뒤랑 역시 "하나의 기호에 영원히 그 기의가 결여되어 있는 상태로서의-이 머나먼 기호"라며 상징을 기호의 범주에 속하는 것으로 정의할 수 있다고 말한다.[2)]

에코는 퍼어쓰(Firth, 1973)가 상징의 용례에 대한 철저한 조사를 통해 상징은 직접적이고 구체적인 효과를 구하려하지 않는다는 사실에 주목했다고 말한다. 그런 에코는 "상징이라 일컫는 많은 것들에서 종종 인정되는 것은 모호성, 개방성"으로서 상징이 지시하는 것은 언제나 우리가 가닿는 범위를 넘어서 있다고 말한다.[3)]

---

2) Gilbert Durand. "상징주의의 어휘들". 장경렬 외 편역. 『상상력이란 무엇인가』. 살림. 1997. pp. 228-29,
3) Umberto Eco. 『기호학과 언어철학』(김성도 역). 열린책들. 2009. p. 245 이하.

이와 같이 상징과 기호 개념은 그 어원적 기원에서부터 오늘날에 이르기까지 혼란을 거듭하여 왔다. 그러나 문제의 본질은 단순하다. 논자들은 상징의 실체가 '사고작용'이라는 사실을 살피지 않는다. 그들은 상징물이나 형식의 관점에 천착하여 상징을 기호와 유사하거나 기호의 한 범주로 인식하고, 그 변별점을 '자의성'이나 '의미역' 등에서 찾는다. 그 결과, 상징과 기호에 관한 논의는 아리스토텔레스 이후 오늘까지 백가쟁명의 혼란을 거듭하고 있다.

3. 상징과 기호 구별 논거의 문제들

논자들은 상징과 기호의 구별을 대체적으로 ① 자의성 또는 자연성, ② 의미의 단일성 또는 확산성, ③ 추론성 또는 동등성 여부에서 찾는다. 하지만 그것은 상징의 실체를 살피지 않음에 기인한 것으로, 상징의 형식이나 상징물을 상징으로 생각한 결과이다. 기호와 상징에 관한 그와 같은 변별 기준은 상징과 기호를 결정하는 내적 요인이 아닌 비본질적인 것이다. 상징의 형식과 상징물은 '기호'이다. 그리고, 형식을 통해 상징물을 구현하는 동일화 정신작용의 사고는 곧 상징의 실체로서 '상징' 그것이다.

3.1. 자의성과 자연성

> 아리스토텔레스 이전의 철학에서 명칭의 정확성에 대한 질문은 사물에 대한 질료적 기호의 직접적 관계 속에 들어 있다. 이때 자연법칙의 입장은 질료적 기호와 지시된 사물은 자연법칙적으로 타당하게 결합되어 있음을…(예를 들어서 '유음'〔r〕과 '흐르는' 과정 사이의 유사성처럼.) 반면에 협약의 입장은 질료적 기호와 지시된 사물 사이에—기호와 사물 사이에 있는 비유사성을 통해서 기인하는—인간에 의해 정해진 관계만을 설정한다. '자연법칙 - 관습'(phýsei - thései)의 문제에 나오는 두 가지 측면은 (자연적 결정주의 대 인간적 투입, 모사성 대 비모사성) 나중에 나오는 기호이론적 토론에서 갈라지고 계속 구분되었다.[1)]

『기호학의 전통과 경향』에서 유르겐 트라반트 또한 "자연법칙"과 "관습"은 기호이론에서 계속 논의의 흐름을 갈라왔다고 말하는데, 고대 이래 논자들은 자의성과 자연성을 기호나 상징의 주요한 판별 기준으로 삼아왔다. 아리스토텔레스는 『명제론』에서 "'우리는 관습에 의해서 의미작용을 하는 음성을 명사라 부른다.' 어떠한 것도 자연히 명사가 되는 수는 없다. 그러나 오로지 그것이 상징이 되었을 때만 관습적 의미 작용을 한다. 왜냐하면 동물의 소리처럼 비분절적인 음이 뭔가를 의미하는 일은 있을 수 있지만, 그렇다고 해서 아무 음이나 명사

---

1) Jürgen Trabant. 『기호학의 전통과 경향』(안정오 역). 인간사랑. 2001. pp. 79-80.

를 형성하지는 않기 때문"이라고 하였다. 하지만 소쉬르의 견해는 다르다:

"언어적 기호, 좀 더 정확히 말하자면 우리가 기표라고 부르는 것을 지칭하는데 상징이란 낱말이 쓰여 왔다. 이것은 인정하기 곤란한데, 그 이유는 바로 우리가 규정한 제1원칙 때문이다. 즉 상징은 비어있지 않은바, 기표와 기의 간에 얼마간의 자연적 결합이 있다. 정의의 상징인 저울은 아무 것으로나, 가령 마차 따위로 대체할 수 없을 것"[2]이라고 한다.

"기호가 단지 전통적이라는 법칙만을 갖는 것은 자의적이기 때문이며, 자의적일 수 있는 것은 전통에 기반을 두고 있기 때문"[3]이라는 언급에서 우리는 소쉬르가 자의성을 전통과 결부지움을 본다. 하지만 전통의 문제가 아니더라도 그의 기호언어학 체계에선 명확치 않은 의미의 기표가 랑그에 들어설 수 없음은 자명하다. 왜냐하면, 자의성은 의미의 차이를 부여할 수 있는 가장 확실한 수단이기 때문이다. 우리는 소쉬르의 제1원칙이 랑그 체계 내에서 언어기호의 차이성을 공리화하기 위한 것임을 알 수 있다.

기호의 자의성은 소쉬르 언어기호학의 가장 중요한 핀(pin)이다. 그러나 자의성은 의미와 음성 결합의 자연적이고 생리학적인 측면을 부인하는 한계를 노출한다. 우리 한글과 같은 표음문자는 말할 것이 없지만 중국어와 같은 상형 문자에 있어서도 발음에 있어서는 각 언어의 발음 방

---

2) F. de Saussure.『일반언어학 강의』, 1부 1장 2절. 우리사상연구소 엮음.『우리말 철학사전』Ⅱ. 지식산업사. 2002. p. 79. 재인용.
3) F. de Saussure.『일반언어학 강의』(최승언 역). 민음사. 2006. p. 92.

식 내에서, 매우 유기적이고 생리적인 필연성을 갖는다. 화를 낼 때와 친근함을 표할 때의 발음은 그 어느 나라 말이나 분위기와 상황에 어울릴 수밖에 없다. 마찬가지로 그 누구라도 사물이든 사태이든 그 의미에 부합되지 않는 소리를 내려고 하지 않으리라는 것은 자명한 일이다.

더욱이 시어의 사용에 있어서 그것은 절대적이다. 시인은 의미와 음향을 일치시킨다. 그것은 말라르메를 비롯한 19세기 상징주의자들의 전유물만은 아니다. 시인의 기본 자질을 들어야 한다면, 동일화의 통찰에 의한 비유 능력과 함께 요구되는 것이 의미와 음향의 일치에 관한 이해이다.

자의성에 관해서는 그간에 언어학계 내에서도 반론이 만만치 않았음은 주지의 사실이다. 벤베니스트는 1939년에 『언어학지』(*Acta Linguistica*)에서 "어떤 관념에 어떤 청각적 단편을 환기시키는 선택"이 자의적이라는 점을 인정하지 않고 오히려 '본질적 동일성' (consubstantialité)을 주장했다.

그리고, 『일반언어학의 제문제』 I 에서는 "이 두 가지(시니피앙과 시니피에)는 내 정신에 각인되어 있다. 이들은 모든 상황에서 서로를 환기시켜 준다. 이들 사이에는 공생 관계가 있어 개념 'boeuf'는 마치 청각영상 /böf/의 영혼과도 같다"고 하였다. 또한, 다무레트(J. Damourette)와 피숑(E. Pichon)은 시니피앙과 시니피에는 "진정한 실존적 관계에 의해 연결되며", "관념은(…) 단어 내에 깊숙이 내포되어 있다"고 한 바 있다.[4]

---

4) Carol Sanders. 『소쉬르의 일반언어학 강의』(김현권 역). 어문학사. 1996. pp. 44-45. 재인용.

언어의 생성 기원을 통시성에서 벗어나 공시적 체계성에서 찾으려 한 소쉬르의 경우, 기표의 차이성에 언어 생성의 기원을 둔 관계로 기호의 자의성을 절대화 하게 되고, 반면에 자연성은 상징의 속성으로 보게 되었다. 그러나, 자연언어를 철저한 수학적 성격의 것으로 보고지 했던 비트겐슈타인은 그와 같은 생각이 옳지 않았음을 깨달았다. 오히려 그는 언어를 다양한 가능성의 도구로 이해하였으며, 하이데거에게 언어는 존재의 지평을 여는 문이었다.

'언어(상징)가 관습적(자의성)'이라는 아리스토텔레스의 견해는 '언어(기호)가 자의성(arbitaire du signe)'이라는 소쉬르의 견해와 비교할 때(언어를 상징과 기호로 각 달리 본다는 외에) 자의성에 관해선 일치한다. 그러나 '자의성'을 근거로 기호와 상징을 구별하는 것은 비본질적이다. 그것은 기호의 성격을 구별하는 준거일 수는 있으나 기호와 상징의 변별점일 수는 없다. 상징 즉 사고는 비의식에서 수행되는 바, 자의성이나 자연성이 개입될 여지 또한 없다.

오늘날 기호학자들은 기호의 성격을 자의성으로부터 자연성으로까지 확장하여 '의미의 운반체'는 모두 기호로 간주함으로써 상징을 기호로 여기고자 한다. 물론, 에코의 경우는 등가적 지시성이 아니라 추론성을 이유로 상징을 기호의 뛰어난 예로 여긴다. 한편, 기호를 자연성으로까지 확장하는 것은 당연한 일이다. 문제는 ① 그들이 '상징의 표상체' 즉 상징물이나 상징의 '형식'을 '상징'으로 오해하고 있으며 ② 기호인 상징의 형식을 기호로 편입할 수 있다는 불필요한 생각을 한다는 점이다.

3.2. 의미역

미셸 카르티에는 “신앙의 시대에는 ‘상징’의 지배를 받았고, 이성의 시대에는 ‘기호’의 지배를 받았으며, 전달과 소통의 우리시대는 ‘신호’의 지배를 받는다”[5)]고 한다. 그러한 미셸 카르티에의 언급은 의미의 풍요성 또는 명료성에 따라 상징과 기호 그리고 신호로 구분하고 있음을 보여준다. 조르쥬 장 역시 의미의 변화 과정에서 상징과 기호를 구분하고 있음을 보여준다.

> 어떤 기호는 역사를 가로질러 존재한다. 물이 흘러가면서 물 속의 물질을 돌로 응결시키는 것처럼, 약속에 따라 의미가 부여되었던 기호는 시간이 경과함에 따라 상징이 된다. 어떤 기호는 약속에 따라 만들어졌다는 사실을 상기할 수 없을 정도로 자연스러워진다. 인간의 역사 속에 어떤 기호가 익숙해지거나 그렇지 않거나는 분명 시간에 달려 있으며, 이 기호가 일종의 상징으로서 인간의 집단무의식 속에 자리 잡는 것 또한 시간에 달려 있다.[6)]

틴달(William York Tindall)은 기호와 상징의 차이에 관해 다음과 같이 말한다. 1) 사인은 명확한 것을 나타내고 심볼은 불명확한 것을 나타낸다. 2) 심볼은 어떤 것을 남김없이 나타낼 수 없고, 우리가 말할

---

5) Michel Cartier.『의사소통과 언어』. Georges Jean.『기호의 언어; 정교한 상징의 세계』(김형진 역). 시공사. 1997. p. 194. 재인용.
6) Georges Jean・김형진 역. 같은 책. p. 103.

수 있는 것보다 더 많은 사상과 감정을 암시한다. 3) 사인은 본의에 관심을 갖게 하나 심볼은 유의 자체에 관심을 갖게 한다. 4) 사인은 작자와 독자 사이의 커뮤니케이션을 중시하는데 반하여 심볼의 가치는 그것 자체와 독자 사이의 커뮤니케이션에 있다.[7] 그러한 틴달은 명확성, 명시성, 본의와 유의, 커뮤니케이션 그 네 가지를 상징과 기호 판별의 기준으로 고려하나, 그 네 가지는 모두가 '의미역'의 문제이다.

또한, 질베르 뒤랑은 "하나의 기호에 영원히 그 기의가 결여되어 있는 상태로서의-이 머나먼 기호"[8]라며 "상징이라는 것은 우선 기호의 범주에 속하는 것이라고 정의내릴 수 있다"고 말한다. 그는 상징이란 "무의식 · 형이상학 · 초자연 · 초현실 등의 (…) 부재해 있는, 혹은 지각하기 불가능한 (…) 그들만이 지닌 독특한 방법에 의해, 형이상학 · 예술 · 종교 · 마술 등의 주체가 되는"[9] 것으로서 '현존하지 않는' 기의의 기표로 간주한다.

그리고 뒤랑은 "상징과 기호에 대하여 신학자들과 언어학자들이 정반대의 개념을 갖고 있다."며 "언어학자들에게 기호는 더욱 풍요롭고 자연스러운 것이며, 상징은 인습적인 것"이라고 덧붙인다. 그러한 뒤랑 역시 의미역을 중심으로 기호와 상징을 구분하고 있음은 물론이다. 그러나, '의미역'은 '동일화' 내용의 영역에 관한 문제일 뿐, 사고인 상징과 상징물인 기호를 가르는 자격을 갖고 있지 않다.

---

7) W. Y. Tindall. *The Literary Symbol*, Indiana Univ. Press pp. 68-71, 마광수.『상징시학』. 청하. 1985. p. 15. 재인용.
8) Gilbert Durand. "상징주의의 어휘들". 장경렬 외 편역.『상상력이란 무엇인가』. 살림. 1997. p. 228. 재인용.
9) 같은 책. p. 232. 재인용.

☞ 기호와 상징에 관한 논자들의 일반적 견해

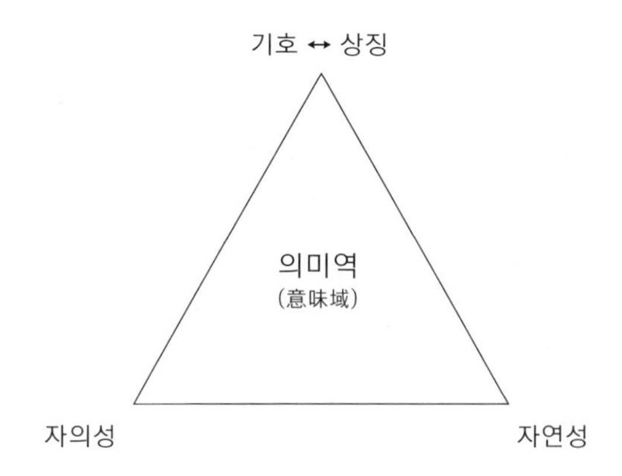

◉ 의미역: 의미의 영역. '책상'과 같은 '단일 의미'로부터 '확산 은유'와 같이 '폭넓은 의미'가 있다.

◉ 자의성: 약속에 의한 의미부여 방식. 수학의 기호처럼 단일한 의미가 부여되며, 논자들은 이러한 단일 의미의 표상체를 '기호'로 생각하려는 경향이 있다.

◉ 자연성: 형상이나 속성을 묘사한 의미부여 방식. 다의미적 또는 의미 확장적이다.

☞ 일반적으로 기호와 상징의 구분을, 자의성 또는 자연성 여부에 두나, 그것은 비본질적인 생각이다. 자의성과 자연성 여부는 기호의 유형에 관한 수사학적 논의의 문제일 뿐이며 상징과 기호를 가르는 준거가 되지 않는다.

3.3. 추론성과 동등성

고대 그리스에서 기호는 추론의 단서가 되는 지표물을 가리켰으며 상징은 유사 동일물을 가리켰다. 아리스토텔레스는 상징을 관습적 대리의 것으로, 기호는 추론적 성질의 것으로 인식하였다. 이것은 상징이 등가성임에 비해 기호는 논리적 수단의 성격이었음을 뜻한다. 그런데 현대에 들어서, 퍼스의 기호 개념을 수용한 에코는 추론성에 바탕해 상징이 기호의 훌륭한 예임을 지적한다.

에코는『기호학과 언어철학』서문의 첫머리에서, 기표와 기의로서의 기호(또는 기호기능)와 퍼스적 의미에서의 세미오시스(기호현상)는 상호 모순되는 것이 아니라고 한다. 그리고, "해석의 기호현상적 과정은 기호 개념의 바로 핵심부에 현전한다"고 말한다. 그런 에코는 "동등과 동일성의 개념을 가지고 기호를 확인하는, 하잘 것 없는 자기증명성으로부터 기호의 개념을 떼어놓지 않으면 안 된다"고 한다. 에코는 "세메이온이 동등치가 아니라 단지 추론으로 여겨지는 고전적 교의에 의해 이러한 생각이 분명히 드러나고 있음을 보여주고 있다"고 말한다.[10]

에코는, 기호를 '상사성(similitude)'이나 '동일성(identity)'의 범주에 기초하는 것으로 생각들을 하지만, 이러한 가정의 오류가 기호로 하여금 주체의 이데올로기적 개념과 결합토록 한다고 주장한다.[11] 아

10) Umberto Eco.『기호학과 언어철학』(서우석 외 역). 청하. 1987. pp. 9-10.
11) Umberto Eco.『기호학과 언어철학』(김성도 역). 열린책들. 2009. p. 59.

울러, "유사성과 동일성으로서의 기호 개념은 퍼스에게서는 나타나지 않는다"며, 하나의 기호는 그것을 통해 우리가 더 많은 것을 알 수 있게 하는 것(C. P. 8.332)이라고 한다. 기호는 해석을 위한 하나의 지침이며. 최초의 자극으로부터 시작해 그 모든 결과를 유도하는 추론적인 메커니즘이라는 것이다.[12)]

상징 즉 σύμβολον(숨볼론)이라는 단어는 συμβαλλειν(숨발로)에서 유래한 것으로, 이것(συμβαλλειν)은 던져서 함께 맞추어 보거나 어떤 것을 다른 것과 일치하게 한다는 의미이다. 하지만, 에코는 "어원이 반드시 진리를 말해 주지는 않는다"며 어원과는 달리 상징은 모호성, 개방성 등으로 인해 해석자의 범위를 초월한 그 무엇을 제시한다고 말한다.[13)] 아울러, 세미오시스에 대한 퍼스의 생각은 '무한한 해석 과정'이며, 상징적 방식은 이 같은 가능성에 대한 최고의 예라고 말한다.[14)]

그러나 무한한 의미를 발산한다는 상징에 대한 이러한 인식은 칸트의 비본질적이고도 자의적 견해에 바탕한 것이다(이에 관해서는 "Ⅱ, 6. 수사학의 '상징' 용어의 사용에 관하여" 참조). 에코는 '추론' 또한 '동등성'에 바탕한다는 사실을 진지하게 고려하지 않는다. 그러한 에코는 뒤랑과 같이 의미역에 차이를 둘 뿐 상징을 기호의 하나로 이해함을 보여준다. 하지만 추론성의 기호작용은 기호의 동등성을 확인하기 위한 과정으로서의 작업일 뿐이다. 본질에서 기호는 동일화 사고작용의 표상물

12) 같은 책, p. 60.
13) 같은 책, pp. 245-46.
14) 같은 책, p. 14.

이다. 동등성은 기호를 존재하게 하는 본질적 원리로서 기호에서 동등성의 배제는 곧 기호 기능의 무력화를 의미한다.

'동일성'은 우리에게 영원한 물음을 제공하는 '존재의 본성'이다. 기호는 그러한 '물음'과 '해석' 그리고 '추론'의 세계에 바탕한다. 따라서 기호에 관한 연구는 필경 상징 즉 사고의 세계로 나아가기 마련이다. 에코가 카시러를 통해 확인하고 있듯, "상징 활동은 이미 알려진 세계를 '명명하는' 것이 아니라, 그것을 인식하기 위한 조건 자체를 제정하는 것이다. 상징은 우리가 행하는 사고의 번역이 아니라, '사고의 기관'"이기 때문이다.[15)]

아울러, 그러한 사고는 동일화를 본성으로 하며, 동일화는 다름 아닌 동일성에 바탕한다.

---

15) 같은 책, p. 254.

4. 상징 개념의 혼란

상징과 기호 간의 인식과 개념만이 아니라 상징 그것에 관한 인식에 있어서도 혼란은 가히 백가쟁명의 장을 이룬다. 조르주 장(Georges Jean, 1920-)은 옛날에 그리스인은, 세레스신과 시벨레신, 미트라신을 신봉하는 사람을 서로 알아보게 하는 말이나 표시를 '상징'이라 불렀다며 이 같은 표시는 두 개로 나눈 물건을 다시 맞추어 봄으로써 식별할 수 있었다고 한다.

영・독어의 상징(symbol)과 프랑스어의 상징(symbole)은 모두 인지표시(認知表示)라는 라틴어(symbolus)에서 왔고, 이것은 역시 같은 뜻을 지닌 그리스어 명사 심볼론(σύμβολον)[1)]에 그 어원을 두고 있다. 그리고 심볼론은 '어떤 것을 다른 무엇과 일치하게 하다'에서 온 것이다.

이와 같이 상징의 어원은 다른 둘을 '하나로 일치시키는 것'이다.

상징은 중세 유럽의 사회에서 종교, 제의, 문장, 건축물 등에서와 같이 폭 넓게 사용되었다. 그러한 전통의 결과만큼 상징은 다양한 유의어와 함께 사용되어왔다. 그와 관련하여 뤽 브노아(Luc Benoist)는 『기호, 상징, 신화』에서 상징의 대용어로서 Signe(기호), Image(이미지), Allégorie(우의), Figure(형상), Mimétisme(모방), Simulacre(흉내), Représentation(재현) 등을 비롯한 44개의 용어를 열거한다.

그러나, 이미지나 형상은 상징물이고, 우의, 흉내, 재현은 형식과 관련된다. 브노아는 Idée(생각, 관념)와 Figure(형상, 모방) 등을 상징의 대용어로 제시하지만, 그것들은 우리가 말하는 '정신작용'이 아닌 상징물 또는 상징 형식이다. 언급이 있었듯이 모든 상징물과 상징의 형식을 나타낸 용어들은 기호이다. 만약, 우리가 '상징물'이나 '상징의 형식'을 상징으로 간주한다면 사실은, 상징어의 대용어는 모든 기호 즉 모든 명사와 어법이 해당한다.

상징 개념의 혼미스러움은 라랑드(Lalande)의 『철학사전』(*Dictionnaire de-philosophie*, 1926) 공저자들의 상징의 정의에 관한 논의에서도 잘 드러나고 있다. 에코는 『기호학과 언어철학』의 "4 상징"의 서문에서 그에 관해 "철학 용어의 역사에서 가장 서글픈 순간"의 하나였다며 당시의 상황을 흥미롭게 요약한다.

---

1) σύμβολον은 동사συμβαλλειν에서 파생되었으며, 이 동사는 '함께'(together, ensemble)라는 뜻의 접두사 σύμ과 '던지다'(throw, jeter) 라는 뜻의 동사 βαλλειν이 합쳐서 된 단어이다. 한편 βαλλειν은 '맞추다'는 뜻을 역시 갖고 있어 σύμβολον이 συμβαλλειν에서 온 것임을 알 수 있다.

> 첫 번째 정의에 따르면, 상징은 하나의 유추적 일치에 의하여 다른 어떤 것을 나타내는 것이다. (…) 두 번째 정의에 의하면 상징은 용어의 연속적 체계와 관련되며, 이들 용어는 각각 또 다른 체계의 한 요소를 이룬다. 이에 정확히 부합하는 예가 모스 부호이다. 그러나 불행히도 그 다음의 정의는 연속된 은유의 체계를 언급하는데, 모스 부호는 하나의 은유적 체계로서는 정의될 수 없는 것으로 보인다. 이 점에 이르러 랄랑드는, 상징은 또한 '정통 신앙의 의례서'라고 덧붙이며 니케아 신경(Credo)을 인용한다. 이어서 다음과 같은 논의가 계속된다. 들라크루아Delacroix는 유추를 고집하고 랄랑드는 모든 관습적 표상을 상징으로 정의할 것을 카르맹Karmin에게서 제안 받았다고 주장한다. 브룅슈비크 Brunschvicg는 '내부적' 표상의 힘을 이야기하며, 자신의 꼬리를 물고 있는 뱀이라는 원형적인 순환의 이미지를 언급한다. 반 비에마 Van Biéma는 물고기가 그리스도를 상징했던 이유는 오직 두문자어 때문이었음을 상기시킨다. 랄랑드는 어떻게 종잇조각이 특정한 양의 금을 상징하게 되었는지 의아해하는 한편, 한 수학자는 제곱근의 기호와 교활함의 상징으로서의 여우 사이에는 어떤 관계도 없다는 의구심에 사로잡힌다. 또 다른 이는 지적 상징과 정서적 상징을 구별한다.[2)]

에코는 "다행히도 이 항목은 여기서 끝나지만, 랄랑드의 노력은 무익한 것이 아니었다. 왜냐하면 상징이 모든 것이 될 수도, 아무 것도 아닐 수도 있다는 사실을 암시해주기 때문"이라고 한다. 그리고는 참으

2) Umberto Eco. 『기호학과 언어철학』(김성도 역). 열린책들. 2009. pp. 246-47.

로 어이없는 일이라며 개탄한다. 하지만 사실은, 상징물이나 상징의 형식을 상징으로 간주한다면 세상에 존재하는 모든 것에 붙여진 이름들 모두가 상징이니 에코의 비판 역시 무용하고 무의미하다.

여기서 또 다른 상징에 관한 연구자들의 언급과 사전적 정의에 관해 몇 가지만 예를 들어본다. 다음에 예시되는 상징에 관한 정의나 논의들 모두는 한결같이 상징의 형식이나 상징물을 상징으로 이해하고 있음을 보여준다.

칼 융(C. G. Jung)은 논문 "분석심리학과 시의 관계에 관하여"에서 "형식과 내용의 낯설음, 추론으로만 포착할 수 있는 생각, 의미로 충만한 언어, 그리고 알려지지 않은 어떤 것에 대한 가장 적절한 표현, 즉 보이지 않는 기슭을 향하여 던져진 다리이기 때문에 진정한 상징이라고 할 수 있는 심상들"[3]이라며 상징을 상징물의 관점에서 언급하였다.

노드롭 프라이(Northrop Frye)는 "상징이란 본래의 것 그 자체를 드러내기 위해 결합된 어떤 것으로, 홀로 쓰일 경우 완전히 미지수가 되어버린다. 이 용어가 문학적으로 사용될 때는 가시적인 것(보통 물질적인 것)이 연상 작용에 의해서 형이상학적인 것(보통 비물질적인 것)을 의미하는 일종의 표현 방식을 말한다."[4]고 한다.

휠러(C. B. Wheeler)는 "상징이라는 것은, 사물로 생각하는 하나의 방식이라고 규정할 수 있을 것"[5]이라 하고, 웰렉(Rene Wellek)과 워렌

---

3) C. G. Jung. "분석심리학과 시의 관계에 관하여". 장경렬 외 편역. 『상상력이란 무엇인가』. 살림. 1997. pp. 117-18.
4) Alex Preminger(ed). *Encyclopedia of Poetry and Poetics*의 해당 항목 중, 김용직 편. 『상징』. 문학과지성사. 1988. p. 11. 재인용.
5) C. B. Wheeler. *Disign of Poetry*. 같은 책. p. 141. 재인용.

(Austin Warren)은 "자기 아닌 다른 것을 표현하는 어떤 것"[『문학의 이론』(*Theory of Literature*)]이라고 한다. 그리고, 에릭 프롬(Eric Fromm)은 "대개 '다른 어떤 것을 표상하는 그 무엇(something that stands for something else)으로 정의된다."[6]고 한다. 마광수는 "인간의 지각을 초월한 만유의 근원인 형이상적 실재의 세계를 간접적으로 나타내어 암시해주는 표징"[7]이라 한다.

한편, 앙드레 라랑드의 『철학사전』(*Dictionnaire de-philosophie*)은 "어떤 유추적인 상호 관계의 힘을 빌려서 자기 아닌 다른 것을 표현하는 것"이라 하고, *Webster* 사전은 "관련이나 관례 또는 의도적이 아닌 우연적 유사성에 의하여 다른 무엇을 대신하거나 암시하는 그 무엇"이라고 한다.

『프린스턴 시와 시학 백과사전』(*Princeton Encyclopedia of poetry and poetics*)은 "겉으로 드러난 것(통상 물질적인 것에 속하는 것)이 교합 관계의 힘을 빌려서 그 이상의 어떤 것 또는 그 밖의 어떤 것(통상 비물질적인 것에 속하는 것)을 의미하는 일종의 표현 방법."이라고 한다. 그리고, 『미학 용어 사전』(*Vocabulaire d'Esthétique*)은 "어떤 유추나 유사 관계를 통해서 정신적인 것을 드러나게 하는 감각적인 표현 방법(에티엔 쑤리오)"이라고 한다.

『우리말 철학 사전』Ⅱ는 "일상적 의미의 상징은 어떤 직관에 상응하거나 어떤 표상을 환기하는 것(김상환)"이라고 하며, 우리 국어사전(Daum)은 "추상적인 사실이나 생각, 느낌 따위를 대표성을 띤 기호나 구

---

6) Erich Fromm. *The Forgotten Language.* 같은 책. p. 174. 재인용.
7) 마광수. 『시학』. 철학과 현실사. 1997. p. 238.

체적인 사물로 나타내는 일. 또는 그렇게 나타낸 기호나 사물."로 규정하고 있어 상징을 비유의 형식 또는 상징물로 설명하고 있음을 보여준다.

정리하면, 칼 융 · 웰렉 · 워렌 · 마광수 · 『라랑드 철학사전』 · 『웹스터사전』 · 『우리말철학사전』Ⅱ 등은 상징을 '상징물'의 측면에서 정의하고 있다. 이와 달리, 프라이 · 휠러 · 『프린스턴 시와 시학 백과사전』 · 『미학용어사전』 등은 상징을 형식의 측면에서 정의한다. 한편, 우리 국어사전(Daum)의 상징 개념은 형식과 상징물 두 측면 모두를 함의하고 있다.

연구자들이 상징물이나 상징의 형식을 '상징'으로 간주한다면, 상징은 모든 것이 될 수 있다. 그와 달리 상징물이나 상징 형식을 상징으로 간주하지 않고 '기호'로 생각한다면 그들이 제시한 모든 것은 또한 상징이 아니다. 그러나 상징의 형식은 '의미'를 구현하는 '동일화'라는 상징 본성의 한 요소일 뿐, 상징 그것은 아니다. 상징은 (형식을 통해 의미를 구현하는 동일화) '정신작용'이요, 다름 아닌 우리의 사고 그것이다. 이와 달리, 기호는 우리의 사고 즉 상징의 결과인 '의미체'이다.

이외에도 상징에 관한 용어의 다양성과 성격에 관한 얘기들은 백과사전을 이룬다. 하지만 그러한 다양한 논의들도 앞서 언급한 관점에 함몰되어 상징의 실체와 본질에서 벗어나 있음을 볼 수 있다. 그것은 ① 상징에 관한 인식에 있어서 형식 또는 상징물 중심의 관점, 그에 따라 ② 상징과 기호의 구별을 표상의 자의성과 자연성, 의미역, 추론성 등에 둔다는 점이다. 우리는 고대의 아리스토텔레스로부터 현대의 연구자들에 이르기까지 그러한 수많은 논의들을 볼 수 있지만 여기서 동어반복적 형태의 내용 모두를 일일이 나열할 필요는 없을 것이다.

질베르 뒤랑은 상징에 관한 용어 사용의 혼란이 성상파괴주의와 관련되어 있다고 말한다. "상징적인 것에 관계되는 용어들은, 이제까지 극도로 혼동된 상태에서 사용되어 왔다. 그러한 결과는, 서구의 고대 정통 사상 속에서 상상력, 즉 '환상적인 것'이 겪어왔던 극도의 '평가절하 현상'으로부터 기인하는 것이라는 사실을 지적해야만 할 것"이라고 뒤랑은 말한다.[8] 아울러, "신의 대리자로서 그 어떤 형상도 꾸며내어서는 안 된다는 절대적 금기가 모세의 제2의 명령에 분명히 설정(출애굽기 20장 4-5절)되어 있다."고 한다.

그런 뒤랑은 "종교적인 성상파괴주의"와 함께 "이원적인 논리"의 폐해를 지적한다: 서구의 정통 사상은 아리스토텔레스 이래로 '제3자 배제'의 원칙이 준용되는 이원적 형식논리의 지배를 받아왔다. 이미지는 참 · 거짓의 형식논리로 환원될 수 없는 것이다. 이러한 상상력의 산물인 환상과 이미지는 서구 고대의 정통 사상 속에서 폄하되고 평가절하될 수밖에 없다. 그런 까닭에 상상력은 말르브랑쉬(Malebranche, 1638-1715) 훨씬 이전부터 '오류와 거짓의 원흉'으로서 의심받아 왔다고 뒤랑은 말한다.[9]

하지만, 상징이라는 용어와 개념의 혼란은 뒤랑이 언급한 바와 같이 서구의 종교적 전통이나 이원론적 사상에 그 일차적 책임이 있다기보

8) Gilbert Durand. "상징주의의 어휘들". 장경렬 외 편역. 『상상력이란 무엇인가』. 살림. 1997. p. 227.
9) Gilbert Durand. 『상상력의 과학과 철학』(진형준 역). 살림. 1997. pp. 17-18; Gilbert Durand. 『상상계의 인류학적 구조들』(진형준 역). 문학동네. 2007. p. 20 이하.
※ 말르브랑쉬는 프랑스의 철학자이자 오라토리오회 수도사이다. 그의 주된 관심은 신앙의 진리와 이성적 진리를 조화시키는데 있었으며, 참된 인식을 신의 이성에서 찾았다.

다는 상징의 본성 · 실체 · 상징물 · 상징의 형식에 관한 분화되지 않은 인식이 그 직접적인 이유라 할 것이다. 그리고 사실은, 참 · 거짓을 가리는 이성의 능력에 바탕하는 '동일화'가 상징의 본성이며, 그러한 이성 역시 상징이다.

5. 상징과 기호 동일화의 오류

'모든 상징이 기호일 수 있다. 그러나 모든 기호가 상징은 아니다.' 라는 말에서도 볼 수 있듯, 기호학은 상징을 기호로 이해하려 하며, 그 의미역에 따라 기호를 실용적인 것으로 상징을 심층적 의미의 것으로 이해하려 한다. 그러나, 상징과 기호는 엄연히 그 성격을 달리한다. 언급했듯이, 상징은 사고이고 기호는 그 결과물인 의미체이다. 조금 더 구체화 한다면, 상징은 '동일화 정신작용'이고, 기호는 상징이 투사된 상징물이다.

아리스토텔레스 이후 현대의 논의자들은 상징의 '형식'이나 '상징물'을 상징으로 이해하여왔다. 수사학은 은유, 환유, 제유. 알레고리 등을 비롯하여 비유의 유형을 매우 세심하게 구별한다. 토도로프

(Tzvetan Todorov, 1939-)나 에코는 그러한 수사학의 결과물을 기호학에 편입시키고자 한다. 그런 토도로프는 '어떤 말로도 다 표현할 수 없는 내용을 담은 유비의 형식'이라는 상징에 관한 칸트의 언급을 상징의 완성으로 평가한다. 하지만 그것은 상징의 실체와 형식을 살피지 않은 생각이다.

특히 토도로프는 『상징의 이론』의 머리말 격인 "책명[상징의 (여러) 이론에 관해서]"에서, "언어적 상징은 기호(signe)와 대립적으로 쓰이는 것"이라고 한다. 아울러 "'기호'라고 하는 단어에, 상징의 의미를 품는 총칭적인 의미를 부여할 수 있다면 (그 결과, 상징은 기호의 특수 케이스가 된다), 상징에 관한 연구는 기호의 일반 이론 혹은 기호학의 영역에 속하게 되며, 그렇게 되면 나의 이 같은 연구도 기호학의 역사에 속하게 될 것"이라고 한다.[1)]

그런 토도로프는 "기호에 대한 고찰은 언어철학 · 논리학 · 언어학 · 의미론 · 해석학 · 수사학 · 미학 · 시학이니 하는 별개의 전통 속에서 분명 아무런 관련도 없이 이루어져 왔다."고 한다. 그리고, 수사학을 기호학에 편입시키기 위해 『상징의 이론』 전편을 통해 고대의 수사학과 변증론, 현대의 기호학을 연결한다.

기원전 315년경 제논이 창립한 스토아학파는 기호 표현, 기호 내용, 대상이라는 기호의 삼원성을 논하였으며 또한, 그들을 비롯하여 아리스토텔레스의 시대에는 기호를 현대의 퍼스와 마찬가지로 추론적 측면에서 취급하였다. 이후 섹스투스 엠피리쿠스는 스토아학파의 '기

---

1) Tzvetan Todorov. 『상징의 이론』(이기우 역). 한국문화사. 1995. p. 9.

호 표현과 기호 내용'의 한 짝과 추론에 있어서의 '전건과 후건'이라는 한 짝의 기호개념의 비교 분석을 통해 그 양자는 모두 '기호'라는 용어를 사용할 수 있다고 가정한다. 그리고, 아우구스티누스는 아리스토텔레스와 스토아학파의 추론적 기호를 '자연적 기호'로, 아리스토텔레스의 상징과 스토아학파의 기호 표현 · 내용의 결합을 '지시적 기호'로 이해한다.

이와 같은 기호와 상징의 만남을 살피며 토도로프는 상징 또한 기호의 한 유형임을 설득시키고자 한다. 그러나, 언급하였듯이, 상징과 기호는 엄연히 다르다. 상징은 동일화 정신작용이며, 기호는 그 형식이나 표상물이다. 상징을 기호에 편입시키고자 한 토도로프는 상징이 기호와는 달리 동일화 정신작용이라는 사실을 고려하지 않았다.

에코 역시 추론성에 바탕하여 상징이 기호의 좋은 예임을 언급한다. 그런데 에코가 말하는 상징이나 토도로프가 기호에 편입하려 한 수사학적 형식들은 '상징'이 아니라 상징의 '형식'이다. 형식은 하나의 규칙으로서 도식의 기호이다. 수사학적 형식들을 기호로 편입코자 한 토도로프의 노력은 상징의 본성과 실체를 인식하고 있지 않음에 기인한 것이다. 상징의 형식과 상징물은 당연히 기호이며, 비유의 형식 또한 기호의 한 유형이라는 점에서 수사법은 이미 기호의 세계에 자리하여 왔다.

5.1. 투사: 상징 → 외현기호

◉ 상징: 동일화 정신작용.

◉ 외현기호: 상징이 투사된 상징물.

☞ 칸트는 '상징'이 '사고'임을 인식하지 않았으나, '상징'은 "오성적 차원의 유비"의 '형식'이고, 감성적 기호는 상상력에 의해 개념을 재생하는 수단으로 쓰일 뿐이라고 했다(KU 525 이하)

외현기호 즉 상징물엔 동일화 정신작용이 투사되어 있다. 수사학에서는 '비유법'이라는 이름 아래 수많은 비유의 유형들을 분류하여 두고 있다. 그러한 수사학의 '규칙'들은 '형식'의 상징물들로서 문자나 음성에 동일화의 의미를 형성하며 투사된다. 그러한 투사작용은 상징과 기호를 구별함에 있어 딜레마에 빠지게 한다. 외현기호는 상징의 환기물이다. 상징은 투사에 의해 그 동일화의 형식과 의미가 외현기호에 내장된다. 외현기호는 그러한 투사의 결과물들이다.

한편, 사물의 인식에 있어서 우리는 사물의 전체 인상과의 관계를 규정하기 위해 대표적 이고 특징적인 부분 인상들에 대해 그 어떤 의미를 부여하는 '도식'을 대응시킨다. 카시러는 이러한 인식과정을 상징기능에 의한 '재현'으로 이해한다. 이때의 기호는 지시작용이 아니라 인식의 수단으로서 기능한다. 이러한 도식의 기호는 전체 인상과의 동일화를 위한 형식과 의미를 부분 인상에 투사함으로써 얻는다. 필자의 이 책에서 이러한 기호는 '도식기호'이다.

카시러는 『상징형식의 철학』(1929)에서, 상징과 기호는 같은 의미를 지니며 감성적인 것을 통해서, 어떤 정신적 의미가 지시되거나 표현되고 있다면 어느 것이나 상징 혹은 기호로 생각했다. 카시러는 오성과 감성이 분리되어 있지 않은 하나로써 지각 사고를 구현한다고 생각한 일원론자이다. 『상징형식의 철학』에서 카시러가 상징과 기호를 구별하지 않은 것은 그러한 이념이 작용하였다고 볼 수 있다.

하지만 감각에 의미를 부여하는 '상징의 투사 작용' 역시 일원론자인 카시러에게 하나의 이유로 작용하였을 것이다. 상징은 동일화의 다양한 형식을 통해 질료 매체에 투사되어 내장된다. 사물 또한 우리의 동일화 정신작용과 상상력에 의해 우리의 의식에 심상기호로 투사된다. 이러한 투사가 논자들로 하여금 상징과 기호를 하나로 혼동하게 한다. 하지만, 상징은 동일화 정신작용이고, 기호는 그 결과물인 의미체이다.

6. 수사학의 '상징' 용어의 사용에 관하여

상징은 우리 인간의 사고를 대표하는 가장 일반적인 표현의 용어이다. 그러한 관점에서 수사학의 '상징'은 아주 특수한 비유법의 하나로 이해되어야 한다. '상징'이란 용어에 관한 수사학적 입장은 일반적으로 '매우 풍부한 의미를 담아내는 표현물이나 그러한 방식'이다. 수사학은 상징물과 형식 그 둘을 명확히 구분함이 없이 사용하거나 이해하고 있기도 하다. 물론, 형식과 의미가 동일화 정신작용에 의해 구성되고 매개체에 투사된다는 사실은 전혀 고려되고 있지 않다.

수사학적 관점에서 볼 때, 상징의 형식을 상징물과 효시적으로 구분한 이는 칸트이다. 칸트는 상징을 비유의 형식으로 이해하고, 상징을 기호 즉 상징물과 구별하였다. 라이프니츠(G. W. Leibniz, 1646-1716)

가 수학적 기호들을 상징이라 한 것에 대해 칸트(I. Kant, 1724-1804)는 '언어', '대수학 기호' 등은 대상을 닮은 것이 아니며 단지 연상으로 개념을 떠올리도록 하는 감각체일 뿐으로 상징이 아니라 기호라고 하였다.

라이프니츠에게 판명한 인식은, 사물의 구성소 하나하나를 직접적으로 재현하는 '직관적 인식'과 구성소를 축약적으로 재현하는 '상징적 인식'으로 구별된다. 특히 개념이나 대상이 복잡하게 구성되어 있어 그 요소들을 한 눈에 포착하지 못할 때, 축약적 표상을 사용한다. 이러한 라이프니츠에게 상징은 '천각형' 같은 것이나 또는 그가 고안한 미적분의 무한소 기호 'dx', 적분기호 '∫' 등과 같은 것이다.

한편, 칸트는 직관을 도식과 상징으로 구별하고 상징을 유비적 직관으로 이해한다. 그런 칸트는, 상징을 단순한 축약적 형상물로 이해한 라이프니츠의 견해를 겨냥하여, 상징적 표상 방식은 직관적 표상 방식의 하나인 까닭에 상징적이라는 말을 직관적 표상방식에 대립시키는 건 잘못이라고 한다.

> 상징적이라는 말을 직관적인 표상방식에 대립시킨다면, 그것은 근대의 논리학자들에 의해서도 물론 채용되고는 있지만 그러나 이 말의 진의에 어긋나는 부당한 용어 사용이다. 왜냐하면 상징적 표상방식은 직관적 표상방식의 일종에 지나지 않기 때문이다. 즉 직관적 표상방식이 도식적 직관방식과 상징적 직관방식으로 구분될 수 있는 것이다(KU 255).

칸트는 도식과 상징은 표현의 방법이지 표현물이 아니라고 한다. 아울러 대수학적 기호나 몸짓의 기호 같은 감성적 기호는 개념을 재생하는 수단인 가시적 기호라고 한다. 그런 칸트는 "선천적 개념의 근저에 놓여 있는 모든 직관은 도식이든가 상징이든가 둘 중의 하나이거니와, 그 중에서 도식은 개념의 직접적 현시를 내용으로 하고 있으며, 상징은 개념의 간접적 현시를 내용으로 한다."고 말한다.

그리고 "전자는 이러한 개념의 현시를 증시에 의하여 행하며, 후자는 유비(이 유비를 위해서는 경험적 직관도 이용된다)에 의하여 그것을 행하거니와, 이러한 유비에 있어서 판단력은 이중적인 일을 수행한다. 즉 먼저 개념을 감성적 직관의 대상에 적용하고, 다음으로 그 직관에 관한 반성적 규칙을 전혀 다른 어떤 대상에 적용하는 일"이라 한다(KU 256).

일찍이 단순한 모방을 벗어나 창조적 모방론을 내세운 모리츠(Karl Philipp Moritz, 1756-1793)는 『독일 운율론에 관한 시론』(*Versuch einer deutschen Prosodie*, 1786)에서 '알레고리'를 도입했다. allegory의 어원은 그리스어 allegoria로서, 성서 해석과 관련하여 교부들이 사용해오던 개념이다. 모리츠는 당시에 논자들이 상징을 (언어와 같은) 자의적 기호의 의미로 사용한 까닭에, 수사법에서 상징이라는 용어 대신에 알레고리라는 용어를 사용했다.

쉘링(Friedrich W. J. Schelling, 1775-1854)은 칸트가 상징의 성격에서 배척한 도식과 괴테가 상징의 성격에서 배제한 알레고리를 상징의 영역으로 끌어들인다. 셸링에게는 특수한 것이 보편적인 것을 통해서 현시되는 표현의 형식이 도식이다. 반면에 보편적인 것이 특수한 것을 통해서 현시되는 표현의 형식은 알레고리이다. 그리고 이 두 가지의 종합, 일례로 종교화와 같이 구체적이면서도 의미 충만한 묘사로서,

양자가 하나 된 표상의 형식이 상징이다.

자아와 자연의 합일을 추구한 쉘링은 상징이 유비적 표상이 아닌, 있는 그대로의 자연이 숨겨진 초월의 세계로 보고자 하였다. 이것은 이후 프랑스 상징주의 시인들에게로 전이된다.스웨덴의 과학자이자 신비주의자인 스베덴보리(Emanuel Swedenborg, 1688-1772)의 사상을 비롯하여 셸링, 보들레르, 랭보와 같이 자연으로부터 신과 초월적 존재의 계시를 인식하는 프랑스 상징주의자들의 정신에서 우리는 또한 지표 기호의 궁극의 의미를 음미할 수 있다.

한편, 칸트는 "감성적 기호는 객체의 직관에 속하는 것이라고는 아무것도 포함하고 있지 않고, 단지 상상력의 연상법칙에 의해, 그러니까 주관적 의도에 있어서, 개념을 재생하는 수단으로 쓰일 뿐"이라 한다. 그런 칸트는 개념을 직접 현시하는 도식과 달리, 개념의 간접적 현시를 내용으로 하는 상징은 유비적인 것이라고 한다(KU 255).

그런 칸트는 상징의 내용인 '감성적 이념'에 관하여, "상상력의 표상을 의미하는 것으로, 이 표상은 많은 사고를 유발하지만 그러나 어떠한 사상, 즉 개념도 이 표상을 대신할 수 없으며, 따라서 어떠한 언어도 이 표상을 완전히 설명할 수 없다"고 한다. 아울러, 상징은 "어떤 주어진 개념 그 자체를 현시하는 것이 아니라, 단지 상상력의 부차적 표상으로서 이 개념과 결부되어 있는 결과나 이 개념과 다른 개념과의 친근성을 표현하는 데 지나지 않는 형식"이라 한다(KU 192 이하).

한편, 괴테(1749-1832) 역시 상징에 관해 칸트(1724-1804)와 마찬가지로 무한한 의미를 생성하는 유비의 형식으로 이해했다. 상징은 현상을 이념으로, 이념을 이미지로 바꾸는 형식이다. 그러한 이미지는 어떤 개념으로도 다 설명할 수 없는 것이다. 이러한 괴테의 상징에 대한 인식은 앞서 보았듯이 칸트의 『판단력비판』(1790)에서 이미 상세히 언급되었던 것들이다. 다만, 괴테는 칸트의 인식론적 상징론의 원리에 '현상 · 이념 · 이미지'라는 용어를 덧붙였을 뿐이다.

칸트와 괴테의 상징론은 쉘링과 쉴러 등의 뒤를 이어 프랑스 상징주의로 이어진다. 오늘날 수사학의 상징 개념 역시 그러한 칸트의 개념에 바탕한다. 하지만, 사실 상징의 본질은 그러한 특수한 유형의 것이 아니다. '상징의 본성'은 우리의 사고가 지닌 일반적이고 보편적인 성질인 '동일화'이며 '상징의 실체'는 그러한 동일화를 구현하는 우리의 정신작용이다. 칸트나 괴테의 '이루 다 말로 표현할 수 없는 내용을 현시하는 유비의 형식'인 상징은 '동일화 형식'의 한 극단에 위치하는 것이다. 우리는 그와 같은 '상징'을 '확산 은유'로 규정할 수 있다.

클리언스 브룩스(Cleanth Brooks, 1906-1994)는 "상징은 원관념이 생략된 은유라고 할 수 있다."고 하였다. 그에 대해 김용직(1932-)은 '원관념이 생략된 은유가 상징'이라는 브룩스의 견해는 어딘지 석연치 않다고 한다. 아울러, 상징은 은유와 달리 심상의 윤곽이 명확히 유추되지 않는다고 한다.[1] 그러나 전통적 수사법의 울타리를 벗어난 브룩스의 견해는 오히려 가장 보편적 의미에서의 상징 개념에 부합한다.

앞에서 보았듯, 휠라이트나 틴달을 비롯한 몇몇 신비평가들은 상징에 관해 의미역을 중심으로 비유법의 상징과 보편적 상징 개념을 통합하고 있다. 하지만 그러한 노력에도 불구하고 그들 역시 '상징'을 '상징의 형식'이나 '상징물'의 관점에서 이해하고 있거나 또는 그러한 구

1) 김용직 편. 『상징』. 문학과지성사. 1988. pp. 22-23.

별 자체에 무관심함을 보여준다.

수사학은 관념을 형상으로 표현하는 확산적 의미의 비유만을 상징이라 한다. 하지만 이러한 견해는 여러 비유들이 상징 형식의 특수한 하나의 형태임을 배척하는 결과를 가져온다. 수사학에서 말하는 상징은 '상징의 형식'들 중에서도 아주 특수한 사례의 하나에 불과하다. 그러한바, 수사학은 비유법의 상징을 은유의 하나로 이해할 필요가 있다. 그것이 철학과 기호학, 수사학 및 제 인문학의 상징 이론이 호환될 수 있기 위해 수사학이 할 수 있는 작은 협조일 것이다.

상징물이나 형식은 상징이 아니라 기호이다. 상징에 관해 우리의 일반 국어사전에서 기술하고 있는 "추상적인 사실이나 생각, 느낌 따위를 대표성을 띤 기호나 구체적인 사물로 나타내는 일"은, 사실은 상징물이나 형식이 아닌 우리의 '정신작용인 사고'이다. 그리고, 실제의 창작현장에서 요구되는 상징 또한 형식론에 관한 수사학적 지식이 아니라 그러한 형식을 통해 상징물을 조형하고 창조하는 우리의 정신작용인 동일화의 사고이다.

iii. 상징의 본성: 동일화

1. 동일화: 자연의 인식 원리

상징(symbol)의 어원인 그리스어 심발레인(συμβαλλειν)에는 '비교하다'라는 뜻이 있다. 상징은 동일화를 위해 '비교'라는 심리과정을 거친다. 상징의 어원적 의미인 짝을 맞추는 행위, 일치하게 하는 행위 등이 모두 '비교'라는 심리 과정과 관련되어 있다. 인간은 학문이나 예술 같은 고도의 문화를 생성하기 이전에 동일화 표상의 모방에 본능적인 관심을 보인다.

우리는 동일성 여부에 대한 비교 행위 없이는 그 어떤 일상적 행위도 영위할 수 없다. 아리스토텔레스는『시학』에서 모방은 인간 본성에 내재한 것으로서 인간은 날 때부터 모방된 것에 대해 쾌감을 느낀다며 끔찍한 대상이지만 완벽한 모사 앞에선 감탄한다고 하였다.

우리의 뇌신경계에는 거울뉴런(mirror neurons)이라는 모방 세포군이 있다. 거울뉴런은 전두엽 전운동피질 아래쪽과 두정엽 아래쪽 등에 분포되어 있으며, 거울뉴런으로 인해 관찰이나 간접경험만으로도 우리는 어떤 일을 직접 하는 것과 같은 인식을 가질 수 있다. 우리가 타인을 이해하고 대상을 모방하는 일차적인 기제는 거울뉴런의 기능으로 이해된다. 거울뉴런의 신경계는 시각 정보를 운동 신호로 변환하는 방식으로 다른 대상의 행동과 상황을 이해하는 것으로 보고된다(Rizzolatti and Fabbri-Destro, 2010).

그런데, 거울뉴런이 상황적 모방 본능을 일으킨다면, 전두엽・측두엽・해마・소뇌 등을 중심으로 연결되는 일련의 뇌신경계는 물리적 모방의 거울뉴런과는 달리 상황을 추상적으로 의미화하여 사고한다. 그러한 상징의 본성은 다름 아닌, 비교에 바탕한 '동일화(A=C)'이다. 상징은 예술이든, 일상이든 하나 밖의 다른 조각들을 하나로 묶는 일이다. 예술적・학문적 표현, 기술적 생산을 비롯한 모든 문화 행위는 우리가 상징이라 말하는 비유 즉 동일화의 원리에 의한다.

미치오 카쿠 교수에 의하면, 물리학자들은 무언가를 이해하고자 할 때 데이터를 수집하고 분석하여 연구대상의 특성을 담아낸 모형(model)을 제시한다. 이러한 모형의 구성은 다름 아닌 대상에 대한 모방 행위이다. 물리학에서 모형은 온도・에너지・시간과 같은 일련의 변수들로 표현된다. 물리학자는 이러한 모형을 토대로 일기예보, 양성자의 운동, 블랙홀의 중심부에서 일어나는 사건에 이르기까지 정확도를 높여나가며 예측해 나간다.[1]

---

1) Michio Kaku. 『마음의 미래』(박병철 역). 김영사. 2015. pp. 74-75.

상징의 본성 '동일화'는, 인과적 판단 형식의 구조를 지닌다. 다시 말해 동일화는 'A=B이고 B=C이므로 A=C'라는 구조적 원리를 지닌다. 우리의 인식과 사고는 본질에서 상징적이고 유비적이다. 다시 말해 사고는 매개(B)를 사용해서 어떤 것(A)을 다른 어떤 것(C)으로 나타내는 일이다.

그 어떤 지식도 그 자체로 성립하지 않는다. 직접 만지고 듣고 보는 '감각'조차도 그것은 우리의 신경망이 전기・화학적 신호작용의 해석으로 재구성한 이미지들이다. 웰컴 트러스트 뇌영상 센터에 있는 저명한 심리학자 크리스 프리스(Chris Frith)는 이렇게 말한다. "우리는 물질세계에 직접 접근하는 것이 아니다. 마치 직접 접근하는 것처럼 느낄지 모르지만, 그것은 우리 뇌가 빚어낸 환상이다."[2)]

우리의 '의식'은 사물을 상으로 나타낸다. 우리는 망막과 뇌신경에 의한 사과의 상을 실제의 사과와 동일한 것으로 여긴다. 그러나 우리는 사과를 포착한 것이 아니라 사과의 상을 얻은 것이다. 표상은 신경생리적 신호작용으로 진행된 동일화 정신작용이 상상력에 의해 우리의 의식에서 기호화된 상징물이다.

외부 세계에 대한 우리의 지각은 그러한 상징의 작용이다. 나뭇잎이나 풀잎의 초록색은 눈에 들어온 반사 광선이 대뇌피질에서 그렇게 이해하였을 뿐으로 풀잎 자체는 초록색이 아니다. 소리 역시 마찬가지이다. 천둥이나 종소리, 바이올린의 음률 등은 공기의 진동이 우리의 귀

---

2) Chris Frith. *Making Up the Mind How the Brian Creates Our Mental World*(Oxford: Blackwell, 2007). p. 40. E. R. Kandel. 『통찰의 시대』(이한음 역). 알에이치코리아. 2013. p. 254.. 재인용.

를 통해 대뇌피질을 자극함으로써 구성해낸 반응물들이다. 우리가 감지하는 색이나 소리, 맛, 냄새 등은 실체가 아니라 실체와 동일시하여 받아들이는 우리의 감각기관이 구성한 하나의 상징적 대응물들이다.

우리는 세계 그 자체를 아는 것이 아니라 신경들에 의해 일정한 방식으로 '왜곡되어 표상된' 세계를 안다. 우리가 접하는 색채, 소리, 향기 등은 모두 감수성세포와 대뇌피질에 의한 생화학 작용과 전기 작용이 구성해낸 이미지들이다. 꽃잎의 색채는 전자방사선이라는 광파의 파동이고, 장미꽃의 향기는 공기 중에 흩어진 화학물질들이다. 우리는 그러한 에너지파를 감각적으로 재구성하여 이미지화한다.

표상은 감성기관의 작용에 바탕해서 우리가 재창조해낸 환영이다. 우리는 매우 아이러니하게도 그러한 환영의 구성물들을 지식의 원천으로 받아들여 사용한다. 상징의 본질적 속성인 '동일화'는 인간 인식의 본질적 원리라고 규정하기 이전에, 뇌신경망 조직을 가진 인간이 행하는 지극히 본능적이고 자연스런 신경생리작용들이다.

우리의 뇌에 맺히는 상들이 외부의 대상과 일치하지 않는다는 사실은 고대로부터 줄곧 언급되어온 문제이다. 제논의 스토아학파는 정신은 태어날 때 비어 있으며, 대상은 감관을 통해 정신에 인상을 남긴다고 하였다. 로크는 모양과 운동 등의 관념은 대상을 닮지만 색, 음, 맛, 향기 등은 대상과 전혀 일치하지 않는 관념일 뿐으로 감각적인 지식은 엄격히 말해 지식이 아니며 현상 배후의 실재를 아는 것은 불가능하다고 하였다.

칸트 역시 물자체는 알 수 없으며 우리는 대상을 자신의 감성과 오성의 거울로써 비추어낸 현상을 인식할 뿐이라고 하였다. 메를로 퐁티 또한, 생물체는 외적인 자극이 연주하거나 외적인 자극의 고유한 형태가 묘사되는 건반으로 비교될 수 없다며 인식에 있어서 외적 자극에 대한 우리의 자의적 구성을 피력하였다.

카시러의 경우, 과학은 존재의 구조를 거울처럼 반영하지 않으며 과학의 근본 개념과 해결 공식들은 실재의 투사물이 아니라 지성에 의해 창조된 상징들임을 지적했다. 그러하듯 우리가 물리적 자극을 인식하는 것은 대뇌피질의 신경생리적 해석 즉, 외부의 물리적 자극에 대한 '주관적 수용'이다. 오늘날 현대의 인지심리학 역시 선철들의 입장과 다른 점이 없다.

> 지식은 외부 사물 또는 사물들 사이의 관계를 대표하거나 상징하는 심성 표상(mental representation)의 형태로 저장된다. 이러한 심성 표상은 외부세계를 지각하는 것에 바탕을 둔다. 그렇기는 하지만 지각이 우리에게 세계에 대한 직접적인 지식을 제공하는 것은 아니다. 지각은 능동적 과정으로써 세상에 대한 모형을 구성하는 과정이지, 외부현실을 그대로 복사하는 수동적 과정이 아니(…)다. 지각은 그 자체로 심성 표상이다. 지각은 두뇌 신경세포들의 활동패턴과 대응되는 것이지, 두뇌로 전달되는 현실의 복사물과 대응되는 것이 아니다.[3)]

카시러와 동 시대에 인지과학의 측면에서 크라익(K. J. W. Craik, 1943)은 오늘날 우리와 비슷한 생각을 갖고 있었음을 보여준다. 길란

---

3) Martindale, Colin. 『인지심리학; 신경회로망적 접근』(신현정 역) 교육과학사. 1995. p. 2.

코헨(Gillian Cohen, 1983)에 의하면 크라익은 사고의 기능을 내적 상징의 수단에 의해 현실모델을 만들어내는 세 단계를 언급하였다. ① 외부 대상이나 사상들을 표상으로 바꾸는 것. ② 추론적 판단, 가설제기 또는 계산으로 그 이상의 표상을 만들어 내는 것. ③ 이들 새로운 표상들을 외적 과정으로 재 변환 시키는 것이 그것이다.[4]

동일화는 '무엇'에 대한 동일화이다. 그런데, 최초의 그 '무엇'은 곧 우리의 마음에 형성된 관념으로서 일종의 기호이다. 동일화 즉 A=C를 이루기 위해선 우선 A를 표상해야 한다. 바로 그 A는 사고 즉 상징을 위한 가장 기본적 단위로서 '사과의 상'과 같은 기호이다. 그러한 기호를 생성하는 것이 표상이다. 코헨이나 크라익 등이 이해하였듯이 우리의 사고는 그러한 표상을 바탕으로 동일화의 통찰과 추론을 수행한다.

표상은 상징의 첫 단계이다. 우리는 그 표상들을 연결하여 발전된 사고를 구성하며 수행한다. 코헨과 크라익이 말하는 '내적 상징의 수단'이란 이 책의 표현으로, '동일화 정신작용'이다. 표상은 추론과 통찰 등의 비의식의 사고작용에 의한 동일화 체계로 발전하여 학술 · 예술 · 규범 등 문화를 형성한다.

카시러는, 동물과는 달리 인간만이 문화적 시 · 공간을 창조하는 상징 기능을 지녔다고 한다. 그런 카시러는 『인간론』에서, 요한네스 폰 윅스퀼의 해부학적 논의를 빌려 말한다. 동물은 자극을 받아들이는 수용계통(Merkrnetz)과 그에 반응하는 운동계통(Wirknetz)이 있다. 하

4) K. J. W. Craik. *The Nature of Explanation*. 1943. Cohen, Gillian. 『인지심리학』(이관용 역). 제2판. 법문사. 1984. p. 163. 재인용.

지만, 동물과는 달리 인간은 '상징계통'(symbolic system)이라는 '제3의 연결물'로서의 기능을 지녔다고 한다. 그런데, 카시러가 말한 '상징계통'과 '제3의 연결물'이라는 형이상적인 개념은 사실은 뇌신경계의 형이하적이고 질료적 기관의 기능이다. 이러한 기능은 수억 년에 걸친 수중생물의 운동기능들이 척수신경을 통해 뇌로 올라가 집약된 진화의 산물이다.

카시러는, 물질적 상상력과 지성을 지닌 동물과 달리 인간은 상징적 상상력과 지성을 발전시켰다고 한다. 동물은 상징적 '행위'를 하나, 인간은 상징적 '태도'를 취한다고 한다. 동물은 정서적 언어를 사용하나 인간은 명제적 언어를 사용하며, 이것이 동물과 인간의 상징 능력을 가르는 잣대라고 한다.

그런데, 침팬지의 일종인 보노도에게 인공언어(lexigram)를 가르치는 가운데 곁에 있던 새끼 침팬지는 훈련을 하지 않고도 상징・대상의 연합을 획득하여 상당히 많은 어휘를 사용하는 통찰력을 보였다(Savage-Rumbaugh et al., 1986, 1993). 하와이대학의 돌고래연구소에서는 헤르만 등(1984, 1993)이 두 마리의 돌고래에게 소리 기호와 몸짓 기호를 가르친 결과 30개의 어휘를 습득했고 5개의 어휘를 조합하는 능력을 보였으며 전치사 기능과 관계사 기능의 이해는 물론 단순한 문장이지만 문법에 맞는지 여부도 판단했다고 한다.

스탠포드대학에서는 '코코'라는 고릴라를 대상으로 기호언어를 가지고 3년 간 훈련한 결과 '코코'는 200개에 가까운 기호를 사용할 수 있었다. 6년 반이 지나자 코코는 600여 개의 기호를 사용할 수 있었으며, "너는 동물이냐 사람이냐"하는 질문에 "훌륭한 동물 고릴라"라고 기호로 답하였다.[5)]

아리조나대학의 페퍼버그가 가르친 알렉스라는 앵무새 역시 50개 정도의 사물의 이름을 인식하고 6까지 셀 수 있었으며 '더 큰', '더 작은', '같은', '다른' 등의 개념을 이해했고, "몇 개나 있니?" "어떤 색이 더 크니?" 등의 질문에 80% 수준의 정답을 보였다고 한다.[6] 이와 같은 침팬지와 고릴라, 돌고래에 대한 실험 그리고 '더 큰', '더 작은', '같은', '다른' 등의 '동일성과 차이', '정체성' 같은 의미와 기호를 이해하는 알렉스라는 앵무새에 대한 실험 등에서 우리는 동물 역시 인간과 마찬가지로 명제적 언어와 상징적 태도의 능력을 어느 정도 지녔음을 알 수 있다.

쇼펜하우어는 "아직 어린 개라도 결과를 예측하는 까닭에, 책상에서 뛰어내리지 않는다."며 모든 동물은 그 최하등의 것에 이르기까지도 오성 즉 인과성의 인식을 갖고 있다고 했다.[7] 정신의학자 앙리 에(Henri Ey, 1900-1977)는, 고등동물의 경우 중추신경계가 우리 인간들과 비슷하게 발달된 만큼 우리와 유사한 의식을 지닌다며, 동물과 인간의 의식을 연속적으로 이해했다.[8]

카시러는 동물이 정서적 언어사용에 머무는 건 언어라는 상징체계를 갖고 있지 않기 때문이라고 했다. 하지만, 동물 또한 추상의 능력과

5) F. Patterson. "Conversations with a Gorilla". Nat. Geog. 1978. 154(14). pp. 438-65. 이만갑.『자기와 자기의식』. 소화. 2004. pp. 135-36. 재인용.
6) 이정모 외.『언어심리학』. 학지사. 2003. pp. 437-38.
7) Arthur Schopenhauer. *Uber die vier fache Wurzel des Satzes vom zureichenden Grunde*. S. 97. 1970. F. Meiner 社. 최재희.『칸트의 순수이성비판 연구』. 박영사. 1985. p. 200. 재인용.
8) 이만갑.『의식에 대한 사회과학자의 도전; 자연과학적 전망』. 소화. 1996. p. 263.

명제언어의 사용 능력을 어느 정도 지니고 있음을 부인할 수 없다. 언어는 사고를 목적적으로 이끌고 체계화를 용이하게 하는 수단일 뿐, 실재 우리의 동일화 정신작용의 상징인 사고는 언어의 형식을 초월한 비의식의 전기・화학적 신호작용으로 수행된다.

우리가 추론이나 통찰 등의 인지되지 않는 비의식의 상징으로 동일화의 사고를 진행하는 것이나, 동물이 초음파나 후각으로 사냥감을 쫓는 것이나 모두 마찬가지로 신경생리적 신호작용에 의한 상징의 행위이다. 언급이 있었듯 동물이나 인간은 모두가 상징 작용의 결과물을 의식에서 기호화할 수 있다. 그리고, 시각이나 후각, 청각, 촉각 등의 감각 기능은 오히려 우리가 상상할 수 없을 정도로 그들이 뛰어나다.

다만, 우리가 의미 기호를 보다 더 명확히 인식하고, 의식 상태에서 활용하는 작업기억으로 파지할 수 있으며, 나아가 질료적 매체에 투사하여 외현기호로 만들고 체계화할 수 있다는 점이다. 그러한바, 동물과 인간의 정신기능에 대해, 우리는 '동일화 정신작용'을 수행하고, 다른 자연계의 존재는 '동일화 신호작용'을 수행한다고 말할 수 있다.

모든 생명은 동일성 여부를 인지하는 능력을 갖고 있다, '동일화'의 인식은 아메바처럼 먹을 수 있는 것과 먹을 수 없는 것을 구별하며, 짝짓기 대상과 침입자 여부를 식별한다. 초음파를 사용하여 먹이를 찾는 박쥐는 자신이 쏜 기준파와 되돌아온 작용파를 비교하여 차이가 영(zero)이 될 때 입을 벌려 먹이를 삼킨다. 심지어 백혈구가 인체에 침입한 바이러스를 파괴하기 위해 사용하는 방법 역시 동일성 여부의 인식이다. 백혈구는 자신의 형상을 바이러스에다 겹쳐 모양이 다를 경우 침입자를 파괴한다.

DNA 역시 동일화를 지시하는 전기·화학적 작용의 신호물의 집합체이다. 그리고 식물의 광합성 역시 전기·화학적 동일화에 의한 상징작용이다. 우주와 우리 인체의 모든 신호·기호적 생체 작용은 바로 동일성 여부의 인식에 의한다. 그러한 동일성 여부에 관한 인식 기제는 모든 생명들의 정보의 가늠자로 이해된다.

뇌과학자 박문호에 의하면, 우리의 정신작용에 없어서는 안 될 뇌신경 활성물질인 글루탐산의 화학분자식은 'HOOCCH2CH2CH(NH2)COOH'이다. 그런데 글루탐산의 분자 구조를 보면 단순히 탄소, 질소, 수소 원자뿐이다. 빅뱅에서 생겨난 수소와 헬륨으로 별이 생기고, 별 내부의 핵융합 과정에서 탄소, 질소, 산소, 칼슘, 나트륨, 같은 생체를 만들어 주는 원소들이 생성된다. 별과 은하의 물질 구성은 수소가 70%, 헬륨이 25%이며, 이 두 원소가 우주 물질 구성의 대부분을 차지한다.[9)]

생물·기호언어학자 토머스 시벅은 이렇게 말한다. "기호현상은 분자유전학과 바이러스학 같은 '소인국 세계'부터 걸리버와 같은 크기의 '인간 세계' 그리고 마지막으로 우리의 거대한 생명-지구-화학적 생태계인 가이아와 같은 '대인국 세계'까지 펼쳐져 있다."[10)] 그러한 기호현상은 다름 아닌 자연과 인간의 동일화 작용들이다.

자연 만물은 동일성의 패턴과 원형을 인지하는 생래적 능력을 지니고 있다. 전자와 양자 역시 서로는 마치 인지능력을 갖춘 생물처럼 만나고 견제하며 질서를 이룬다. 동일화의 인식은 존재 보편의 생래적

---

9) 박문호. 『그림으로 읽는 뇌과학의 모든 것』. 휴머니스트출판그룹. 2013. p. 769.
10) Susan Petrilli, August Ponzio. 『토머스 시벅과 생명의 기호』(김수철 역). 이제이북스. 2003. p. 78. 재인용.

기능이다. 동일화는 우주계의 '존재 원리'이자 자연계의 보편적 생명 현상이다. 동일화의 상징은 인간만이 아니라 자연 만물의 재능이요 자연의 작용이라 할 수 있다.

2. 동일화의 구조와 원리

동일화는 매개를 통해 어떤 기호를 다른 기호로 나타내는 일이다. 이러한 매개적 인식이 동일화의 원리이다. 어떤 지식도 전제적 조건 없이 신의 음성처럼 그 자체로서 성립하는 것은 없다. 우리의 지식 즉 기호는 매개를 통해서 성립한다. 그러한바, 사고의 본성인 동일화는 'A=C'의 형식을 지닌다.

동일화는 비의식의 상태에서 통찰로써 수행된다. 그러한 까닭에 우리는 동일화의 구조를 이루는 과정을 일상적인 사고 수행에서는 인지하지 못한다. 사고의 과정은, 비의식의 상태에서 통찰 사고를 마친 후, 어떠한 판단과정들을 통해서 얻어졌는지 다시 곰곰이 생각해봄으로써 알게 된다. 그럼으로써 통찰의 결과(A=C)가 A=B, B=C라는 전제들을 거쳐 얻어진 것임을 비로소 알 수 있다.

사고는 대표적으로 통찰과 추론으로 구별된다. 통찰은 전적으로 비의식 상태에서 수행되며, 추론은 얕은 통찰과 직각 사고의 사이에 의식이 개입된다. 우리는 그러한 의식 상태에서 얕은 통찰 사고의 수행 결과를 확인한다. 그런데 이 책과 달리 전통적 철학이나 논리학에서는 통찰에 관해 언급하고 있지 않다. 전통적 철학과 논리학은 사고의 전형을 추론으로 생각한다. 사고의 특성은 판단이며, 판단을 연결함으로써 추론이 수행된다고 생각한다.

논리학은 올바른 추론 사고의 규칙을 연구하는 학문이다. 논리학은 삼단논법을 추론의 원형으로 이해한다. 그리고 판단을 'A=B'라는 형식으로 표현한다. 그런데, 그 어떤 판단이든 선 판단을 전제하며 그러한 선 판단들과 결론적 판단은 반드시 매개념(Middle concept)을 필요로 한다. 그러한 까닭에 이 책은 논리학과는 달리 사고의 본성인 '동일화'의 판단 형식을 'A=C'로 표현한다.

이 책의 동일화와 논리학에서의 판단은 실제 사고의 수행에서 매개를 사용하여 어떤 기호를 다른 기호로 나타낸다는 점에서 다를 것이 없다. 그런데, 논리학의 경우 판단에 대해서는 매개적 원리를 언급하지 않고, 추론에서 매개적 원리를 언급한다. 사고의 본성인 동일화는 통찰과 추론 모두에 공통적으로 작용하는 사고의 원리이다. 이와 달리, 판단은 논리학에서 추론의 구성단위로 이해하고 사용되는 용어이다.

그런데, 칸트에게서 통일적 인식의 판단에 관한 진전된 견해를 볼 수 있다: 칸트에게 판단을 나타내는 성질 'ist(이다)'는 근원적 통각에 대한 표상들의 관계를 의미하며, 주어진 표상들의 '필연적 통일'을 의미한다(B 142). 체계적 '통일'의 원리들은 '다양성에 대한 특수성, 유사성에 대한 동질성, 동일성의 연속성 순으로 이루어지며, 이 셋은 모두 최고의 완전성을 갖는 이념이다(B 690).

판단하는 능력인 오성은 선천적 결합 능력이요, 주어진 표상들의 다양성을 통각의 통일 아래 포섭하는 능력이다(B 135). 판단은 인식들을 통각의 객관적 통일에 이르게 하는 수단이다(B 142). 이러한 칸트의 '판단'은 대상을 통일적 의미체로 인식하는 우리들 사고의 본성인 '동일화'와 속성을 같이 한다. 다만, 칸트는 '판단'을 논리학자들과 마찬가지로 의식 상태에서 수행되는, 그리고 추론을 구성하는 명제단위로 간주한다는 점에서 이 책의 '동일화'와 성격을 달리한다.

동일화의 구조는 'A=B, B=C ∴ B=C'와 같은 형식으로 전개될 수 있다.[1)] 이것은 삼단논법의 형태와 동일하다. 칸트는 『순수이성비판』의 "선험적 논리학"에서, 일반논리학은 고급 인식 능력인 오성 · 판단 · 이성의 구분과 완전히 일치하는 설계도로 채워져 있다고 한다. 또한 그런 까닭에 개념 · 판단 · 추론 등을 다루는 일반논리학의 분석론은 대체로 오성 일반이라는 사고능력의 기능과 질서에 잘 합치한다고 말

---

1) '동일화'의 구조 역시 논리학이 밝혀 놓은 바와 같이, 대전제 · 소전제의 매개어 M의 위치에 따라 아래와 같이 네 유형이 있을 수 있다. 이 책에서는 이해의 편의를 위해, 삼단논법의 제1격의 대 · 소전제 순서를 소전제 · 대전제 순으로 바꾸어 사용한다. 한편, 삼단논법에서 대개념은 P, 소개념은 S, 매개념은 M으로 표시된다.
- 대전제: P=M 또는 M=P
- 소전제: S=M 또는 M=S
- 결 론: ∴ S = P

제 1격	제 2격	제 3격	제 4격
M-P S-M	P-M S-M	M-P M-S	P-M M-S
S-P	S-P	S-P	S-P

한다(B 169). 그런데 논리학의 규칙이 사고의 기능과 구조에 잘 합치하는 건, 우리의 사고와 논리규칙이 모두 매개적 인식의 동일화와 인과적 원리에 기초하는 까닭이다.

이와 같이 동일화의 구조가 삼단논법의 형식과 일치하는 건, 원리적으로 동일화나 논리학의 추론이 모두 매개적 인식에 바탕하는 때문이다. 사고의 본성은 동일화이며, 동일화는 형식을 통해 의미를 구현하는 일로서, 사고는 의미를 구현하는 동일화 정신작용이다. 그러한 사고의 형식은 논리학 · 수사학 · 기호학 등에서 연구된다.

그런데 여기서 간과해서 안 될 일은, 논리학이나 수사학 등의 형식론적 규칙이 사고의 원리는 아니라는 사실이다. 이론물리학자이자 수학자인 로저 펜로즈는 이렇게 말한다. “어떤 공리에서 시작하여 그를 통해서 여러 가지 수학적 명제들을 도출할 수 있다. 그 도출 과정은 물론 알고리듬적이다. 그러나 그 공리가 적합한가를 결정하기 위해서는 의식이 있는 수학자의 판단이 필요”하다.[2] “어떤 알고리듬이 실제로 잘 돌아갈 것인가 아닌가를 결정하기 위해서는 단순히 또 다른 알고리듬만으로는 부족하고 ‘통찰력’이 필요한 것”이라고 한다.[3]

논리학이 사고의 규범을 연구하나, 그러한 연산규칙을 비롯한 논리규칙들이 곧 사고의 원리는 아니다. 그러한 논리규칙은 우리의 동일화 사고능력에 의해 운용된다. 논리규칙을 비롯한 사고의 형식 등에 관한 규칙은 사고의 운용 능력에 관한 지식이 아니라, 사고의 정확성과 효

---

2) Roger Penrose. 『황제의 새마음』 II (박승수 역). 이화여자대학교 출판부. 1996. p. 625.
3) 같은 책, p. 627.

율성을 지원하는 절차적 지식이자 사고의 결과를 명시적으로 기술하는 지식이다.

한편, 사고의 구조는 사고의 규칙에 대응한다. 그러한바, 사고의 규칙을 연구하는 논리학은 사고의 구조를 연구하는 학문이기도 하다. 그러한 까닭에 사고의 구조에 관해서는 논리학의 규정들을 인용하고, 이 책의 [상징학]은 사고의 본성과 사고의 작용원리를 중심으로 논의한다. 논리학이나 수사학, 기호학 등의 형식론 연구 분야는 사고의 절차나 구조에 관심을 기울이는 것과 달리, 사고의 본성과 작용의 원리에는 관심을 갖고 있지 않다. 사고에 관한 형식론은 추론의 관점에서 그리고 사고가 의식 상태에서 수행된다는 인식에 바탕하여 제시된 것들이다. 그러한 논리학 · 수사학 · 기호학 등의 규칙은 통찰 사고와 그 원리에 관해서는 말해주는 것이 거의 없다.

언급한바와 같이, 동일화는 'A=C'의 형식을 갖는다. 일례로, '너는 장미이다!(A=C)'라는 동일화의 표현은, '너는 향기롭다(A=B), 향기로운 건 장미이다(B=C)'라는 전제적 이유에 바탕한다. '동일화(A=C)'는 A=B, B=C라는 전제들이 내재된 판단이다. 그러한바, 사고의 본성인 동일화는 삼단논법의 결론적 형태인 'A=C'로 표현할 수 있다. 물론, 각 전제는 또한 다른 전제적 판단들로 무한 추궁되는 구조를 갖는다. 하지만, 가정적이고 선택적인 복합적 심층구조의 판단물은 종국적으로 'A=B, B=C ∴ A=C'라는 원형적 형태의 형식으로 수렴된다.

이 원형의 삼단논법을 이루는 소전제(A=B), 대전제(B=C), 결론(A=C)의 세 명제는 모두 주어와 술어가 하나의 동일화 구조를 이룬다. 그리고 소전제와 대전제는 매개념(B)을 통해 연결되며, 그럼으로써 A(소전제의 특수성)와 C(대전제의 보편성)가 동일한 하나로 결합된다. 그러한바, 동일화는 모든 판단과 사고의 원형이자 사고의 제1원리라 할 수 있다.

동일화의 원형 A=C의 구조는 언급이 있었듯, A=B, B=C의 전제를 내포한다. ① 그런데 이와 같은 전제들은 또한 그것의 이유가 되는 선 판단이 요구되며 그러한 선 판단은 또 다른 선 판단이 요구되고 그러한 관계는 무한히 추궁된다. ② 한편, 통찰된 결론 A=C 또한 하나의 전제가 되어 다른 판단과 함께 새로운 판단을 수행하게 되며 그러한 이행적 판단 역시 무한히 수행된다.

한편, 'A=B, B=C ∴ A=C'에서와 같이, A=C를 입증하기 위해서는 A=B, B=C를 연결하는 매개어(B)를 먼저 통찰해내고 그 매개어가 개입되는 대 · 소전제를 세워야 한다. 그와 같이 사고에서 중요한 것은 매개어의 발견인데, 매개어는 의식 상태에서의 비교나 무작위적 선택으로 얻어지는 것이 아니라 비의식의 통찰로써 구해진다.

우리 정신 능력의 놀라운 점은, ① 그러한 복잡다단한 판단들로 이루어진 내용을, 명료한 의식 상태에서 감각적 형식과 구조의 외현기호를 사용하지 않고, 비의식의 상태에서 통찰한다는 것이다. ② 아울러, 비의식의 통찰내용을 우리가 인지할 수 있도록 상상력이 의식의 세계로 불러낸다는 점, ③ 그리고, 비의식의 통찰내용을 추론으로써 외현기호 체계의 형식에 따라 질서정연하게 재구성할 수 있다는 점이다.

윌리엄 제임스는 우리가 말하는 '동일화'를 A. 베인 교수의 '유사연합' 개념을 토대로 설명한다. 제임스는 "'판단'은 '연합'에 의해 어떤 명제에 대한 '진리'란 관념을 그 명제와 유사한 다른 명제로 '전이'하는 것"이라고 한다.[4] 또한, "추론은 사고된 현상의 특정한 일부 측

면을 추출하는 일이 포함되며, 추출된 것들을 의식을 사용하여 현상들을 연결시키는 것"이라고 한다.[5)]

그런 제임스는 추론과 달리, 지각에는 비의식적 추정이 개입된다고 한다: 저녁 식사 종소리 A와 저녁 식사 B는 직접적인 연속으로 경험된다. 따라서 A가 감각되자마자 B가 예측되어 B에 관한 조치가 취해진다. 가축을 길들이는 일이나 야생 동물의 영리함 그리고 우리의 대부분의 지식은 이와 같은 추정 능력에 달려 있다. 어떤 대상의 '지각'이나 확인은 이러한 추정인바, 우리는 평상시에 추정하고 있다는 사실을 전혀 의식하지 않음이 분명하다고 한다.[6)]

제임스는 그러한 '지각'의 추정과 추론의 다른 점에 대해 "전자는 다만 재생산을 할 뿐이지만 후자의 추론은 새로운 것을 생산한다"고 한다.[7)] 그리고, 추론은 "'포섭(subsumption)'이라는 예지(J. Loke, *Essay* conc, Hum, *Understanding*, bk, Ⅳ, chap, Ⅱ, 3)를 필요로 하는" 소전제와 "풍부한 학식이 요구되는" 대전제에 내재하는 매개체를 즉각 상기하는 능력이 요구된다고 한다.[8)]

한편, 우리가 평상시에 추정하고 있다는 사실을 전혀 의식하지 않음이 분명하다고 하였듯 윌리엄 제임스는 '지각의 추정'에 비의식이 작용함을 인정한다. 반면에 "'추론 사고'는 이 추출된 것들을 의식을 사용하여 현상들을 연결시키는 것"이라고 하듯, 추론은 의식에서 수행된

4) William James.『심리학의 원리』Ⅱ(정양은 역). 아카넷. 2005. p. 1078.
5) 같은 책 Ⅲ. p. 1849.
6) 같은 책 Ⅰ. pp. 827-28.
7) 같은 책 Ⅲ. p. 1833.
8) 같은 책 Ⅲ. pp. 1835, 1897.

다고 생각한다. 이러한 제임스는 통찰을 추론과 별개로 구별하여 다루지 않고, 사고를 '추론'의 관점에서만 언급한다. 제임스가 비록 지각사고에는 비의식이 개입됨을 인식했지만 우리의 보편적 사고 전반에 '비의식'이 작용함을 인식하지는 않았다.

칸트 역시 사고를 추론적 관점에서만 언급하고 통찰을 언급하지 않은 것은 그의 사고론이 의식에 기반하기 때문이다. 그러한 칸트에게 모든 오성 작용은 판단으로 환원된다(B 94). 통각의 통일은 자기의식의 선험적 통일이다. 의식의 여러 가지 인상을 종합하는 표상에서의 형식적 통일(A 105)이 만약 자기의식에 속하지 않는다면 그것들은 우리의 표상이 되지 않을 것이다.

내가 주어진 다양한 표상들을 하나의 의식에 결합할 수 있음으로써 이런 표상들에 있어서의 의식의 동일성 그것을 내가 표상할 수 있다(B 132). 직관으로 다양한 인상이 주어지고, 결합에 의해서 다양성이 하나의 의식 중에서 사고된다(B 135). 통각의 통일은 자기의식의 선험적 통일이다(B 132). 언급이 있었듯이, 사고가 전적으로 의식의 기반 위에서 수행되는 것으로 이해하는 칸트는 '비의식'과 '통찰' 개념을 갖고 있지 않다.

헬름홀츠는 1862년에 자연과학과 정신과학에 관한 한 연설에서, 사고를 논리적 귀납법과 예술적-본능적 귀납법으로 구분하였다. 전자는 오성에 의한 의식적인 추론작업으로 자연과학자들이 사용하며, 후자는 무의식적으로 이루어지는 추론으로서 정신과학에 사용된다.[9] 한편, 가다머(H. G. Gadamer, 1900-2002)는 헬름홀츠의 논리적 귀납법을 과학에만 사용되는 추론으로서 의식 상태에서 오성에 의해 수행되는 사고로 이해한다. 그리고, 예술적-본능적 귀납법은 예술작업에만 사용되는 무의식적인 추론의 사고로 이해한다.

주목할 것은 헬름홀츠나 가다머 모두 예술적-본능적 귀납법의 사고가 무의식에서 이루어지는 사고임에도 통찰이라는 용어를 사용하지 않는다는 점이다. 그리고, 용어의 사용 여부를 떠나, 그들은 예술적-본능적 귀납법 사고가 무의식에서 수행되며, 예술 작업에 사용된다는 사실을 이해하고 있었다는 사실이다.

그런데 헬름홀츠나 가다머의 그와 같은 사고에 관한 이해 역시 어떤 문제를 안고 있다. 먼저, 그들은 추론과 통찰을 구별하지 않고 '추론'이라는 용어만을 사용했다. 아울러, 그들은 무의식에서 이루어지는 사고조차도 추론으로 간주했다. 하지만, 예술적-본능적 귀납법의 사고는 통찰 사고이다. 무의식(이 책의 필자의 비의식) 상태로 이루어지는 통찰은 논리규칙을 초월하여 전일적으로 이루어지는 사고이다. 그러한 통찰을 헬름홀츠나 가다머가 추론 사고로 이해한 것은 통찰의 내용을 추론 사고로써 사후적으로 재구성한 결과에 의한 인식이다.

그리고 또 한 가지는, 과학과 예술이 전적으로 의식 사고 또는 비의식 사고로 수행되는 것이 아니라는 점이다. 과학이든 예술이든 창조는 비의식 상태에서 수행되고, 이해 · 감상 · 입증 등은 의식을 활용한다. 그러나, 이러한 문제에도 불구하고 헬름홀츠의 경우, 예술적 작업의 사고가 무의식적이고도 본능적으로 이루어진다고 한 것은 선구적 인식이라 하겠다.

---

9) H. G. Gadamer. 『진리와 방법』 I (이길우 외 역). 문학동네. 2000. p. 34, 재인용.

3. 동일화의 유형

베르그송은 "예술은 형태화된 형이상학이며. 형이상학은 예술에 대한 반성이고, 심오한 철학자와 위대한 예술가는 동일한 직관을 서로 다르게 적용시킴으로써 태어난다."고 하였다.[1] 시인 · 예술가 · 과학자는 공히 동질성의 동일화 통찰을 수행하며, 다만 그 대상 세계를 달리할 뿐이다. 말하자면, 시인과 예술가가 시공간을 벗어난 동질성의 동일화 사고를 수행하는 반면, 과학자는 시공간의 틀 내에서 동질성의 동일화 사고를 수행한다.

---

1) Henri Bergson. 『사유와 운동』(이광래 역). 문예. 2012. p. 201.

과학은 가설의 착상에 동질성의 동일화 사고를 수행하고 그 설명에는 동일성의 동일화 사고를 수행한다. 하지만 시 · 예술 작품은 은유의 생성만이 아니라 작품의 제작 또한 동질성의 동일화 사고를 수행한다. 시 · 예술 창작이 과학적 논문의 작성보다 힘든 것은, 시 · 예술 작품이 논문보다 비록 짧음에도 불구하고 논문과 달리 동질성의 동일화 사고를 연속적으로 수행해 내어야 한다는 점이다. 그리고, 작품의 구현에 있어서도 자연적 기호를 사용함으로써 유비적 사고, 즉 동질성의 동일화 사고를 수행해야 하는 까닭이다.

그러한 시 · 예술은 과학보다도 유비적 사고의 훈련이 보다 더 요구된다. 이것은 한편으로, 창의적 사고 능력의 함양에 있어서 시 · 예술 창작의 훈련이 매우 효과적일 수 있음을 의미한다. 물론, 시 · 예술에 사용되는 동질성의 동일화 사고 역시 과학에서의 동질성의 사고와 마찬가지로 이질적 동일성을 탐색하는 유비적 사고로서 같은 성격의 사고 능력임은 말할 것이 없다. 다만, 사용되는 비의식기호가 이미지이냐 아니면 개념이냐 하는 차이가 있을 뿐이다.

언급이 있었듯, '동일화'의 유형은 '동질성'과 '동일성'으로 대별된다. 전자는 통찰 수행의 형식이고, 후자는 설명적 추론 사고의 수행 형식이다. 시 · 예술 작품의 창조와 과학에서의 가설의 발견은 동질적 동일화 사고인 통찰에 의하고, 시 · 예술 작품의 감상과 비평 그리고 과학적 가설의 설명은 동일성의 동일화 사고에 의한다.

동질적 동일화는 형상을 달리하나 속성의 동일함에 바탕하는 사고 형식이다. '침묵은 금이다'에서, '침묵'과 '금'은 전혀 다른 두 실체이다. 그러나 '소중'하다는' 뜻에서 두 존재는 동일한 하나가 된다. '끓는

물'과 '바람'이라는 다른 두 현상의 배면에는 다 같이 '열(熱)'이라는 속성이 관계한다. 열로 인해 물분자가 팽창하여 끓어오르고, 열로 인해 더운 공기와 찬 공기가 위치를 바꿈으로써 시원한 바람이 분다. 이와 같이 '동질성'의 동일화 정신작용은 시 · 예술 · 과학의 창조와 발견에 본질적인 역할을 한다.

한편, 동일성의 동일화는 설명 형식의 방법적 사고인 추론에서 사용된다. 하지만, 추론의 과정은 얕은 통찰의 수행과 논리규칙의 사용이 반복된다. 그러한바, 추론 역시 동질성의 동일화가 수행된다. 언급했듯이 동일성의 동일화 사고는 설명적이며, '자의적 기호'를 사용한다. 자의적 기호는 임의적 약속에 의한 표현 기호이다. 동질적 동일화 상징의 표상은 '자연적 기호'를 사용한다. 반면에, 자연적 기호는 외관은 다르나 그 어떤 속성상 동일함에 바탕한 동일화 형식의 기호이다.

그러나, 시 · 예술 역시 수학이나 과학처럼 극단적 자의성의 기호를 사용함으로써 이지적이고 추상적 미학을 구현한다. 그것은 오늘날 실험예술의 세계에서 확인할 수 있다. 자의적 기호 사용의 개념미술, 확산 은유의 데뻬이즈망 기법 등은 파격적 원거리의 동질성을 추구함으로써 은유의 행간과 여백을 넓혀 접촉자로 하여금 해석과 감상의 여지를 풍부하게 한다. 아래 시편은 필자의 「검은 태양 속의 앵무새」이다. 언어기호를 사용하지 않고 순수 사유와 감정의 세계를 도상 기호로 나타내었다. 논리규칙을 초월하여 인과성의 세계를 전일적으로 드러낸 표현이다.

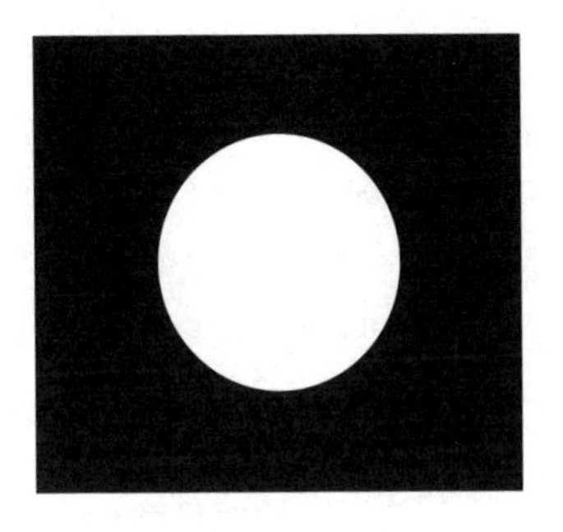

「검은 태양 속의 앵무새」

상징의 본성인 '동일화'는 통찰로 수행된다. 그러나, 통찰의 내용은 추론에 의해 방법론적으로 재구성되고 표상된다. 동일성의 동일화 형식에 관한 대표적인 연구 분야는 논리학 · 수학 · 문법 · 언어학 등이고, 동질성의 형식에 관한 대표적인 연구 분야는 수사학이다. 기호학은 두 가지 동일화 형식 모두에 관해 연구한다. 비유법의 측면에서 동질성의 동일화 형식을 최초로 다룬 이는 아리스토텔레스이다. 아리스토텔레스는 『시학』에서 "은유란 유에서 종으로, 혹은 종에서 유로, 혹은 종에서 종으로, 혹은 유추에 의하여 어떤 사물에다 다른 사물에 속하는 이름을 전용하는 것"(1457b)이라고 하였다.

아리스토텔레스는 모방의 쾌감을 '배움에 대한 욕망'과 결부 지었는데 사실, 모방은 동일성 · 동질성 그 두 유형의 형식을 모두 사용한다. 전자는 아리스토텔레스가 정립한 동일률에 바탕한 형식논리학이고, 후자는 그가 『시학』에서 기술한 시 · 예술의 창작에 사용되는 동질성의 동일화 즉 '은유'이다.

동일성의 동일화는 과학 · 학술 · 예술비평에서 자의적 기호에 의해 표현되고, 동질성의 동일화는 주로 시와 예술에서 '은유'의 형식을 통해 자연적 기호의 이미지로 표현된다. 과학적 통찰의 경우 또한 그 내용을 추론하기 전에 먼저 통찰된 자연 현상과 원리를 이미지로 제시하기도 한다. 그런 후 다시 이미지를 추론으로써 기술해낸다. 한편, 이것은 다만 표현의 문제에 있어서일 뿐, 창조의 측면에서는 시 · 예술 · 과학 모두 동질성의 동일화 사고에 의한다. (표현과 창조는 본질 면에서 시 · 예술이든 과학이든 '동일화' 정신작용의 통찰에 의함은 말할 것이 없다.)

'A=B, B=C ∴ A=C'에서, 결론에 해당하는 'A=C'는 시에서는 동일화 통찰의 비유인 '은유'이고, 과학에서는 동일화 통찰의 결과인 '가설'에 해당한다. 창작의 실재에서 통찰은 전제를 얻은 후 결론을 내리는 것이 아니라, 먼저 결론을 얻은 후 전제를 세운다. 결정이 먼저 있고 이유를 찾는 것이다. 그간의 학습 현장은 언제나, 대전제와 소전제가 먼저 착상 되어서 결론에 이르는 것으로 기술하여 왔다. 그러나 이것은 사고가 본질에서 비의식에서 수행되는 통찰임을 인식하지 않은 때문이다. 실제의 창조는 그 역순이다. 통찰이 먼저 있고 논리적 사고는 증명을 위해서 사용될 뿐이다. 실재 창작에서 통찰은 논리적 추론의 과정을 거치지 않고 결론에 이른다.

4. 동일화와 논리

4.1. 동일화는 비의식의 통찰이다

사고의 본성은 매개를 사용하여 어떤 것을 다른 것으로 나타내는 '동일화'이다. 동일화는 형식을 통해 의미를 구현하는 일이다. 형식을 지배하는 의미는 인과성에 바탕하며, 인과성의 발견은 동일화의 능력에 바탕한다. 동일화는 우리가 자연을 모방하고 이해하며 사고를 형성하는 원리이다. 그러한 우리의 사고는 동일화를 위해 '비교'라는 심리 과정을 거친다.

윌리엄 제임스는 '비교' 능력을 유사와 차이 개념으로 설명한다. 비교는 '차이와 유사를 밝히는 일'이며, 차이는 종의 '속'을 가르는 것이고 유사는 '종'을 이루는 것이다. 아울러, 제임스는 '유사와 차이의 지각 능력'은 "궁극적이고 설명할 수 없는 우리의 정신적 자질"이라 한다.[1)]

동일화는 'A=C'의 형식으로 표현할 수 있다. 이것은 동일화(A=C)가 'A=B, B=C'라는 전제의 결과물임을 의미한다. 한편, 각 전제는 무한선 판단과 새로운 무한 판단을 생성한다. 그것은 우리의 인식이 인과성 위에서 세워지는 까닭이다. 인과성의 인식은 또한 형식을 통해 '의미'를 생성하는 동일화 능력에서 비롯한다.

언급했듯이 동일화의 결과 A=C는 'A=B, B=C'라는 전제들이 요구된다. 그러나, 실제 우리의 사고는 그러한 외현기호들로 구성된 판단을 수행하지 않는다. 우리의 동일화 정신작용은 단순히 전기 · 화학적인 신호작용에 의한 비의식기호로 이루어진다. A=C라는 형식은 동일화 정신작용의 결과에 대한 외현기호적 표현이며, 전제들인 'A=B, B=C'는 동일화의 결과인 A=C를 토대로 그 이유를 추론으로 재구성하여 외현기호로 표현한 것이다. 그와 같이 전기 · 화학적 신호작용으로 이루어지는 우리의 동일화 정신작용의 사고는 비의식 상태에서 비의식기호로 수행된다.

그런데, 동일화 작용은 우리 인간만의 고유한 전유물이 아니다. 모든 생명은 동일성 여부를 인지하는 능력을 갖고 있다. 다만 우리는 그들과 달리 동일화 작용을 보다 명료하고 체계적인 의미의 기호로 구현할 수 있을 뿐이다. 따라서 우리는 '동일화 기호작용'을 수행하고, 다

---

1) William James. 『심리학의 원리』 Ⅱ(정양은 역). 아카넷. 2005. p. 953.

른 자연계의 존재는 대체로 ‘동일화 신호작용’을 수행한다고 말할 수 있다.

언급한 바와 같이 우리의 사고는 동일화 과정이 비의식 상태에서 전일적으로 이루어지는 관계로 ‘통찰적’이라 한다. 우리의 사고는 본질에서 모두 통찰적이다. 다만 그 심도에 따라 지각 · 추론 · 통찰 등으로 구별하고 용어를 달리 사용할 뿐이다. 특히, 동일화의 심도가 깊은 ‘통찰’ 사고는 시종일관 비의식 상태에서 수행되는 까닭에 우리는 사고를 수행하고 나서도 그 내용을 구체적으로 인지하지 못한다.

그래서 우리는 그 내용을 조리 있게 표현하기 위해 우리가 생각한 것들을 다시금 돌이켜 보아야 한다. 이때 행하는 사고가 ‘추론’이다. 추론은 문법이나 삼단논법 같은 규칙들을 활용한다. 그러한 까닭에 추론을 ‘방법적 사고’라 한다. 이와 달리 지각 · 통찰 · 영감적 사고는 원사고이다. 고대인이나 오늘날 우리 모두는 다 같이 비의식 상태에서 통찰 사고를 수행한다.

그와 같이 통찰은 문명을 초월하여 수행되는 자연적인 사고이다. 추론은 그러한 원사고의 통찰 내용을 의식 상태에서 알 수 있도록 문법 · 논리규칙 · 수학공식 · 화성학 등의 각종 인위적 규칙의 질서에 따라 수행하는 사고이다. 그러한바, 원사고의 통찰은 자연상태의 ‘본능적 사고’이고 추론은 ‘인위적 사고’인 것이다.

언급했듯이, ‘A=B, B=C ∴ A=C’에서, 결론이나 결과에 해당하는 ‘A=C’는 시에서는 동일화 통찰의 비유인 ‘은유’이고, 과학에서는 동일화 통찰의 결과인 ‘가설’에 해당한다. ‘A=B, B=C’라는 논리과정은 과학에서는 통찰 내용에 대한 사후적 증명과정의 체계적 기록이며, 시 · 예술에선 독자들의 감상과정으로 남겨진다. 과학은 동일화의 통찰을 추론으로써 기호화하여 체계적으로 기술하며, 시 · 예술은 은유의 통찰 내용을 독자에게 감상의 몫으로 남겨 둔다.

창작의 실재에서 우리는 전제를 얻은 후 결론을 내리는 것이 아니라, 먼저 결론을 얻은 후 전제를 세운다. 결정이 먼저 있고 이유를 찾는 것이다. 이것은 과학이나 시나 마찬가지이다. 과학은 영감적 통찰로 가설에 도달한 후 추론에 의해 실험적 논거를 만들고, 시는 비유를 얻은 후 은닉된 동일화의 과정을 음미하게 한다.

다시 말해, 실재의 창작이나 연구에서 통찰은 논리적 추론의 과정을 거치지 않고 결론에 이른다. 시인은 원관념에 대응하는 보조관념의 시어를 의식 상태에서 낱말들 하나하나에 대한 비교를 통해 찾아내는 것이 아니라 조각가가 돌에서 형상을 캐어내듯 몰입된 비의식 상태에서 돌연히 인식한다. 논리학에서 논리의 전개는 전제에 기초하여 결론으로 이행하나, 이와 달리 우리의 실재 동일화 정신작용의 사고에서 전제와 결론의 도출은 역순이다. 우리는 통찰로써 결론을 먼저 얻고, 추론으로써 전제를 확인한다.

음악의 창작 작업 역시 시나 미술과 마찬가지로 전일적으로 수행된다. 임종을 목전에 두고서 작곡된 바흐의 〈푸가의 예술〉(Art of Fugue)은 모두 열아홉 곡으로 구성되어 있는 대곡으로서, 마지막 곡인 4중 푸가의 세 번째 테마는 연주 시작 10분이 채 못 되어 끝나 버린다. 이에 대해 이론물리학자 로저 펜로즈는 이렇게 말한다.

> 그러나 바흐의 음악을 이해하는 사람들은 이 음악에 감동하지 않을 수 없을 것이다. 그 작품의 전 곡이 아직 '그 곳'에 있는 듯한데, 한 순간에 그 곡은 사라져 버린다. 바흐는 이 곡을 완성하기 전에 세상을 떠

> 났고 악보는 바로 그 자리에서 멈추어버리고 만다. 그 곳을 어떤 식으로 전개시킬 것인가에 대한 아무런 언급도 없이. 그러나 이 곡의 도입부에서 보여 주는 확신감과 전체적 완결성으로 미루어 볼 때 바흐가 이 곳을 작곡할 당시 곡 전체에 대한 요소들을 이미 머릿속에 갖고 있지 않았다고는 생각할 수 없다. 그가 이 곡을 작곡할 때, 과연 전 곡을 머릿속에서 보통 연주 속도로 계속 반복하여 연주해 보고 이를 다방면으로 개선해 나갈 필요가 있었을까? 내 추측으로는 결코 이러한 방법이 아니었으리라는 것이다. 모차르트와 마찬가지로 그도 전 곡을 한꺼번에 생각하였음에 틀림없다. 푸가 작곡이 요구하는 서로 엉킨 복잡성과 예술성을 총망라한 형태로서 말이다.[2]

모차르트는 한 편지에서 이렇게 썼다. "나는 아름다운 그림이나 귀여운 소년을 볼 때처럼 단번에 이 작품을 포착한다. 이런 일은—나중에는 그렇게 해야 되겠지만—각 부분의 세밀한 사항에 걸쳐 계속적으로 이루어지는 것이 아니다. 상상력이 나에게 이 작품을 듣게 하는 것은 작품 전체인 것이다."[3] 말할 것도 없이, 바흐나 모차르트는 순수한 심층비의식의 통찰 사고로써 악곡을 전일적으로 착상해낼 수 있었다.

이 책의 필자는 모차르트를 접하기 전에 베토벤의 음악을 먼저 접했다. 그것은 필자가 폭 넓은 음악 감상의 기회를 잃게 된 불행한 일이었

---

2) Roger Penrose. 『황제의 새마음』 II(박승수 역). 범양사. 1990. pp. 673-74.
3) Jacques Hadamard. 『수학분야에서의 발명의 심리학』(정계섭 역). 범양사. 1990. p. 26. 재인용.

다. 감수성이 예민한 젊은 시기에 베토벤의 깊고 강렬한 음악은 필자에게 다른 음악을 더 이상 들을 수 없게 했다. 그런 필자는 모차르트를 베토벤과 비교하는 세간의 평가를 완전히 무시했다.

그러나, 모차르트의 〈레퀴엠〉의 제1곡(인트로이투스: 그들에게 영원한 안식을 주소서)를 듣는 순간 필자는 모차르트에 대한 그간의 인상을 완전히 달리했다. 〈레퀴엠〉은 베토벤의 깊이와 강렬함에 더해 모차르트 특유의 강력한 화성의 아름다움까지 더해 들려주고 있었다. 그러나, 이어지는 키리에(주여 불쌍히 여기소서)가 진행되면서 고개가 갸우뚱거려지기 시작하고 더 이상은 평범해서 듣기가 곤란했다. 비록 모차르트라 하지만 작곡을 그토록 집중해서 계속 써나갈 수는 없는 일이구나 하고 생각했다.

하지만, 그게 아니었다. 뒤에 알고보니 〈레퀴엠〉은 모차르트가 임종을 목전에 둔 상태에서 쓰다가 미완성으로 남겨졌고, 그의 제자 쥐스마이어가 완성을 시켰다는 사실을 알게 되었다. 전체 여덟 곡 중에서 제1곡과 제2곡의 '오페르토리움'까지의 노래 성부와 베이스 그리고 관현악 성부의 주요 음형만을 모차르트가 작곡해 놓았다는 것이었다. 나머지는 제자가 모차르트가 남긴 자료를 토대로 추론적 해석을 통해서 작곡해 나간 것이다.

여기서 결론적으로 우리가 알 수 있는 것은, 모차르트 자신이 "곡을 연속적으로 듣는 것이 아니고 하나의 전체로서 듣는다. 물론 나중에는 이를 순서적으로 생각하며 여러 가지 파트의 자세한 부분을 완성시켜" 나간다고 하였듯이, 그는 전체의 악상을 조각가나 시인이 작품의 전체를 비의식 상태에서 돌연히 떠올려 통찰해 낸다는 사실이다.

〈레퀴엠〉 제1곡의 비범함은 전체 악곡의 일부만을 우연히 그려낸 것이 아니라, 그가 통찰한 전체 악상의 일부가 표출된 것으로서 〈레퀴엠〉의 전 악상이 어떠한 성질의 것인가를 엿보게 하는 악절이라 할 것이다. 모차르트 역시 전체의 악상을 비의식의 통찰로써 전일적으로 떠올리고, 그러한 통찰의 결과를 토대로 하여 추론을 수행함으로써 세부적 멜로디와 화성의 전개를 구상하고 악기들의 음색을 부여해 나갔던 것이다.

4.2. 논리와 논리규칙

논리(Logos, 論理)는 일반적으로 사전적 의미에서, 이유 · 이성 · 진리 · 사상 · 법칙 · 이론 · 학문이라는 등의 뜻과 함께 개념 · 판단 · 사고라는 뜻을 지니고 있으며, 또한 추리의 원리, 사물의 이치나, 법칙의 성질 등의 의미를 갖고 있다. 이러한 논리의 일반적이고도 본질적인 속성을 한 마디로 요약하면 그것은 사물 또는 사물간의 이치를 파악하는 정신으로, 만물의 변화하는 속성을 고려할 때 '인과적 원리'나 '인과성'으로 함축할 수 있다.

한편, 그와 같은 일반적 의미 외에, 논리는 무엇보다도 논리규칙을 연구하는 논리학의 정신이기도 하다. 물론, 그러한 논리규칙과 논리학의 정신 역시 인과성에 바탕하고, 인과성을 본성으로 한다. 그러한 점에서 '논리'는 결국, 변화하는 우주 만물의 속성이자 원리로 인식되는 '인과성'에 대한 이해를 그 본성으로 한다고 말할 수 있다.

한편, 우리는 '원인'에 상응하여 '이유'라는 용어를 사용하기도 하는데, 물리적 사태에는 '원인'이라는 표현을 쓰나, 물리적 사태가 기호로 표현된 때는 '이유'라는 용어를 쓴다. 대체로 우리는 물리적 사태를 언어로 기호화하여 다루므로 이유라는 표현을 사용한다. 그러하듯, 원인과 이유는 '사태'와 '기호'에 대한 화용론적 사용의 차이일 뿐이다.

논리학은 일반적으로, 동일률 · 모순율 · 배중율 · 이유율을 사고의 근본원리이자 사고의 기초 조건의 공리로 삼는다. '동일률 · 모순율 · 배중율'은 아리스토텔레스가 세운 것이고, 충족이유율은 라이프니츠가 제시한 것이다. 동일률 등이 논리규칙이 지켜야 할 기초적 원리라면, 이유율은 논리규칙이 지시하는 대상의 관계들에 대한 인식에 요구되는 규준이다. 논자들은 이유율을 "원인 없는 것은 없다"라는 스콜라 철학자들의 말에서 기원을 찾는다.

그러나, 사고가 형식을 통해 의미를 구현한다는 점에서, 우리는 이유율이 사고의 수행과정에서 필연적으로 요구되는 문제임을 알 수 있다. 이유율은 대상을 지시하는 의미의 관계를 조형한다. 그러한바, 의미를 구현하는 동일화의 사고는 당연히 이유율에 기초한다고 할 것이다. 동일률 · 모순율 · 배중율과 논리규칙은 방법적 형식의 문제이고, 이유율과 대상들의 관계는 의미의 문제이다. 라이프니츠는 형식의 문제에 치우치는 논리학에 대해 의미의 문제를 다시 한 번 환기시킨 것이다.

논리규칙은 도식 형태의 기호체로서 의미에 상응하는 대상들과 아울러 그 관계를 나타낸다. 다시 말해 논리규칙은 존재의 관계를 나타낸다. 논리규칙을 의미와는 무관한 것 다시 말해 신호를 계산하는 알고리듬 같은 것으로만 생각하는 것은 형식논리가 올바르게 사용되지 않음에서 비롯한 인식이다. 논리규칙은 지시대상과 무관하게 사용되는 것이 아니다. 아리스토텔레스의 범주론은 기호 · 의미 · 지시대상의 관계를 온전히 상호 대응케 하기 위한 것이다. 라이프니츠가 충족이유율을 제기한 것은 의미를 함의하는 논리규칙과 지시대상의 대응성을 다시 한 번 확인하고 강조한 것이다.

칸트는 "선험적 논리학"에서 아리스토텔레스의 범주론을 보다 근원적 차원에서 정합적으로 수정했다. 그리고 순수 이성의 독단성을 비판하기 위한 전제의 하나로서 경험인식론을 기술했다. 쇼펜하우어는 칸트의 열두 가지 사고의 근본 형식인 범주 대신에 인과성만을 취하여, 자연과학을 설명하는 생성이유율, 인식론과 논리학의 인식이유율, 시·공간 인식과 수학의 기초 원리로서의 존재이유율, 도덕의 원리로서의 행위이유율을 제시함으로써 인식론과 존재론의 통합을 분명히 하고자 했다.

논리학의 제1공리인 동일률은 "있음은 있음이요, 없음은 없음"이라는 파르메니데스의 존재론적 인식론의 명제에서 도출되었다. 철학에서 사고와 존재는 하나이며, 사고는 또한 논리와 하나이다. 이러한 정신은 소피스트들의 궤변적 수사학을 경멸하여 논리학을 정초한 아리스토텔레스의 오르가논에서 구체화되었다. 그러나 중세의 스콜라철학을 거치면서 논리학은 다시 형식의 규칙으로 변질되고, 칸트는「선험적 논리학」을 통해 아리스토텔레스의 범주론을 수정하고 경험인식론을 제시하였다.

칸트는 존재와 사고, 사고와 논리규칙, 형식과 의미의 일치를 다시 한 번 강조한 것이다. 그러한 정신은 칸트의 오성과 이성을 개념적 자아 인식과 객관적 현실 인식의 존재론으로 전환 시킨 헤겔의『정신현상학』과『대논리학』으로 이어진다. 그리고 하이데거의『존재와 시간』,『논리학: 진리란 무엇인가?』라는 존재 규명의 문제로 이어진다.

논리는 존재의 본성과 개별자들의 관계를 규정하고 기술하는 논리학과 논리규칙의 근간을 이루는 정신이다. 그러한 논리의 본성은 '인과성'에 바탕한다. 흄은 인과성의 인식을 우리의 본능적 습관의 산물일 뿐이라고 생각했다. 하지만 우리의 본능적이고 습관적 인식은 현상학적 환원의 주의 부족에 기인하는 것으로, 인과성의 인식력 자체를 문제 삼을 것은 아니다. 인과성과 유사 동질성 여부 판단의 동일화 능력은 우리가 자연을 이해하고 자연과 교통할 수 있는 정신의 가교로서 자연이 우리에게 준 내밀한 선물이다.

우리는 논리가 논리학이나 논리규칙과 결부된 용어로서, 논리는 수학이나 과학에만 사용되며, 시 · 예술의 창조와는 무관하거나 수사법과는 상반된 사고의 원리로 생각하는 경우가 있다. 상상계의 석학 질베르 뒤랑(1921-)은 "수사법은 상상력과 이성의 매개자"로서 "전 논리 단계"이며, 논리와 수사법은 같은 성질의 것이 아니라고 한다. 아울러, 수사법은 "논리의 편협함을 넘어서는 보다 넓은 세계를 보여준다"고 생각한다.[4] 그런데, 수사학의 수사법 역시 본질적 측면에서는 논리에 바탕한다.

2005년에 발간된 박상륭 작가의 『소설법』에는 (박상륭 작가가 "좀 애매모호"하다는 단서를 달아두고 있지만) 예술이 "어떤 주제에 대한 '감성적 반응의 논리적 조직화'"라면, 철학은 "이성적 반응의 논리적 조직화"라는 내용이 있다. 서구 사상에서는 좀처럼 발견하기 어려운 이러한 견해를 박상륭 소설가가 스쳐지나가는 얘기지만 언급하고 있다는 것

4) Gilbert Durand. 『상상계의 인류학적 구조들』(진형준 역). 문학동네. 2007. p. 644.

은 놀라운 일이 아닐 수 없다.[5] 정리하면 '예술이나 철학은 모두 논리적 구성체'로 볼 수 있다는 말이다.

논리적 정신은 시 · 예술은 물론 수학이나 과학의 창조 작업 모두에 사용된다. 과학과 예술은 본질 면에서 모두 인과적 동일화를 추구하는 논리기관이며 그 동일화의 수단이 개념적이냐 이미지적이냐 하는 것이 다를 뿐이다. 시인과 예술가는 자연을 창조적 이미지로 재현하는 동질성의 동일화 사고를 수행한다.

그와 달리 과학자는 자연의 형상들을 제거함으로써 자연 작용의 원리를 탐색하는 동질성의 동일화 사고를 수행한다. 과학은 도식적 개념의 전개로서 현실의 배면에서 현상계를 움직이는 힘의 작용과 원리를 설명하는 반면, 시 · 예술은 이미지에 의한 유사 동질성의 기호를 사용함으로써 시공간을 초월한 자연 내면의 세계를 감각적으로 인식하게 한다.

수사학의 비유법은 원관념인 대상기호를 보조관념인 목표기호로 동일화하는 형식의 규칙이다. 다시 말해, 어떤 것을 다른 어떤 것으로 대신하는 방법이다. 칸트에 의하면 비유(상징)는 개념의 간접적 현시의 방법으로서, 개념을 대상에 적용하고, 그러한 규칙을 다른 대상에 적용하는 유비적 판단의 형식이다(KU 256).

---

5) 박상륭. 『소설법』. 현대문학사. 2005. p. 75: "'예술'을 두고, 일반적으론 '상상력.창의력'의 산물이라고 하나, 분명히 그런 것도 있겠으나, 어쩌면 그것은 보다 더 '미적 감각'의 눈뜨기의 산물일 것이며, 철학은 '사고력'의 결과일 것이다. 좀 애매모호하지만, 이렇게 말해도 그 의도는 짐작할 만하다면 말이지만, 전자는, 어떤 주제에 대한 '감성적感性的 반응의 논리적 조직화'라면, 후자는 '이성적理性的 반응의 논리적 조직화'라는 식일 것이다."

인과성에 바탕하지 않고서 비유와 논리 그리고 논리규칙은 성립하지 않는다. 수사법은 동질성의 동일화 사고형식이고 논리규칙은 동일성의 동일화 사고형식이다. 하지만, 분명한 것은 논리규칙이 논리에 바탕하는 것과 마찬가지로 수사법 역시 논리에 바탕한다는 사실이다. 그것은 논리규칙이나 수사법이 모두 '인과성'에 바탕하여 동일화를 수행하는 까닭이다. 아울러, 우리가 분명히 이해해야 하는 것은, 논리가 곧 논리규칙은 아니라는 사실이다. 논리는 우리가 수행하는 사고의 방향을 지시하는 원리인 반면, 논리규칙은 그러한 원리에 따라 생산된 절차적 방법론이다.

논리는 언급한바와 같이 인과성을 본성으로 하며, 논리규칙은 그러한 원리에 따라 정리해낸 논리학의 규칙이다. 그러한 논리규칙은 사고의 방법론이나 사고의 결과에 대한 표현의 규칙일 수는 있으나, 사고의 원리는 아니다. 사고의 작용 원리와 사고의 방법론은 별개의 것으로서 그 성격을 달리한다. 사고의 원리는 의미단위의 기호를 연결하여 동일화를 이루는 우리의 뇌신경계에서 이루어지는 정신작용의 원리이다. 다시 말해 사고가 이루어지는 우리의 정신세계의 작용 원리이다.

사고의 방법이나 규칙 등은 사고를 통해 유익한 결과를 얻기 위한 지식이다. 우리의 사고는 의미의 구현이 목적이다. 관련 분야의 유용한 정보(지식)를 많이 보유할수록 의미로운 사고가 이루어진다. 유용한 정보란 개념 · 규칙 · 이론체계 같은 것이다. 수사법이나 논리규칙 역시 이론적 규칙들이다. 이러한 규칙들을 활용함으로써 우리의 사고인 동일화 정신작용이 보다 유의미한 결과물을 얻는다. 논리규칙을 비롯한 사고의 방법론은 유의미한 결과물을 창출하기 위해 활용하는 규칙이다. 이러한 규칙들은 논리학, 기호학, 수사학, 문법학 등에서 연구된다.

언급했듯이 논리규칙은 사고의 방법론이자 사고의 결과를 정리하는 기호체계이다. 이러한 논리규칙을 잘 숙지한다고 하여서 사고를 잘 할 수 있는 것은 아니다. 물론, 담론분석 이론이나 창작물에 대한 구조 분석과 이론에 대한 체계의 분석 같은 기호학적 접근의 규칙에 대한 연구물은 시 · 예술 · 과학 등의 창조 작업에 일부 도움이 되는 것이 사실이다.

하지만, 그것은 이해된 규칙을 활용하는 일일 뿐, 사고의 원리를 활용하는 일은 아니다. 우리의 사고는 외현기호로서 이루어지는 것이 아니라, 비의식기호로써 이루어진다. 이러한 우리의 사고는 마치 홀로그램의 구현에 비유할 수 있다(비의식기호는 ⅳ, 2.2.2. 비의식기호" 편 참조 요망).

사고의 규칙들은 우리가 사고의 원리를 제대로 운용함으로써 효과적으로 활용될 수 있다. 그런 까닭에, 논리규칙이나 비유법 등의 방법론과 함께 사고의 본성 · 원리 등도 함께 이해할 필요가 있다. 물론, 사고의 본성과 원리를 모르는 시인이나 예술가, 학자들도 자연스럽게 사고의 원리에 따라 사고를 수행한다.

그러나, 다수의 창작 지망생이나 연구학도들이 효율적으로 사고를 수행하지 못한다는 사실을 확인할 수 있다. 그것은 특히, 상상력과 통찰력에 대한 미분화된 인식과 비의식 사고에 대한 이해의 결핍에 기인하는 바가 크다. 상상력은 사고를 의식에 드러내는 일이다. 유의미한 상상력을 발현키 위해선 유의미한 사고가 전제된다. 하지만, 유의미한 통찰은 비의식 상태에서 수행된다. 깊은 통찰이 훌륭한 상상력을 발현하게 하는 것이다.

사물이나 사태에 대한 원리적 이해나 탐구의 노력 없이, 머릿속에 백일몽 같은 표상 작용만을 떠올리는 것은 무용한 일이다. 그렇지 아니하고 무엇인가를 의식에 떠올리려고 애쓴다면 무의미한 상상만이 이어질 것이다. 깊은 통찰은 의식 상태가 아닌 비의식의 상태에서 수행된다. 사고의 본성과 작용의 원리에 관한 잘못된 이해는 효율적인 사고를 근본적 측면에서 저해할 수 있다.

4.3. 철학의 수단: 추론

논리학은 "사고작용을 'A는 B이다'라는 형식으로 표현"할 수 있고, 이것이 "판단의 일반 형식"[6]이라고 한다. 그와같이 논리학에서 판단은 'A=B'라는 형식으로 표현된다. 하지만 'A=B'는 단지 사고의 외면적 형식만을 제시할 뿐, 사고의 본질적 속성을 말하고 있지는 않다. 모든 판단은 '동일화'로서 전제적 판단들을 내포한다. 판단은 사고의 본성을 나타내는 원형적 형식이기도 하다. 그러한바, 이 책에서 판단은 A=B, B=C라는 전제를 내포한 'A=C'로 표현되며, 판단이라는 용어가 아닌 '동일화'라는 용어를 사용한다.

철학은 동일화 판단의 사고가 명료한 의식 상태에서 수행된다고 생각해왔다. 그런 철학은 사고를 추론과 결부시켰다. 극단적으로 말해, 서양의 철학사에서 통찰은 신탁을 내리는 무녀나, 신의 음성을 흉내내는 몽상적 시인들의 것으로나 생각했다. 그러한 철학의 전통에서 전

---

6) 류명걸, 같은 책, p. 65.

제 없는 결론의 사고는 수용되지 않는다.

근세 들어 피히테와 셸링 등에 이르러 전제 없는 판단의 '지성적 직관' 개념이 제시되었다. 그러나, 헤겔 역시 플라톤적 전통에 따라 의식적 이성주의를 확고히 견지하고 있음을 볼 수 있다. 이러한 사실은 『헤겔사전』 편찬자들의 기술에서도 찾아볼 수 있다. 자코타 유타카(座小田豊)가 제시하는 자료에 의하면, 헤겔에게 셸링의 '지성적 직관'은 "예술의 재주가 있는 사람이나 천재, 즉 마치 행운아만"이 가질 수 있는 것이며(『철학사』 20. 428), "필연성이 서술되어 있지 않은 것"이다(같은 책 20. 439 이하).

그런 헤겔에게 사고란 "매개의 활동과 증명을 행하는 외적 반성을 폭력적으로 배척하는" 지성적 직관이 아니라 "하나의 규정에서 다른 규정에로 진전해가는 매개의 운동"(『논리의 학』 5. 78)이다. 그리고, 우에무라 요시로(上村芳郎)는 "추론[推論(推理), Schluβ] 편에서, 헤겔에 관하여 "추리는 관념론의 원리"이고(예나 대학 취임 제출 『취직 테제』), "모든 이성적인 것은 추리"라고 한다.(『논리의 학』 6. 352)[7]

데카르트에게 사고는 명료히 깨어 있는 의식 상태에서 수행되는 것이었다. 그것은 칸트 역시 마찬가지이다. 칸트는 사고의 유형으로서, 사물을 지각하는 범주 능력의 오성, 판단력, 그리고 추론 능력의 이성을 제시했다. 최상위의 사고능력인 이성의 활동을 추론으로 이해하는 칸트의 사고이론에는 '비의식' 개념이 자리하고 있지 않다. 사고에 관한 이러한 의식과 추론 중심의 인식은 독일의 헬름홀츠, 프랑스의 수

7) 가토 히시타케 외. 『헤겔사전』(이신철 역). b. 2009. "지적 직관" 및 "추론" 편 참조.

학자 푸앵 카레 그리고, 찰스 퍼스 · 윌리엄스 · 베르그송 같은 몇몇 예외적 철학자들을 제외하고, 암묵적 전통으로 이어져 오고 있다.

칸트는, "판단력은 명백히 하나의 특이한 재능에 속하는 것이어서, 그것은 가르쳐지지 않고 실지로 연마될 뿐으로, 판단력은 소위 천부적 기지(機智)의 특수한 것인바, 어떠한 학교 교육도 판단력의 부족은 메울 수가 없다."고 하였다(B 172). 그런데, 칸트가 말한 판단력은 다름 아닌 '동일화'에 관한 통찰력이다. 우리는 인과성에 대한 전일적 통찰을 비의식 상태에서 수행한다. 그리고, 통찰의 내용을 다시금 추론으로써 논리규칙의 질서에 따라 수행하여 인식한다. 이와 같이 비의식으로 우리의 사고가 수행되는 까닭에 칸트는 판단력을 "천부적 기지의 특수한 것"으로 생각했다.

4.4. 동일화와 논리

[상징학]은 창조의 원리에 관한 학문이다. 이와 달리 논리학은 '추론'과 관련해서 탐구되는 절차적 규칙에 관한 학문이다. 통찰은 창조적인 사고이고 추론은 창조된 내용이나 결과적 현상에 대한 이해를 하는 사고이다. 창조는 원인이나 이유를 전제하고 결론을 구하지 않는다. 창조를 수행하는 통찰 사고는 언제나 비의식 상태에서 수행되고 의식 상태에서 결론을 제시한다. 그리고 통찰과정에서 수행된 판단 과정들은 추론에 의해서 확인된다.

논리학은 논리규칙을 연구하는 학문이다. 논리규칙은 언제나 전제에서 결론의 순으로 표현된다. 논리학에서 전제 없는 결론은 허용되지 않는다. 하지만, 실재 우리들 사고의 수행에서는 상황이 다르다. 실재의 사고 수행과정과 외현기호로써의 표현에서 논리의 전개는 전제와 결론의 순서가 다르다. 전자는 결론 → 전제의 순이고, 후자는 전제 → 결론의 순서이다.

일반적으로 사람들은 논리를 논리학이나 논리규칙과 연계하여 생각하는 까닭에, 결과만 제시되는 통찰 사고에 대해 '논리적'이라는 표현이나 '논리'라는 표현을 사용하지 않는다. 반면에 추론에 대해서는 '논리'나 '논리적 사고'라는 표현을 사용한다. 하지만, 이것은 사고의 원리와 논리의 본성을 고려하지 않은 것이다.

동일화와 논리는 모두 인과성에 기초한다. 하지만 그럼에도 불구하고 논리와 동일화는 두 가지 측면에서 차별화 된다. 하나는, 논리가 우리의 사고와 관련된 용어인 것과 달리 동일화는 우리의 사고만이 아니라 생물이나 무기물에도 사용되는 보다 보편적 원리이다. 다른 하나는, 논리의 경우 전제에서 결론으로 이행하나, 동일화는 양방향의 전개가 가능하다. 우리는 통찰로써 먼저 결론을 얻고, 추론으로써 전제들을 확인한다. 아울러, 추론을 통해 우리는 전제에서 결론의 순으로 통찰의 내용과 결론을 현시한다.

우리의 사고는 인과적 원리에 기초함에도 사고의 수행 과정에서는 인과적 과정의 이유들이 의식되지 않는다. 우리의 사고는 인과적 과정에 해당하는 전제적 판단 과정들을 '논리규칙'에서와 같은 순차적 질서에 따라 구성하지 않는다. 우리의 동일화 정신작용의 사고는 뉴런계의 전기 · 화학적인 신호작용에 의한 비의식기호로써 전일적인 방식으로 구현된다. 이것은 논리학에서 요구하는 '전제에서 결론으로'라는 규칙을 초월한다. 이러한 정신작용으로서의 '동일화'는 사고의 본성과 원리를 연구하는 [상징학]의 중심 원리이다. '동일화'는 논리를 아

우르는 보다 보편적 개념으로, 판단과 사고의 원형이자 사고의 제1원
리이다.

5. 동일화의 형식과 사고

창조에 있어서 중요한 건 형식에 대한 앎이 아니라 형식을 생성하고 활용하는 '통찰'이다. 형식의 규칙이 판단을 도울 수는 있지만 판단력을 대신하지는 않는다. 뛰어난 시인들이 수사학의 규칙을 모르기도 하고, 수사학자들이 모두 시를 잘 쓰는 것도 아니다. 비유법의 '이해'와 '사용'은 각기 다른 사고 기능을 요한다. 전자의 이해는 '추론' 사고에 의하며 후자는 '통찰' 사고에 의한다.

본질에서 규칙은 통찰의 결과와 내용을 풀어내기 위해 사용하는 도구이자 수단이다. 규칙은 통찰을 수행하는 원리가 아니다. 통찰의 결과를 설명하는데 사용되는 도구이다. 그러한 까닭에, 비유의 규칙이나 수학의 공식 · 문법 등의 규칙을 아무리 알고 있어도 그것이 통찰의 수행에 직접 도움이 되지는 않는다.

수학 공식을 아무리 많이 기억하고 있고, 낱말들과 문법을 아무리 잘 알고 있어도 그것은 문제의 해결이나 수사적 언변의 수행과는 또 다른 문제이다. 아울러, 추론적 설명과 통찰의 원리 또한 다르다. 통찰은 비의식의 몰입 상태에서 광범한 대상을 검토하는 사고이고, 추론은 주어진 방법론에 따라 한정된 대상을 검토하는 사고이다.

추론 역시 비의식의 상태에서 이루어지나 상대적으로 통찰만큼 몰입을 요하지 않는다. 추론은 주어진 규칙을 따라서 사고해야 하는 까닭에 의식의 상태로 자주 돌아와야 하는 때문이다. 창조를 수행하는 통찰 사고와 그러한 창조의 내용을 설명하는 추론 사고의 다른 점은 그것이다.

누구라도 시를 쓰는 과정에서 구체적인 비유법을 먼저 찾아내어 정하고 그 비유법에 속한 시어를 찾으려고 하지는 않는다. 오히려 그 반대이다. 규칙에 대한 의식 상태에서의 상기나 확인은 오히려 동일화의 통찰을 방해한다. 우리의 동일화 정신작용은 시편 전체의 상황과 문맥에 적합한 비유어들을 비의식 상태에서 변화무쌍하게 찾아낸다. 실제의 창작 현장에서 필요한 것은 수사학의 형식과 그 사전이 아니라 비의식의 통찰 능력이다.

논리법칙과 문채에 관한 규칙들이 수사적 논변을 잘 끌어낸다고 생각할지 모르나, 논리를 운용하는 논증이나 문채의 생성은 우리의 비의식의 사고에 의한다. 수사학과 시학의 규칙은 창작된 텍스트에 관한 사후추론적 상관물의 이론일 뿐, 텍스트를 창작하는 원리론이 아니다. 논증이나 문채의 생성은 동질성의 동일화 통찰을 요구한다. 규칙과 능변에 대해 키케로 역시 이렇게 말하고 있다.

> 모든 규칙들은 웅변가가 그것들을 준수하기만 하면 달변이라는 명성을 얻게 될 정도의 큰 영향력을 갖는 게 아니라, 말 잘하는 웅변가가 스스로 이룩해 낸 것이 몇몇 사람들에 의해 관찰되어 어떻게든 정돈된 것임이 분명하다. 따라서 능변이 기술에서 나온 것이 아니라 기술이 능변에서 나온 것이다(『웅변가에 대하여』, 1.32.146).

달변은 규칙의 습득에 의한 것이 아니라, 그 과정에서의 사례를 통해 연마하는 통찰의 훈련으로 비롯하는 것이다. 시학과 창작의 관계 역시 마찬가지이다. 수사학적 형식론의 지식이 수사적 사고를 유도하는 것이 아니다. 수사법의 지식은 시인이 찾아낸 비유를 사후적으로 분류한 것일 뿐이다. 수사적 통찰은 수사법을 이해하는 과정에서의 통찰 훈련으로 함양된다. 하지만, 수사적 통찰은 그러한 이해과정에서 보다도 통찰의 원리에 따라 직접 통찰을 수행함으로써 효과적으로 함양된다. 본질적으로, 수사적 지식의 획득과 수사적 사고의 수행은 별개의 문제이다.

한편, 수사법의 분류 또한 정합적이지 않음은 오래 전부터 지적되어온 일이다. 고대의 퀸틸리아누스로부터 현대의 수사학에 이르는 수사법의 난맥상과 문제성을 김욱동(1948-)은 『수사학이란 무엇인가』에서 소상히 정리하고 있다: 일상의 표준어법에서 벗어나는 일을 수사법으로 볼 때, 그 수는 헤아릴 수 없이 많다. 서양의 한 이론가는 100여 가지를 꼽는가 하면 다른 이론가는 200여 가지를 꼽는다. 그런가 하면 300여 가지로 보는 학자도 있다.

수사학이 처음 뿌리를 내린 옛 그리스 시대부터 현대에 이르기까지

적지 않은 학자들이 수사학을 분류해 왔지만 어느 것 하나 만족스럽지 않다. 일찍이 로마 시대 웅변가 퀸틸리아누스는 수사법을 '4대 변화 범주'의 관점에서 분류했다. 첨가 · 삭제 · 교환 · 대체를 통한 언어 조작 과정이다.

그에 따르면 모든 수사법은 이 네 범주 가운데 어느 하나에 속한다. 가음법을 비롯한 축어 · 삽입 · 열거 · 대조 · 직유법 등은 '첨가'이고, 압축 · 생략 · 실어법 등은 '삭제'이다. 도치 · 교환법 등은 '교환'이며, 제유 · 환유 · 은유 · 반어법 등은 '대치'에 속한다. 그러나 이 범주는 마치 망이 성긴 그물과 같아서 이 범주의 망 사이로 빠져나가는 수사법이 적지 않다.

언어학에 관심 있는 이론가들은 문법 범주에 따라 수사법을 구분하기도 한다. 음성 단위, 형태 단위에 따른 수사법, 통사 단위, 의미 단위, 화용론적 단위 등으로 나누는 것이 그것이다. 하지만 이 분류도 퀸틸리아누스의 그것처럼 문제가 있기는 마찬가지이다. 특히 하나 이상의 갈래에 속하는 유형이 적지 않다. 이 점을 보완하기 위해 H. F. 플렛은 퀸틸리아누스의 네 범주에 음운 · 형태 · 통사 · 의미 · 화용론의 언어 층위를 첨가하기도 하지만 여전히 만족스럽지 않다.

근래에 올리비에 르볼은 이와는 조금 다른 관점에서 수사법을 분류한다. 낱말 · 의미 · 구분 · 사고의 비유법이다. 그에 따르면 언어의 음성적 재료에 의존하는 단어의 비유법에는 두운 · 각운 · 동음이의어 · 어원법 등이 속한다. 전의에 무게를 싣는 의미의 비유법에는 남유 · 환유 · 제유 · 환칭 · 은유 · 직유 · 과장 · 완서 · 모순법 등이 속한다. 도치를 중시하는 구문의 비유법에는 생략 · 반복 · 대구 · 파격구문 · 점층법 등이 있다. 그리고 사고의 비유법에는 반어법을 비롯하여 활사 ·

우의 · 돈호 · 활유 · 예변 · 환어법 등이 속한다.

그러나 르볼의 분류 방법도 혼란스럽기는 마찬가지이다. 무엇보다도 낱말의 비유법과 의미의 비유법을 서로 구분하기란 무척 어렵다. 또한 그가 말하는 사고의 비유법이라는 것도 그렇게 적절하지 않다. 모든 비유법은 하나같이 사고의 비유법이라고 할 수 있기 때문이다. 가령 그가 사고의 비유법의 예로 들고 있는 반어법은 의미의 비유법에 속한다.[1] 이러한 부정합 현상은 은유나 환 · 제유, 알레고리와 상징의 관계 역시 마찬가지이다.

아리스토텔레스의 경우는 수사법을 '은유'라는 이름으로 네 가지로만 구별했다. 『시학』에서 아리스토텔레스는 "은유란 유에서 종으로, 혹은 종에서 유로, 혹은 종에서 종으로, 혹은 유추에 의하여 어떤 사물에다 다른 사물에 속하는 이름을 전용하는 것"이라고 하였다(1457b). 그리고 "유추에 의한 전용은 A에 대한 B의 관계가 C에 대한 D의 관계와 같을 때 가능하다."며 "유추 관계를 가지고 있는 것들 중에는 특별한 명칭이 없는 것들도 있지만 이 경우에도 똑 같은 방법으로 은유적 표현은 가능할 것"이라고 하였다.

그리고, 현대의 신비평가의 경우 클리언스 브룩스는 상징을 원관념이 생략된 은유라고 하여 상징을 은유의 하나로 이해함을 보여준다. 휠러는 수사법과 보편적 의미에서의 상징들을 통합하여 자연적 상징, 관습적 상징, 개인적 상징으로 분류한다. 휠라이트 역시 그러한 관점에서 협의상징(steno-symbol: 관습적 상징)과 장력상징(tensive symbol: 개

---

1) 김욱동. 『수사학이란 무엇인가』. 민음사. 2002. pp. 46-48.

인이 만들어 낸, 애매한 의미의 상징)으로 나누며, 둠베르(H. F. Dumber)는 이원적 속성이 약화되어 거의 기호화 된 상징(arbitrary symbol), 어느 정도의 유추가 필요한 상징(descriptive symbol), 심한 논리의 비약이 요하는 유추의 상징(insight symbol)으로 나누고 있다.

신비평가들의 상징론에 영향을 끼친 카시러는, 상징을 기능의 관점에서 살피면서 표현적이면 신화, 직관적이면 예술과 언어, 순수 의미작용적이면 수학과 과학의 형식을 이룬다고 하였다. 그러한 카시러는 상징을 단순한 수사학적 분야의 형식 이전에 관계적 사고를 형성하는 '정신 기능'임을 인식했고, 나아가 그 기능이 수행하는 과학 · 언어 · 신화 · 예술 등의 제 문화 형식을 아우르는 보편적 기능으로서의 상징의 성질을 밝혔다.

필자는 앞서 언급이 있었듯, 상징의 본성인 동일화의 형식을 동일성의 동일화와 유비적 관점에 바탕한 동질성의 동일화로 구별한다. 그리고, 시 · 예술 작법의 경우 동질성의 동일화는 먼 비유와 가까운 비유로 대별한다. 먼 비유는 이상이나 필자를 비롯하여, 2000년대 들어 우리시단에 주류적 수사학으로 자리 잡은, 사고를 자극하는 난해시의 작법에 주로 사용된다. 가까운 비유는 서정시나 리얼리즘 시편처럼 즉각적 감흥을 불러일으키는 작시법에 사용된다. 필자가 수사법을 이와 같이 간단히 두 가지로만 분류하는 것은, 사후추론적으로 정리한 모든 수사학의 형식들이 실제 창작의 현장에선 직접적인 도움이 되지 않기 때문이다.

이러한 문제에 대해 크로체는 "표현의 양태나 단계에 대한 모든 범주화는 철학적으로 무가치한 것으로서 이들을 엄밀한 정의로까지 발전시키려는 모든 시도는 헛되거나 어리석은 일"로 비판한다. 크로체는 그와 같은 분류들에 대해 "예술과 미학에 대해서가 아니라 학문과 논리학에 봉사하기 위해 사용된 것"이며 "학문이나 철학적 비평과 관련된 토론에서나 가치가 있을 뿐, 문학과 예술 비평에서는 아무 가치가 없다"고 잘라 말한다.

분류에 치중하는 수사법은 차라리 '사고 기능의 연마'에 관한 학문에 가깝다. 그것은 '논리학'에서 논리규칙을 익힘으로써 사고기능을 연마하게 되는 것과 마찬가지의 일이다. 그런데 이와 같은 수사학적 분류의 최소한의 의미마저도 크로체는 부정한다. "솔직히 말해 우리는 어떻게 오류나 혼란이 논리적 분별력을 키워 줄 수 있는지 이해하기 힘들며", "그러한 오류나 혼란으로부터 도움을 받을 수 있다는 것도 무슨 이야기인지 알 수가 없다"고 비판한다.[2)]

크로체는 범주론적 교육이 아마도 기억과 학습에 편리하다는 뜻인 것 같다고 말한다. 하지만, 객관적 준거에 바탕하지 않은, 수사학자의 자의적 관점이 지배하는 범주론은 결코 기억이나 학습에 편리한 차례나 목록이 될 수가 없다. 비공리적인 우연성이 지배하는 분류법은 논리적 사고로 접근하면 할수록 오히려 더욱 더 부조리에 봉착함을 우리는 알 수 있다.

사실, 오늘날 시학과 수사학적 담론은 시 · 예술의 창작과 감상을 돕기 보단, 지식 생산자 자신들을 위한 담론을 생산하고 있는 것으로 보인다. 기호학이나 텍스트 구조의 분석에 대한 진술은 시 · 예술이나

---

2) Benedeto Croce. 『크로체의 미학』(이해완 역). 예전사. 1994. p. 133 이하.

학문 창조의 원리와는 본질적 측면에서 무관하다. 텍스트에 대한 해석과 비평 역시 창조적 사고작용에 대한 원리의 이해 위에서 펼쳐져야 한다. 그래야 좋은 작품을 보는 안목과 미학적 평가가 가능하다. 그렇지 않으면 감상과는 무관하게 특정 이론에 시와 예술이 희생될 수 있다.

오늘날 시학과 수사학은 물활론적, 신화적 이미지를 일깨우는 작업이 필요하다. 시인과 예술가가 부득이하게 취할 수밖에 없었던 기호화 작업으로부터 야생의 사물과 이미지를 부활시켜내는 일이 요구된다. 하지만 오늘날 수사학적 담론과 비평은 시 · 예술의 텍스트와 사물을 또 다른 규칙들로 구속함으로써 우리를 자연과 신화의 세계로부터 보다 멀리 격리시키고 있다.

창조는 통찰에 의하며 이해는 추론에 의한다. 추론은 스스로 규칙을 창조하기 보단 이해나 설명을 위해 주어진 규칙 아래 수행되는 사고이다. 그와 달리 통찰은 주어진 규칙을 초월하여 스스로 새로운 규칙을 찾는 사고이다. 추론은 의식(인지)이 개입되며, 통찰은 의식이 배제된다. 학술, 예술, 사회 등 삶의 현장에서 우리에게 요구되는 것은 통찰에 의한 창조이다.

창조는 그러한 규칙과 지식의 축적으로 이루어지는 것이 아니다. 창조력은 지식의 습득과 함께 통찰 사고의 훈련으로 고양된다. 엄밀히 말해, 통찰 사고의 훈련 없는 지식의 축적은 문법구조를 결한 어휘의 집적이나 다름없다. 지금 우리사회와 교육현장에선 이러한 기본적이고도 본질적인 사실들이 외면되고 있다. 오늘날 과밀도의 집중된 도시화와 그로 인한 치열한 생존경쟁 구조의 사회에선 느긋한 원리적 통찰 사고보다 일회적 상황판단에 치중하는 추론사고에 기울기 쉽다.

암기된 도식과 지식의 기호들은 동일화의 창조성을 생성하지 않는다. '지식'은 '고정된 개념'이 아닌 유동적 '동일화의 정보체계'로서, 단순한 기억물이 아닌, 통일적이고도 유기적 관계망을 이루는 정보의 생명체들이다. 통찰은 인과적 맥락의 동일화에 의한 활성기호의 축적이 전제된다. 통찰은 원리의 체화와 활성기호에 바탕한다. 자유로운 가능성의 지식은 끊임없는 동일화의 사고작용으로 가능하다.

6. 동일화의 의미

탄생 이전의 우주는 무한히 수축되어 그 부피가 '0'으로 수렴된다. 빅뱅 후 10^{-43}초부터 10^{-28}초에 우주는 급팽창한다. 이때 우주의 지름은 10cm 정도라고 한다. 70만년 후 전자는 원자핵에 이끌려 수소원자와 헬륨원자가 생성되고 우주는 팽창한다. 그리고 수소원자들이 항성을 형성하며 95억년 뒤 우리의 태양계가 나타난다.

원자는 원자핵을 이루는 양성자와 중성자 그리고 원자핵의 주위를 도는 전자의 셋으로 이루어지며 전자는 다시 3개의 쿼크로 이루어진다. 그러한 쿼크들이 전자와 원자, 분자를 이루고 우리의 몸을 형성한다. 그러나 우리의 우주는 다시 수축을 시작하여 시공간을 벗어난다.

선각자들은, 동일성이 차이를, 보편이 특수한 질서를 아우름을 우리가 잊지 않도록 기록해 왔다. 화엄경은, 인드라의 하늘에는 하나만 봐도 전체 보석의 영상이 모두 보이는 진주 그물이 있으니, 그 어느 하나도 독립적으로 존재하는 것이 아니라 다른 모든 것들과 연관되어 있으며, 그 하나가 곧 다른 모든 것임을 뜻한다고 전한다.

오늘날 상대성이론과 핵물리학 기술의 일상화 속에서 살고 있는 우리들 역시 세계는 전일체의 하나라는 동일성의 믿음 속에 살고 있다. 데이비드 폰테너는 그러한 전일적 세계관을 우주적 생태계의 현상으로 보여준다.

> 현대물리학은 더 이상 우주를 별개의 물질들로 이루어진 군집체라고 생각하지 않는다. 창조는 서로 연결된 에너지 형태의 망으로 보이는데, 어느 정도 이것은 옛 사람들의 세계관과 비슷한 것이다. (…) 태양풍과 우리의 태양계 안에 있는 여러 행성들의 자장은 미묘한 그러나 아직은 충분히 이해할 수 없는 방식으로 다양하게 서로 영향을 미치는 것으로 보인다. (…) 하늘이 인간 삶의 방향에 대해 그 어떤 영향을 미친다는 것을 해명할 아무런 과학적 메커니즘도 없다는 주장은 그 설득력이 줄어들고 있다. 물고기, 새, 그리고 다른 생명-형태들이 지구의 자장으로 항행할 수 있다는 사실이, 살아 있는 유기체들의 신경체계는 전자기적 영향에 극도로 민감할 수 있음을 보여준다는 점에서 특히나 그러하다.[1)]

---

1) David Fontana. 『상징의 비밀』(최승자 역). 문학동네. 1998. pp. 160-61.

입자와 파동의 이중성을 상보적으로 인식한 닐스 보어는 그 영감을 주역의 태극에서 얻었다. 태극은 만물 생성 · 전개의 근원인 음양의 생성처로서 일원적 우주관을 보여준다. 그러한 일자로서의 세계관은 이미 노자에 나타나 있었다.

> 道가 하나의 근원이 되어 그 하나가 음양의 둘로 갈라지고 이 두 기운이 충기(沖氣)에 의해 화합하여 마침내 만물이 생겨난다. 만물은 모두 음을 업고 양을 안으며, 충기라는 매개자가 끼어들어 그것을 조화시키기 마련이다. 천하의 모든 것은 유에서 생기고 유는 무에서 생긴다.(道生一, 一生二, 二生三, 三生 萬物, 萬物負陰而抱陽, 沖氣以爲和, 天下之物生於有, 有生於無)[2]

4,500여 년 전의 것으로 추정하는 헤르메스의 이름이 차용된 에머랄드 비문에는 "이것은 추호도 거짓 없는 확실하고 가장 진실한 이야기이다. 아래에 있는 것은 위에 있는 것과 같고, 위에 있는 것은 아래에 있는 것과 같다. 모든 것은 이 '하나인 것'의 반영이며, 또한 모든 것은 이 '하나인 것'의 변화와 적용으로써 생성된다"는 내용이 페니키아 문자로 양각되었다는 얘기가 있다. 그런데, 지금으로부터 무려 1만여 년 전의 것으로 추정하는 우리의 「천부경」역시 동일성의 문제에 관하여 특유의 3분법으로 기록하고 있다.

---

2) 노자. 『도덕경』. 제5편(이원섭 역). 대양서적. 1984. pp. 50-51.

一始無始一

析三極無盡本

天一一地一二人一三

一積十鉅無匱從三

…

一妙衍萬往萬來用變不動本

…

一終無終一

하나에서 시작하나 시작이 없는 하나이다.

3개의 극으로 나뉘나 그 근본은 다하지 않으니

첫째는 하늘, 둘째는 땅, 셋째로 사람이다.

만상은 끊임없는 3체계로 나타난다.

…

끊임없는 운동으로 모습이 바뀌지만 본성은 변함이 없다.

…

하나에서 끝나지만 그것은 끝남 없는 하나이다.

-「天符經」 부분

천부경은, "우주는 다함없는 하나로서 끊임없이, 생성 · 소멸하지만 근본은 변함이 없으며 사람과 땅 하늘은 하나다"라는 말로 요약할 수 있다. 2,500여 년 전 엘레아의 파르메니데스가 존재는 분리되지 않는 하나라는 사상을 설한 이래 동일성과 차이는 서구 철학의 중심 주제였다. 하지만 천부경은 무려 1만여 년 전에 이미, "하늘과 땅, 사람은 하나이며 변화하는 우주는 변함없는 하나"라고 기록하고 있다.

칸트는 서구의 고대 철학사상에서 전해 내려오는 "하나는 참되고 선하다"는 사상을 그의 인식론의 전제적 배경으로 삼고 있다. 하나 · 참 · 선은 사물 일반의 모든 '인식'을 위한 (일반)논리적인 요구요 기준임에 틀림이 없다(B 113). 통각의 원칙은 전 인간 인식의 최고의 원칙(B 135)이라고 말한다.

아울러 "비약이 없다함은 질적으로 모든 변화가 연속적임을, 간격이 없다함은 양적으로 빈 공간이 없음을 말한다. 연속성의 원리는 변화하는 현상들의 모든 비약을 금한다. 즉 '세계는 비약이 없다.' 연속성의 원리는 공간상의 모든 경험 직관에 있어서, 두 현상 사이에 빈틈 다시 말해 쪼갤 곳을 일체 금했다"(B 281)고 말한다.

한편, 헤겔은 정신과 자연의 통일에 관하여, 제 형식이 저마다 서로 고정되고 분열되어 유기적으로 집약되지 못 할 경우 구체적 통일을 이루는 살아 있는 정신을 결코 담아내지 못한다고 한다.[3] 아울러 "모순은 오히려 제 계기의 통일을 의미한다."[4]며 이질적 동일화의 통일과 '모순적 통일'을 언급했다.

운동은 동질성과 이질성의 통일적 동일화로 요약되는 자연의 속성을 동시에 보여주는 실체적 현상이다. 변화하는 다양한 현상들은 사실은 보이지 않는 본질에서 분리되지 않는 하나이다. 대부분의 학문은 그들 연구자들의 의사를 떠나 하나로서의 세계에 관한 기호학적 사유를 구축해왔다. 그와 같은 형식에 관한 사유의 주제는 다름 아닌 동일

---

3) G. W. F. Hegel. 『대논리학』 I (임석진 역). 지학사. 1983. p. 34.
4) 같은 책. p. 108.

성과 차이에 관한 통일적 '동일화'의 인식과 이해라 할 수 있다.

배타원리의 발견으로 1945년 노벨 물리학상을 수상한 볼프강 파울리와 함께 칼 융은 1952년에 『자연의 해석과 정신』을 출간했다. 칼 융은 이 책의 「동시성: 비인과적 연결 원리」에서 '둘 혹은 그 이상의 사건들 사이의 의미상의 일치'에 관해 1) 마음과 사건이 일치하는 경우, 2) 마음과 사건의 일치가 (대체로) 동일한 시간에 다른 곳에서 일어나는 경우, 3) 사건이 미래에 일어나는 경우로 나누고 있다. 융은 제1의 유형을 동시성(synchronisity), 제2, 제3의 유형을 동시성적(synchronistisch)이라고 한다.

융의 동시성이론은 마음과 외부 세계와의 일치에 관한 것이다. 그런데, 전일적 세계관을 보여주는 양자의 세계 역시 동시성적 현상을 보여준다. 영국의 스털링대학에선 둘로 쪼개어진 광자가 먼 곳에서도 하나인 듯 서로 동일한 작용성의 움직임을 보인다는 실험결과가 있었다. 또한 데이비드 봄은 양자들의 전일적 동일화의 '비국소적' 성질을 초양자장이론으로 보여주고 있다.

한편, 하이젠베르크(Werner K. Heijenberg, 1901-1976)의 불확정성 원리에 불만을 가진 아인쉬타인은 1935년에 포돌스키(Boris Podolsky), 로젠(Nathan Rosen)과 함께 「물리적 실재에 관한 양자역학적 기술은 완전한가?」라는 제목의 소위 'EPR 사고실험'을 발표했다. 이 실험은 거시물리계에서 통용되는 뉴톤의 제 3법칙인 '작용과 반작용'에 바탕하여, 불확정성원리가 불완전한 이론임을 논박한다.

불확정성원리는 고전물리학의 결정론이 적용되지 않는 양자계의 속성으로 인해, 양자의 위치와 운동량을 동시에 정확히 측정해낼 수 없다는 것이다. 그런데, 아인쉬타인은 작용과 반작용의 원리를 적용하여, 두 개의 입자로 구성된 물질을 서로 반대 방향으로 분열시켰을 때, 제1입자는 위치를 측정하고 제2입자는 운동량을 측정할 경우 서로 반대편으로 날아가는 제1, 2입자에 영향을 미치지 않고서도 한 입자의 운동량과 위치를 정확히 측정해낼 수 있다는 주장을 하였다. 이것은 종국적으로 불확정성원리가 불완전한 이론임을 나타내 보여준다는 것이다.

그런데, 불확정성원리의 지지자인 닐스 보어(Niels H. D. Bohr, 1885-1962)[5)]는 두 개의 입자가 공간적으로는 서로 떨어져 있지만 사실은 분리될 수 없는 하나로서 관찰 입자가 비관찰 입자에게도 영향을 미친다며 EPR 사고실험을 부인하였다. 하지만 아인슈타인은 이를 '유령 같은 원격작용'이라며 비웃는다.

그러나, 'EPR 사고실험'은 어디까지나 사고(思考) 실험으로서, 1965년에 존 벨(John Bell)은 불확정성을 갖는 양자역학이 옳다면 결코 충족시킬 수 없는 실험을 하였다. 벨은 다양한 스핀 측정값의 조합 가능성 사이에 어떤 수학적 관계가 있음을 보여주었다. 그것은 수학적 부등식의 유도로 나타내어져 아인슈타인이 옳다면 벨의 부등식은 실제 실험 결과를 만족시키지만, 보어가 옳다면 그 부등식은 깨어질 것이었다.

그런데, 결과는 보어의 입장을 지지하는 쪽으로 나타났다. 그리고,

---

5) 보어는 원자구조와 원자로부터의 내비침에 대한 연구로 1922년 노벨물리학상을 수상했는데, 보어의 원자론은 1945년 파울리가 노벨상을 수상하게 될 배타원리 출현에 결정적인 역할을 했다.

1981년에는 프랑스 파리대학 오르세이 응용이론 광학 연구소의 알랭 아스페(Alain Aspect)가 장 달리바르, 제라르 로저와 함께 광자 실험을 하였다. 그들은 레이저로 칼슘원자를 잘라 쌍둥이 원자를 만들어 각각의 광자가 파이프를 통해 서로 반대 방향의 특수한 필터를 통과토록 하였다. 이 실험 결과 역시 벨의 부등식(John Bell's inequality)을 만족시키지 못하여 결과적으로 보어의 견해를 강화시켜 주었다. 그리고, 이것은 양자역학에서 불확정성 원리가 본질적인 것임을 다시 한번 말해주는 것으로 보였다.

그런데, 아스페의 실험 이후 영국 북부의 스털링 대학의 덩컨과 클라인포펜의 실험에서 더욱 놀라운 결과가 나타났다. 둘로 나뉜 입자가 그 자신의 짝이 되는 입자의 편광각과 자신의 편광각을 일치시킨다는 사실이었다. 그뿐 아니라 하나의 입자가 편광기를 통과하면 다른 하나의 입자도 반드시 자신 앞에 설치된 편광기를 통과했다. 하지만, 만일 하나가 통과하지 못할 경우에는 다른 하나의 입자 역시 편광기를 통과하지 않았다. 아인슈타인이 '유령 같은 원격 작용'이라며 비웃었던 일들이 현실로서 나타난 것이었다. 도대체 어떻게 이런 일이 일어날 수 있는 것일까.

이것은 아인슈타인의 특수상대성 이론에서 불가능하다고 여겨진 초광속의 교신이 있었거나, 아니면 두 광자가 상호 연결되어 있어 비국소적임을 의미한다. 그런데, 대부분의 물리학자들은 초광속 현상을 가정하기보다 비국소성을 인정했다. 그런데, 공간적으로 단절된 두 입자가 마치 약속이나 한 듯 똑 같은 현상을 동시에 나타내는 것은 그 이유가 초광속 작용이든, 비국소적 작용이든 고전적 인과율을 벗어난, 시공간 초월의 동시성적 현상이라 할 것이다.

한편, 1950년대에 데이비드 봄(David J. Bohm, 1917-1992)은 배질 힐리와 함께 '양자 퍼텐셜'이라는 이론으로, 비국소성을 받아들이면서도 아인슈타인의 국소성과 인과성(因果性)을 유지하려는 해석을 시도했다. 양자 퍼텐셜은 입자의 주변 환경에 대한 정보의 형태로서 나타나는 전일적 구조에 바탕한 것으로서, 개개의 입자에 전체성이라는 차원의 성질을 제공한다. 즉 분리되어 보이는 조그만 부분일지라도 전체의 상태를 반영하는 방식으로 입자들은 작용한다는 것이다.

☞ 데이비드 봄은 코펜하겐 학파의 불확정성 원리를 반대하면서 숨은변수이론을 연구하였다. 봄은 아인슈타인의 공식(E=mc²물질 ↔ 에너지), 플랑크의 공식(E=*h*f에너지 ↔ 양자×파동), 드브로이의 공식(*h*/mv물질 ↔ 파동) 등을 종합함으로써 물질은 원자로, 원자는 소립자로, 소립자는 파동으로 환원될 수 있다고 생각했다. 소립자란 파동의 다발이며 종류에 따라 그 진동수만 다르다고 생각한 그는 파동의 기원을 연구했다. 봄은 스칼라 포텐셜을 초양자장(superquatnum field) 혹은 초양자 파동으로, 파동의 출처는 우주를 채우고 있는 초양자장으로 이해했다. 우주는 3차원으로는 분리되어 있으나 충만된 초양자장에 의해 4차원에서는 하나로 연결되어 있어 비국소성의 원리(non-locality principle)가 작용한다는 것이다. 그런 초양자장의 우주는 부분 속에 전체의 정보가 들어 있는 홀로그램의 형식으로 존재한다고 가정했다. 존재는 크게 에너지계, 정신계, 물질계로 나뉘며, 에너지의 형성은 초양자장 → 파동 → 에너지의 과정으로 이루어지고, 의식은 초양자장 → 파동 → 에너지 → 소립자 → 의식의 순으로 형성된다. 물질은 초양자장 → 파동 → 에너지 → 소립자 → 원자 → 분자의 중첩 순으로 형성

> 된다. 그와 같이 에너지, 마음, 물질은 동일한 질료로부터 생성된다. 그리고, 데이비드 봄은 또한 과학과 예술이 언젠가는 하나로 융합될 것으로 전망했다.

데이비드 봄의 초양자장 이론은 당시는 닐스 보어 등에 의해 이단적 이론으로 취급을 받았다. 그러나, 1935년 EPR사고실험의 역설과 1964년 벨의 부등식론 그리고, 1982년의 아스페의 실험 등에 의해 봄의 이론은 그 타당성이 입증되었다. 아니, 결과적으로 봄의 이론은 EPR실험의 문제점, 벨의 부등식, 아스페 실험의 결과들을 가장 설득력 있게 설명하는 모범적 양자론의 모델이었던 것이다.

존재를 에너지계, 정신계, 물질계로 구별한 데이비드 봄은 그 공통적 구성계로서 초양자장과 초양자장이 중첩된 파동으로 보았다. 우리는 봄의 초양자장이론 모델이 아니더라도 적어도 에너지 단위의 극미시계의 세계에서는 정신과 물질의 질료적 구분이 무의미하다는 것을 이해할 수 있다. 다시 말해 정신과 물질의 질료는 하나라는 것이다. 그러하듯, 정신은 곧 물질이며 물질은 곧 정신이다.

이것은 다시 말해 인간의 영혼은 육체 바로 그것이라는 말과도 같다.[6] 우리의 정신작용은 물질이 에너지로 바뀌는 곳에서의 극미시적 물리현상이다. 정신과 물질은 배타적 관계로 보이나 사실은 에너지 현상의 다른 양태일 뿐이다. 모든 것은 에너지의 진동이다. 문제는 생명적 현상의 에너지 묶음, 그 원형적 지도가 어떻게 나타날 수 있었는가

---

6) 박이문은 『시와 과학』에서 “이성, 감성 등으로 분열되기” 이전의 전일체로서의 인간에 관해 “물질적 의식”이라는 의미 있는 표현을 사용하기도 했다.

가 물음의 근원이 될 것이다.

또 하나 흥미로운 건 부분이 전체를 포함한다는 그의 홀로그램우주론이다. 홀로그램은 헝가리 물리학자 데니스 가보어(Dennis Gabor, 1900-1979)가 1947년에 홀로그래피 사진술을 생각해낸 이래 1963년 에밋 리드가 레이저를 사용해 실용화하였다. 한편, 백남준은 21세기가 시작되는 첫해인 2000년도에 기념비적으로 구겐하임미술관에서 레이저를 이용한 홀로그램으로 세계인들의 이목이 집중된 가운데 웅장한 '야곱의 사다리'를 선보인바 있다.

백남준, 야곱의 사다리, 2000년(구겐하임미술관)

다차원의 우주는 내적으로 주름져 있어 인간의 인식능력은 접혀진 우주의 표면만을 감지할 뿐 주름진 우주 내부의 현상들은 지각하지 못한다. 고전적 인과론의 거시물리적 사고로서는 당연히 이해되어지지 않는 당시의 봄의 홀로그램 우주관은 과학이라기 보단 신비학이나 신비주의자의 이야기처럼 들렸을 것이다.

간섭파 현상을 이용한 홀로그램 필름은 일반 사진과는 달리, 여러 수십 조각을 낸 그 중의 한 조각만으로도 거짓말처럼 전체의 모습이 현상된다. 전체와 부분의 관계는 홀로그램 현상을 통해 접힌 우주와 공간의 개념으로 설명된다. 어쩌면 우리는 보다 고차원의 우주계를 주름진 우주의 한 조각 홀로그램 조각을 이해함으로써 온전히 알아낼 수 있을지 모른다.

우주는 부분 속에 전체의 정보가 담겨 있는 홀로그램의 방식으로 존재한다는 것은 오늘날 점증적으로 합의되고 있는 견해이다. 불교의 무아와 연기사상, 생명공학과 유전자 이론, 간섭파에 의한 동일화 현상과 홀로그램 우주론을 비롯한 제 물리학적 논의들은 모두가 우연찮게도 존재와 자연 현상의 모든 각 부분은 하나로서의 전체를 반영하고 있음을 드러내 보여준다.

우리가 말하는 물질은 진동하는 공간 즉, 우리가 인식하는 물질이라는 껍질 속으로 무한히 압축된다. 2개의 전자가 동일한 에너지 공간을 차지할 수 없다는 배타원리가 적용되는 백색왜성의 질량이 태양의 1.4배나 그 이상이면 별의 중력은 원자핵을 떼어내고 원자를 부스러뜨려 중성자별이 된다. 만약, 그 별이 태양 질량의 3.6배 이상이면 수축은 중성자별 단계에서 멈추지 않고 그 자체의 무게로 중력은 별을 한 점으로 줄여 블랙홀을 형성한다.[7] 우리가 우주를 딱딱한 물질의 형태로 인식하는 것은 착각이다. 우리가 물질이라고 부르고 인식하는 것들은 에너지의 진동에 의해 이루어진 껍질일 뿐이다.

물리학은 겉으로는 전혀 달라 보이는 '이중성(duality)'이라고 하는, 이론들 사이의 유사성을 찾아나간다. 오늘날 과학자들은 흩어진 세계의 조각들을 하나의 그림으로 짜 맞추려 노력한다. 강한 핵력과 전자를 유인하는 약력, 사물과 사물이 서로 밀쳐 내거나 당기는 전자기력, 미약하기 그지없으나 무한한 우주를 휘어잡는 중력의 힘 이것들이 어떻게 하나의 안정된 공간을 이루는지 설명해야 함을 인식하고 있다. 과학의 궁극의 목적은 그러한 이중성의 우주 를 해석하는 단일의 이론을 만드는 것이다. 그것은 기존의 이론을 포괄하는 배면의 본질적 원리를 찾아냄으로써 가능하다.

자연을 투영하는 상징 역시 세계 조형의 보다 본질적 원리가 있음은 물론이다. 히포크라테스의 제자 알크메온은, 신과 달리 인간은 존재를 단번에 알지 못하며 순차적으로밖에 알 수 없다고 말한 것으로 전해진다. 인간 인식의 구성소인 감각은 시각, 촉각, 청각 등으로 나뉘어져 있다. 뿐만 아니라 감각과 인식능력의 한계로 우리는 사물의 전 면모를 단번에 알 수가 없다. 그런 까닭에 우리는 하나의 인식으로부터 시작하여 동일화에 의해 또 다른 것을 알아나간다.

카시러는 "정신의 모든 형식이 최종적으로는 '하나'의 논리적 형식에 집중한다는 것은 철학의 개념 자체에 의해서 그리고 특히 철학적 관념론의 근본원리에 의해서 필연적으로 요구되는 것 같다"[8]고 한다. 하

---

7) John Boslough.『스티븐 호킹의 우주』(홍동선 역). 책세상. 1995. pp. 88-89.
8) Cassirer.『상징형식의 철학』I (박찬국 역). 아카넷. 2011. p. 45.

지만, 그러한 이유는 단순하다. '동일화'는 생명 현상의 근원적 힘이자 사고의 원리이다.

20세기의 영적 건축가 루이스 칸(Louis Kahn, 1901-1974)은 "위대한 건물은 측정할 수 없는 것으로 시작해야 하고 그것이 디자인될 때 측정할 수 있는 것을 가져야 하며, 다 마쳤을 때에는 측정할 수 없는 것이어야 한다."고 했다.[9] 첫 구절의 '측정할 수 없는 것'은 창조를 위한 영적 사고의 세계이다. 이어서 언급되는 '측정할 수 있는 것'이란 건축의 수사학이다. 또 다시 칸이 말하는 '측정할 수 없는 것'이란 시공간을 초월한 원형으로서 영적인 메시지를 뜻한다. 시는 비의식의 사고의 세계에서 진행되어 감각적 기호를 통해 말할 수 없는 영감적 세계를 나타낸다.

루이스 칸(1901-1974), 솔크연구소 중정(1965년 완공)

9) L. J. Kahn. *Between Silence and Light : Spirit in the Architecture of Louis Kahn*. Boston: Shambhala Publication, Inc., p. 20. 이종건.『建築의 存在와 意味』. 기문당. 1995. p. 78. 재인용.

소아마비 백신을 계발한 조나스 솔크(Jonas Salk) 박사가 1962년에 루이스 칸(Louis Isadore Kahn)에게 설계를 의뢰해 건축된 생명공학 연구소 건물이다. 캘리포니아 샌디에이고의 태평양이 바라다 보이는 블랙비치 언덕에 자리하고 있다. 개인연구동은 일층, 삼층에 배치하고 이층과 사층은 빈 공간으로 두었다. 하늘과 바다를 잇는 중정의 수로가 '침묵과 빛'으로 요약되는 칸의 건축 이념을 느끼게 한다.

융의 제자 아니엘라 야페는 "예술가들이 관심을 두는 것은 형태의 문제나, 추상과 구상과의 차이, 혹은 상징과 비상징과의 차이점 같은 것이 아니라, 생명과 물체의 본질, 즉 배후의 불변성과 내면의 확고함" 이라고 하였다. 이들은 모두 가시성을 초월하여 형상의 내재적 본성을 투시하고자 하는데, 그것은 다름 아닌 '세계는 하나'라는 전일적 세계관과 이를 대변하는 '동일성' 그것이다.

우주론자들의 이야기와 고대 〈천부경〉의 기록자, 현대의 양자물리학자들의 통찰은 놀랍게도 그 본질에서 동일함을 본다. 파르메니데스의 견해 역시 우리가 살아가는 자연이나 세상은 환영이나 가상(doxa)에 불과하다. 장자는 나비의 꿈이 실존의 삶과 같음을 인식하였다. 불교의 공 사상과 유식철학의 마음론 등은 모두가 현실이 하나의 환영임을 언급한다.

수학이나 과학 또한 엄밀히 말해 '실재'가 아닌 '환영'들을 다루고 있다. 우리가 물리학의 이론이나 생화학 작용의 해석물인 방정식을 제대로 바라본다면 그것들은 현란하고도 아름다운 비유의 나선들이거나 축조물들이다. 수학이나 과학의 사고는 동일화의 과정을 빠뜨리지 않고 기술하지만 그들이 사용하는 언어는 모두가 '기호'라는 상징물들이다.

우리의 감각이 관찰한 대상들을 기호로써 표기하되 그것들을 동일화의 이행을 통해 빠뜨리지 않고 기술함으로써 그들이 본 환영들을 마치 우리가 실재인 것처럼 생각하도록 만든다. 그러한 점에서 수학이나 과학은 시와 마찬가지로 비유의 작업들을 수행하고 있다. 물론, 시인의 비유 또한 숨겨진 세계를 드러내는 곡선이며 수식에 다름 아니다.

우리가 서로 다른 세계에서 탐구해 들어가는 대상은 자연계 혹은 우주라는 전일적 유기체의 부분들로서 종국적으로는 그러한 탐구들이 종합됨으로써 우리는 세계에 대한 온전한 통찰에 이를 수가 있다. 시와 예술, 과학 같은 저마다 다른 유형의 각 상징 활동들은 저마다 특정한 관점에서 세계의 실재를 드러내 보여주는 상보적 관계의 인식소들이다.

과학이 초점적 사유를 추구한다면, 시 · 예술의 상징은 전모적 존재론의 인식을 추구한다. 수학과 과학은 화성에 무인탐사선을 보내지만 불안정한 영혼에 미학적 성찰과 종교적 깨달음을 주지는 않는다. 은유는 형식논리의 입장에서 기만이나 거짓이다. 그러나 모순적 현상의 심층 내부에서 은유는 통일적 동일성을 구현한다. 시는 과학이 제시하지 않는 존재론적 인식과 성찰을 유도한다. 시적 은유의 힘과 본질은 거기에 있다.

베르그송은 자의적 기호와 은유의 상보성에 관해 이렇게 말한바 있다: 직관(이 책의 통찰)은 관념 이상의 것이나, 전달을 위해서는 반드시 관념을 사용해야 한다. 이때 표현될 수 없는 것은 비유와 은유로써 암시한다. "그것은 길을 우회하는 것이 아니라, 목적지를 향한 직선대

---

10) Henri Bergson. 『사유와 운동』(이광래 역). 문예. 2012. p. 51.

로"이다.[10]

파울리와 하이젠베르크의 학문적, 정신적 스승인 닐스 보어는 거시세계와 미시세계 간의 충돌과 모순 현상에 대해 "상호 배타적인 것들은 상보적"이라고 하였다. 보어는 그러한 상보성의 논의를 위치와 운동량, 입자와 파동, 에너지와 시간 같은 물리학적 세계에서만이 아니라, 이성과 본능, 정의와 사랑 같은 정신의 문제에까지 확장코자 했다.

우리는 자연과 정신이 보이지 않는 끈으로 이어져 있음을 인식한다. 그 힘이란 '동일화'라는 인식의 본질소이다. 인간의 모든 표현의 산물, 보고 듣는 감각적 인지와 인식의 문제로부터 체계적 지식과 예술적·학문적 표현, 기술적 생산을 비롯한 모든 문화 행위는 우리가 상징이라 말하는 동일화 정신작용에 의한다.

과학은 시공간의 통찰을 선형적(linear) '동일화'로 기술하며, 시·예술은 비유 즉, 숨겨진 시공간의 언어로써 동일화의 세계를 조형한다. 유비적 사고의 '동질성의 동일화' 인식은 세계를 하나로 바라보게 하는 열쇠이자 사물의 '원형'을 통찰하는 '눈'이다. 우리가 유비적 사고로써 시공간을 초월하는 원형적 사고를 표상함은 하나로서의 세계의 동일성에 기인한다.

일찍이 시인 존 던(John Donne, 1572-1631)은 유명한 기도 시편「누구를 위하여 종은 울리나」에서 이렇게 말했다. "인간은 누구도 섬이 아니다. 모든 인간은 대륙의 일부이다. 어떤 사람의 죽음도 나의 일부가 사라지는 것과 같다. 왜냐하면 나는 인류에 속해 있기 때문"이다.

---

11) Eric Hoffmann.『이타적 인간의 뇌』(장현갑 역). 불광. 2012. p. 253. 재인용.

마찬가지로 우리는 이렇게 말할 수 있다. 모든 생명의 탄생은 우리의 탄생이다. 우리는 모두가 하나의 생명이다.

뇌졸중으로 좌뇌의 손상을 입은 미국의 신경해부학자 질 테일러(Jill Bolte Taylor, 1959-)는 또한 이렇게 말하고 있다. “나는 이 모든 것의 일부다. 이 행성에 사는 우리는 모두 형제자매다. 우리가 여기 존재하는 이유는 이 세상을 더욱 다정하고 평화로운 곳으로 만들기 위해서이다. 나의 우반구는 모든 생명체가 하나로 연결되어 있음을 안다(『긍정의 뇌』).”[11)]

우리의 동일화 정신작용은 자연의 재능이요 자연의 본성이다. 우리는 ‘동일화’라는 표지를 통해 사물과 하나가 된다. ‘동일화’ 그것은 자연이 우리가 하나임을 잊지 않도록 부여한 정신의 기호라고 할 수 있다.

iv. 상징의 표상체: 기호

1. 기호와 사고

1.1. 기호: 의미체

기호에 대한 인식은 고대의 파르메니데스(BC 515?-BC 445?)에게서도 볼 수 있다. 기원전 5세기의 파르메니데스는 철학시 제19항에서 "가상을 따라 이런 것들이 생겼다. 그리고 지금도 있고, 미래에도 성장할 것이며 종말을 맞이할 것이다. 그리고 이런 일들을 위해 사람들은 하나의 이름을 확정했다. 즉 각각의 것들에 대해서 기호를 붙이는 것" 이라고 하였다.

기호는 사고의 도구이다. 우리는 기호 없이 사고할 수 없으며, 사고는 기호 없이 타인에게 전달되지 않는다. 베르그송은 『창조적 진화』에서 "우리는 호모 사피엔스가 아니라 호모 파베르라 해야 할 것"이라며, 지성은 "도구를 제작하고 무한히 변형시키는 능력"이라 하였다. 그런데, 인간을 대표하는 특징적인 도구는 기호이며 그 도구를 창조하는 능력은 다름 아닌 '상징' 즉 사고이다. 동물의 상징 현상이 반사적 신경생리작용에 그치는 것과 달리, 인간은 상징을 기호화하며 체계화한다. 이것이 인간의 특장이다.

한편, 기호학자 김성도 교수는 지난 1세기 동안 분출된 기호 이론과 기호 철학의 다양성 속에서 기호학은 기호라는 명칭만을 공유할 뿐, 모두가 수용할 수 있는 기호의 통합적 정의를 내리는 일은 요원하다고 말한다. 일례로 Pelc의 공동 저서『기호, 체계와 기능』의 서문에는, 각 학파가 내린 정의가 모두 열여섯 가지로 제시되었다고 한다. 그리고, 현재로서 기호에 대한 규정은 잠정적일 수밖에 없으며, 사용자의 의중과 맥락에 따라 이해해야 한다는 점에서 화용론적일 수밖에 없다고 한다.[1)]

움베르토 에코는『기호: 개념과 역사 *Il Segno)*』에서, 기호의 일반적 기능과 개념에 관해 네 개의 권위서를 중심으로 살핀 결과,『로베르 대사전』(*Le Grand Robert*)은 11개의 정의를,『라루스 불어 대사전』(*Le Grand Laroussede la langue française*) 역시 11개,『렉시스 사전』(*Lexis*)은 7개,『리테르 사전』(*Littreé*)은 15개의 정의를 싣고 있음을 언급한다. 그리고 에코는 그 내용들을 17가지로 정리하고, 다시 자연적 사실의 '지표성 기호'와 '인위적 기호'로 대별하고 있다.[2)]

---

1) 김성도.『현대 기호학 강의』. 민음사. 1998. p. 18.
2) Umbert Eco.『기호: 개념과 역사 *Il Segno)*』(김광현 역). 열린책들. 2000. pp. 24-33.

언급이 있었듯, 소쉬르는 언어를 기호라고 하였으나, 리차즈와 오그덴은 언어를 상징으로 보았다(『의미의 의미』, 1923). 리차즈와 오그덴은 상징이란 사고나 지시내용 즉 의미를 드러낼 뿐 지시체를 직접 가리키는 것은 아니라며, 언어를 사고 · 지시내용(thought · reference), 상징(symbol), 지시체(referent)의 관계로 나타낸다. 그러나 이러한 '삼원성'은 이미 고대의 스토아학파에서 세밀히 논의되었으며, 보다 이전에 아리스토텔레스의 『명제론』에서도 발견된다.

"말은 곧 영혼의 상태를 나타내는 기호이며 그것은 모든 인간에게 동일하고 이 영혼의 상태가 표상하는 것은 모든 사람에게 동일한 사물들이다."(『명제론』(*Pere hermeneias*), I . 16a, 3-8). 말은 생각 즉 사고를 나타낸 기호이며 사고는 사물의 모방이라는 이 문장의 세 근간 요소는 '말, 영혼의 상태 즉 생각 그리고 사물'이다.

기원전 315년경 제논(BC 335-BC 263)이 창립한 스토아학파는 기호 내용 · 기호 표현 · 대상의 삼원성을 논하였다. 기호 표현은 이를테면 '디온(Dion)' 같은 음성이고, 기호 내용은 음성이 담고 있는 뜻이며, 대상은 실재하는 '사람(디온)'이다(섹스투스 엠피리쿠스, 『정설가 논박』 Ⅷ, 11-12). 우리는 여기서, 삼원성을 논한 이들이 기호를 사고와 결부지음을 볼 수 있다.

한편, 아리스토텔레스는 기호를 추론적인 것 달리 말해 사고를 유도하는 지표로 사용하였다. 이후 섹스투스 엠피리쿠스(200?-250?)는 스토아학파의 기호론을 기호라는 명칭 아래 통합했다. 그리고, 아우구스티누스에 이르면 아리스토텔레스와 스토아학파의 추론적 기호는 '자연적 기호'가 되고, 아리스토텔레스의 상징과 스토아학파의 기호 표현 · 기호 내용은 '자의적 기호'로 이해된다. 이어서 중세 스콜라 철학에서 기호는 '어떤 것을 지칭하는 그 무엇(Aliquid stat pro aliquo.)'이 된다.

이러한 기호의 상황은 오늘날 추론성과 등가성 그 두 가지의 문제로 대별되어 논의된다. 유르겐 트라반트는 "세계와 기호의 일치에 대한 질문이 철학에서 최초의 기호학적 질문이었다"며 기호란 어떤 사물의 의미를 담보하는 것이라고 말한다. 그는 연기는 불을 생각나게 하고, 창백함은 공포나 피로를, Tisch는 탁자를, 세 개의 검은 점을 표시한 노란 완장은 눈이 먼 사람임을 뜻한다고 말한다.[3)]

여기서 유르겐 트라반트는 기호의 지표성을 기호의 동등성으로 동일화함을 우리는 알 수 있다. 물론 그의 이러한 생각은 "우리는 전혀 함께 나타날 수 없는 두 가지 사물을 임의대로 한 장소에 나란히 놓기도 하고, 한 사물을 다른 사물의 기호로 만든다."(『신, 세계 그리고 인간 영혼의 이성적 사상』)고 하는 볼프(1759-1824)의 입장에 서 있음을 알 수 있다.[4)] 볼프와 유르겐 트라벤트는 사태로서의 '지표' 역시 '역동성'을 제거하여 지표의 '지시성'만을 취한다.

추론성은 중세 이후 오랫동안 사라졌다가 퍼스의 기호이론에서 보다 진전되고 강력한 형태로 되살아난다. 기호의 무한 생성을 요구하는 기호는 퍼스에게 실체를 탐구하는 사고의 수단이다. 한편, 퍼스의 기호 사상을 이어받은 에코는 스토아학파의 '결론이 생략된 전제로서의 기호' 개념을 전례로 들며 기호로부터 동등성의 개념을 배제해야 한다고 말한다.

---

3) Jürgen Trabant. 『기호학의 전통과 경향』(안정오 역). 인간사랑. 2001. p. 30.
4) 같은 책. p. 31.

이러하듯, 기호의 논쟁사에서 기호는 자의적 등가성의 대체적 시각과 자연성의 추론을 강조하는 관점으로 대별된다. 그러나 지시적 성격의 은유 역시 정태적 동등성을 넘어 동적 추론성을 내포하고 있다. 환유 · 제유는 지표와 마찬가지로 추론을 요구한다. '동일화(A=C)'의 지시성은 본질적으로 추론을 내포한다. 그리고, 추론성 역시 동등성에 바탕하지 않으면 성립하지 않는다.

본질 면에서 추론성의 기호작용은 기호의 동등성을 확인하기 위한 과정으로서의 작업뿐이다. 기호는, 상징 즉 동일화 정신작용의 표상물이다. 그 어떠한 것이든 기호는 동일화의 의미체이며 그것은 지시적이든, 추론적이든 동일하다. 사고는 형식을 통해 의미를 구현하는 동일화 정신작용이며, 기호는 그 의미체이다. 우리는 동일화 정신작용에 의해 사물을 기호로 인식하여 · 파지하고 · 표현한다. 그러한 기호는 동일화 정신작용의 결과물이자 표상체인 '의미체'이다.

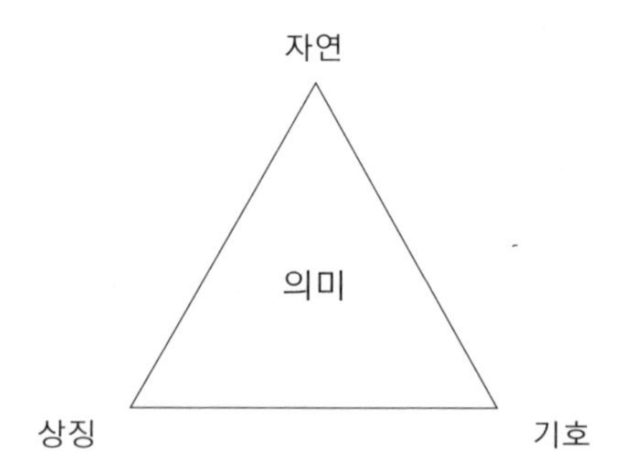

1.2. 기호 · 사고 · 기억(내장)

기호는 의미를 지닌 모든 것으로서 다름 아닌 사고의 산물이다. 자연현상은 스스로 기호가 되지 않는다. 자연현상이 기호가 되기 위해서는 우리의 사고 즉, '상징'이 작용해야 한다. 먹구름의 경우 소나기를 연상하는 우리의 사고작용이 있음으로써 하나의 의미체인 (지표)기호가 된다. 연기의 경우 그것이 봉화라면 당연히 기호이다. 하지만, 자연재해에 그치는 연기는 기호가 아니다. 짐승의 발자국이나 체취 역시 마찬가지이다. 사고작용이 개입될 때 그 흔적은 우리에게 기호가 된다. 자연현상만이 아니라 도상 같은 흔적 역시 마찬가지이다.

고양이의 발자국이나 유인원의 낙서도 우리의 사고가 개입되면 그것은 기호이다. 그러나 사고가 개입되지 않으면 자연의 흔적에 그친다. 비를 오게 하는 먹구름, 산불을 의심케 하는 연기, 철새떼를 이동케 하는 계절의 변화 그 자체는 단지 자연현상일 뿐이다. 그러나, 원인과 결과의 인과적 관계 다시 말해 '먹구름 곧 비'라는 등식의 동일화 정신작용이 개입됨으로써 먹구름은 '기호'가 된다. 징후적 자연물은 해석자의 사고인 상징을 유도한다. 이러한 때 자연물은 기호이다.

아리스토텔레스와 스토아학파는 이와 같은 추론의 대상을 기호로 생각했다. 한편, 전통 기호이론 또한 '대상 · 기호 · 의미'라는 삼원적 관계를 중심으로, 대상에 대한 '사고'의 매개체로서 기호를 이해하고 논의해왔다. 그러나 기호와 사고의 관계에 대해서는 표피적 관심에 머물렀을 뿐, 기호의 이론사는 자의성과 자연성, 동등성과 추론성 등의 개념을 중심으로 기호의 정체성을 다루어 왔다.

다시 말해, 전통 기호학은 고대의 증상 기호, 지표 기호 그리고, 퍼스의 사고-기호, 카시러의 상징형식의 철학, 그레마스의 의미의 파악과 생성의 조건 이론, 시벅의 생명기호학을 비롯한 몇몇 논의를 제외하면 우리의 사고와 직접 연계하여 다루고 있지 않다. 우리의 사고는 자연을 기호로 번역한다. 사고 없이 기호는 존재하지 않는다. 기호는 상징 즉 우리의 사고작용의 결과물이다.

퍼스 역시 "기호 없는 사고는 존재할 수 없다("프래그머티시즘을 위한 변명")"[5]고 한바 있듯, 기호는 사고를 생성하고 사고는 기호를 생성한다. 그러한즉. 사고를 배제하고 기호만을 다루는 건 코끼리의 다리만을 연구하는 일이나 다름없다. 기호는 기호와 유기적 관계에 있는 지각 · 통찰 · 추론 등의 사고를 중심으로 그 결과물인 의미 · 지식 · 개념 그리고, 기억 · 상상력 · 회상과 같은 정신작용의 관계 속에서 논의되어야 한다. 그런 가운데 기호의 정체성과 기능이 온전히 드러난다.

일반적으로 심리학에서 기억은 서술기억과 절차기억으로 구별되고, 서술기억은 의미기억과 일화기억으로 구별된다. 그런데, 상징학은 의미 즉 기호를 창조하는 사고의 본성과 작용원리를 논하는바, 이 책에서는 절차기억이나 일화기억 보다는 의미기억을 중심으로 기억의 문제를 살핀다. 아울러, 이곳에서 의미기억은 개념이나 지식에 관한 것임을 다시 한 번 밝힌다.

한편, 기억의 원리와 사고의 본성에 바탕한 '사고와 기억'에 관한 이

---

5) C. S. Peirce.『퍼스의 기호학』(제임스 홉스 편, 김동식 외 역). 나남. 2008. p. 420.

책의 필자의 결론은 이러하다. ❶ 의미 지식의 기억(내장)은 반드시 사고로써 이루어진다. ❷ 그러한바 의미 지식에 있어서, '기억'은 '사고' 그것이라고 말할 수 있다.

우리는 기억이란 용어를 사용하지만, 사실은 기억은 '사고'이다. 왜냐하면, ① 사고를 행한 경우 사고의 내용은 자연히 우리의 정보체에 내장된다. 그리고, ② 새로운 정보를 내장(기억)하기 위해선 반드시 그에 관해 사고를 해야 한다. 그렇지 않으면 내장되지 않는다. 이러한 사실은, 용어만 달리할 뿐 기억(내장)이 곧 사고라는 사실을 시사한다.

사고에는 경험 사고인 지각, 창조적 사고인 통찰, 학습 사고인 추론 등이 있다. 그런데, 기억 활동은 지각이나 추론 사고로 수행된다. 우리는 새로운 사물이나 새로운 지식을 접하는 경우 그러한 정보들을 기억한다. 전자의 경우는 지각 사고가 수행되고 후자의 경우는 추론 사고가 수행된다.

기억(내장) 행위가 곧 사고임에도 우리가 기억이라는 용어를 사용하는 것은, ① 기억(내장)이 사고에 의해서 이루어진다는 사실과 ② 새로운 정보를 내장(기억)하기 위해선 반드시 기존의 정보들과 결합해야 한다는 사실을 간과한 때문이다. ③ 그로 인해 내장과 회상의 측면에서 기억이라는 용어를 관습적으로 사용한다.

기억이 곧 사고라는 사실은, 위 ①. ②의 사실에서 알 수 있으나, 그 구체적 이유는 이러하다. (a) 기억(내장)은 새로운 기호를 우리들 정보체의 기호에 결합(동일화)하는 일이다. (b) 기호와 기호의 결합은 반드시 매개 기호를 사용해야 한다. (c) 우리의 사고는 매개를 사용하여 어떤 기호를 다른 기호로 전환(동일화)하는 일이다. 그러한바, 의미의 기억(내장)은 반드시 사고에 의해 이루어지는 것이다.

감각은 지각이 되고, 지각은 통찰로 발전하며, 통찰은 추론에 의해 의식화 된다. 이러한 사고는 곧 바로 의미체 즉 기호로 내장된다. 기억활동 즉 사고는 의미의 기호를 회상할 수 있도록 정보체의 신경계에 흔적을 남기는 일이다. 그리고 회상은 내장된 지식 즉 어떤 의미들을 되살려 내는 일이다. 우리의 지각 · 통찰 · 추론 등의 동일화 정신작용은 내장된 기호를 활용하여 또 다른 기호를 생산한다.

한편, 회상이 기호의 의미와 기표의 음운을 중심으로 이루어짐은 우리의 정신이 사고를 수행함에 있어 외현기호와 깊숙이 관계함을 의미한다. 하지만 이것은 우리의 정신이 외현기호와 그 체계를 사고작용의 수단으로 사용한다는 의미가 아니다. 우리의 사고작용은 감각적 구조의 외현기호를 사용하지 않고, 화학적이고 전기적 신호작용의 비의식 기호로써 수행된다. 이러한 우리의 사고는 기하학적 구성물이 아닌 비가시적 홀로그램으로 생각할 수 있다.

우리는 사물을 인지하고 기호화한다. '나'라는 정보체가 사고하는 기호들은 의식되지 않는 비의식의 세계에서 내부의 정보체와 통일적으로 직조된다. 우리는 그러한 기호들을 수단으로 새로운 기호를 생성하고 표상한다. 지각 · 통찰 · 추론의 결과는 기호의 지식으로 내장되며, 회상을 통해 다시 그러한 사고의 수단으로 사용된다. 사고 · 기호 · 기억(내장)은 동일화 정신작용을 중심으로 이루어지는 유기적 관계의 개념들이다.

2. 외현기호와 내현기호

사고는 기호를 생성하고, 기호는 사고를 생성한다. 기호는 사고의 산물이다. 수초처럼 움직이는 뇌세포의 가지들은 의미를 향한 신호작용을 생성한다. 뉴런들의 숲에서 신호들은 기호의 신경회로를 구성한다. 우리는 그러한 뉴런들의 흔적을 의미로 번역한다. 기호는 문자나 도상이 되기 전에 먼저 뉴런들의 움직임이요 그 흔적들이다. 기억의 내용은 뉴런들의 신호를 불러내는 비의식기호의 의미들이다. 외현기호와 달리 비의식기호는 질료적 형상을 갖고 있지 않다. 비의식기호는 화학물질들에 의해 생성되는 뉴런들의 전기적인 신호 작용들이다.

뉴런들의 신경생리작용은 동일화의 의미작용을 이룬다. 그러한 뉴런들의 작용을 통해 우리는 '장미'나 '앵무새', '빛'이나 '산소'와 같은 의미를 구하기도 하고, 그러한 의미들을 문자 · 음성 · 제스처 또는 도상이나 작품으로써 표현하기도 한다. 이러한 물리적 질료매체에 의한 표현물들이 '외현기호'이다. 그와 달리 사물을 지각하게 하고(도식기호), 사고하게 하며(비의식기호), 사고의 결과로서 의식에 표상되는 기호(심상기호)들은 내현기호이다.

2.1. 외현기호

외현기호는 질료적 매체를 통해 우리 외부에 표현된 기호로서 문자 · 음성 · 도상 · 조각 · 퍼포먼스와 같은 의미체들이다. 외현기호는 예술 · 학술 등 문화장르의 텍스트 구현 방식에 따라 자의적 기호와 자연적 기호로 나뉜다. 자의적 기호는 수학의 '+. −, =' 등과 같이 약속에 의해 구성된 기호이다. 자의적 기호는 통사 전개가 '신호적'으로 이루어지므로 전달 속도가 빠르고 '동일화'의 오차가 없다. 그런 까닭에 수학 · 과학의 언어로 사용된다. 논자들은 이러한 단일 의미의 표상체인 자의적 기호를 '기호'로, 자연적 기호를 '상징'으로 생각하려는 경향이 있다. 그러나, 자의성 · 자연성은 기호의 형식을 가르는 준거일 뿐, 상징과 기호를 가르는 준거가 되지 않음은 물론이다.

소쉬르는 상징을 애매한 표현물, 기호를 명확한 표현물로 생각하여 언어를 자의성의 기호로 간주했다. 소쉬르는 자의성이야말로 언어체계를 가능하게 하는 제1의 원리로 생각했다. 소쉬르가 기호언어학에서 자의성에 그 특권적 지위를 부여한 것은 랑그 중심의 공시적 언어체계론을 드러내기 위함이다.

칸트는 수학의 '자의적 기호'를, 불완전한 우리의 경험에 의지하지 않고 선험적 인식능력에 의해서 구성(Konstruktion)한 개념의 기호로 간주했다. 칸트는, 그러한 까닭에, 수학은 보편 · 필연적 지식을 확장하는 선천적 종합판단이 가능하다고 생각했다. 하지만 수학의 보편 · 필연성의 획득은 모두가 합의한 자의적 기호와 규칙을 사용하는 때문이다.(“vi. 1.1.4. 선천적 종합판단에 대한 비판” 참조) 한편, 수학의 보편 · 필연성과 자의적 기호 · 체계의 불완전성은 괴델(Kurt Gödel, 1906-1978)에 의해 논의된바 있기도 하다.

자연적 기호는 형상이나 성질의 유사성에 바탕하여 구성하는 기호이다. ‘천평저울’과 추상명사로서의 ‘정의’는 외형상 같지 않다. 그러나, 전자는 좌우의 무게가 ‘동일’하다는 점과 후자는 법이 만인에게 ‘동일’하게 적용된다는 점에서 동일화 된다. 자연적 기호에 의한 은유는 시 · 예술을 비롯하여 ‘악의 축’[1] 같은 정치적 수사, ‘가로 본능’[2] 같은 상업광고 등에도 유효하게 사용된다. 한편, 레이코프와 존슨의 은유 이론은 정치적 수사의 ‘프레임 이론’으로 활용되기도 한다.

현대시는 지적 쾌감을 높이기 위해 형상이나 성질의 유사성과는 반대되는 역설적이고 모순적인 결합방식(아이러니 · 파라독스 · 옥시모론 등)을 사용하거나 때로는 무관해 보이는 이미지의 결합(시네틱스 · 데빼이즈망 등)을 사용하기도 한다. 이런 파격적 결합은 비록 형상이나 성질 면을 사용하지만 자연적 기호가 아니라 자의적 기호로 분류한다. 형상과 성질을 이용한 이와 같은 자의적 기호는 은유의 여백을 넓혀 해석을 확

1) 부시 미국 대통령이 이란과 북한을 지칭한 표현.
2) 세로로 서 있는 액정화면을 가로로 돌려서 텔레비전의 형태로 볼 수 있게 한 휴태폰에 관한 광고 문구.

장하게 한다.

그리고, 의미 개입 여부에 따라 해석기호와 낡은 기호가 있다. 먹구름 · 연기 · 흔적 등의 자연현상과 기계적 신호작용 · 징후 등도 역시 사고가 개입됨으로써 어떤 결과와 연결 짓게 하는 '지표'의 의미체가 될 수 있다. 꿈 · 자연현상 등과 같이 그 의미를 구하고자 하지 않으면 기호가 아니나, 그 해석을 시도하면 의미를 구할 수 있는 기호가 된다. 이러한 기호가 해석기호이다.

일상 언어 · 속담 · 낡은 은유 등은 평소에는 그 자의성이나 은유성이 잘 인식되지 않고, 반사적으로 지시내용만이 인지된다. 그러나 주의를 기울이면 은유적 의미나 관습적 사고의 약속이 내재되어 있음을 발견할 수 있다, 이러한 기호가 낡은 기호이다.

2.2. 내현기호: 도식기호 · 비의식기호 · 심상기호

사고의 본성은 동일화이고, 동일화는 동질성이나 동일성의 형식을 통해 의미를 구현하는 일이다. 의미는 곧 기호로서 심상이나 질료적 매체를 통해 표상된다. 우리의 사고는 기호를 대상으로 해서 또 다른 기호를 생산한다. 다시 말해, 사고는 어떤 기호 A를 또 다른 기호 C로 대체하는 동일화(A=C)의 정신작용이다.

내현기호는 외현기호와 달리 사고와 보다 밀접한 관계에 있으며, 세 가지 유형으로 구별된다. ① 지각의 과정에 나타나는 도식기호, ② 통찰 사고의 수행 중에 파지되는 비의식기호, ③ 사고의 종료 뒤에 의식에 나타나는 심상기호이다. 우리는 사물을 처음 접할 때 전체와 부분적 인상들의 관계를 살펴보는데, 이때 우리는 부분적 인상들에 대해 어떤 의미를 구하고, 이를 토대로 전체 인상에 대한 통일적 의미를 얻는다. 여기서 각 부분에 대한 '의미체'는 그 인상들에 대한 '도식기호'이다.

한편, 우리의 통찰 사고는 비의식 상태로 수행되는데, 이때 우리의 뇌리에는 비의식 상태지만 통찰을 위한 여러 기호들과 명제적 판단들이 파지된다. 이때의 기호들이 '비의식기호'이다. 그리고, 통찰이 종료되면 우리의 의식에 그 결과가 표상되는데 이것은 '심상기호'이다.

2.2.1 도식기호

언급했듯이 지각의 과정에서도 우리는 기호를 사용하는데, 이러한 기호를 '도식기호'라고 한다. 대표적인 연구로 칸트의 도식론과 카시러의 상징기능론이 있다. 20세기 중반 들어 인지심리학이 대두되고 이어서 인지과학의 발전과 함께 인공지능의 연구와 관련하여 지각이론이 다수 연구되었는데, 인지심리학이나 인지과학은 '지각' 대신 '형태재인'이라는 용어를 사용한다. '지각'에서 나타나는 도식기호와 관련된 '형태재인' 이론으로는 대체로 다음과 같은 것들이 있다.

Ⓐ 1930년대 코프카와 쾰러 등이 제시한 전체적 통일체의 구조로서 인식하는 형태주의(Gestalt). Ⓑ 감각 신호자료에 대한 다양한 추론과정의 결과라는 구성주의(Gregory, 1972). Ⓒ 저장된 다양한 형판과의 비교로 인식한다는 형판이론. Ⓓ 원형과의 일치 정도에 따라 인식한다는 원형이론. Ⓔ 저장된 세부특징(세로선, 가로선, 둥근 선, 꺾어진 선, 원 등)과 비교한다는 세부특징이론. Ⓕ 지온이라는 구성 요소의 조합에 의한 상과 기억 표상의 대조로 인식한다는 비더만의 이론, 그리고 점들의 자극입력 단계, 명암을 나타내는 시각1단계, 2-1/2차원 이미지

단계, 대상화 단계로 구분하는 마(David Marr, 1982)의 계산지각(Computation vision) 모형이론(1982) 등이 있다.

칸트의 경우는 인상과 범주와의 관계를 비교하여 대상을 인식한다고 생각한다. 그런데 범주는 사고의 근본형식일 뿐이므로 인상과의 비교 · 검투가 불가하여 범주를 질료화할 필요가 있다. 그런 까닭에 상상력으로써 범주에 '시간성'을 부여하여 범주를 도식으로 바꾸고, 그 도식에 '인상'이 포섭되는지 여부를 판단하여 인식을 이룬다고 칸트는 생각한다.

그런데, 이러한 칸트의 도식론은 대체로 이후의 연구자들에게 수용되지 못했다. 칸트가 말하는 도식은 우리에게는 하나의 '지식'으로 체화되어 있다. 특히, 도식은 '비의식' 상태에서 수행되는 경우가 많다. 그러니까, 사물을 다시 지각하는 재인의 경우는 비의식 상태에서 통찰적으로 지각이 수행된다. 이때는 비의식기호의 도식이 사용된다. 이와 달리, 모호한 사물의 경우는 의식이 개입되는 추론 사고로써 지각을 수행한다. 이때는 도식기호가 사용된다. 우리는 사물을 지각함에 있어서, 모호한 부분을 이러저러한 형상과 비교해보는데, 이때 우리가 지닌 이러저러한 형상들은 칸트가 말하고자 하는 바와 같은 '도식'이다.

그것은 인지과학에서의 '형판이론'이나 '지온이론' 등에서도 언급되는 것이나, 칸트는 보다 근원적 관점에서 '범주'와 '도식' 개념을 이용해 설명한 차이가 있을 뿐이다. 카시러 역시 칸트의 도식론을 배제하고, '상징 기능'에 의해 대상의 인상에서 곧 바로 대표적이고 특징적인 점들을 취하여 기호화하고, 이러한 부분 인상으로부터 취한 기호들을 재구성하여 사물에 대한 통일적 의미의 기호를 얻는다고 생각한다.

오감에 바탕한 우리의 '지각'은 대표적이고 주요한 특징들을 중심으로 세부적 인상에 대응하는 기호들을 재구성함으로써 통일된 인식의 기호를 얻는다. 그렇게 함으로써 우리는 대상을 보다 용이하게 인식할 뿐 아니라, 우리의 기억 또한 체계를 이루어 회상이 용이하다. 카시러에게 이러한 기호화 과정은 '재현' 작업으로 상징 기능에 의한 것이다. 그런데, 카시러가 말하는 인식 과정에서의 '기호'는 실체적 측면에서 칸트가 말하는 도식과 같은 것이다.

카시러는, 칸트의 범주와 도식에 관한 설명은 감성과 오성을 분리한 이원론에 바탕한 것으로, 불필요한 일로 생각했다. 그런 카시러는 감성적인 것을 통해서 어떤 정신적 의미가 지시되거나 표현되고 있다면 어느 것이나 상징 혹은 기호라며 상징과 기호를 동일시했다[『상징형식의 철학』Ⅲ(1029), 109쪽]. 물론, 이러한 견해는 후일의 『인간론』(1944)에서 수정된다. 상징은 의미 세계에 속하고 기호는 물질적 실체로서, 상징은 기능적인 가치를 가질 뿐이라며 카시러는 상징과 기호를 엄격히 분리한다.

감성과 오성을 하나의 지성으로 간주하는 일원적 견해는 지성적 직관론을 제시한 피히테에서부터 비롯한다. 언급했듯이 칸트는 감성적 인상과 오성의 범주를 상상력에 의한 도식으로 결합함으로써 지각이 성립된다고 하였다. 하지만, 피히테는 인상과 범주를 애써 결합할 필요가 없다고 생각했다. 피히테는 "지성적 직관은 감성적 직관과 늘 결합되어 있다."고 한다.[3)]

---

3) F. W. Schelling. 『학문론의 두 번째 서론』(*Zweite Einleitung in die Wissenshaftehre*). 464. Lothor Eley. 『피히테, 셸링, 헤겔』(백훈승 역). 인간사랑. 2008. p. 72. 재인용.

그런 피히테는 야코비에게 보내는 편지에서, 칸트는 경험 인상을 외부로부터 얻는다고 생각하지만, 피히테는 인간의 창조적 능력을 통해 산출된다고 주장했다.[4] 또한 피히테는, 모든 인식활동에는 이미 상상력이 작용하고 있는바, 상상력은 모든 인식의 가능 근거이며, 대립된 것을 통일하는 인식능력이라고 하였다(『전 학문론의 기초』 제2부).[5]

한편, 카시러, 하이데거, 크로너와 같은 이들 역시 '상상력'을, 감성과 오성을 결합하는 능력으로 이해한다. 하지만, 상상력은 사고 능력이 아니라 표상 능력이다. 그러한바, 모호한 대상에 대한 지각 활동의 경우가 아닌 한 지각을 비롯한 사고의 수행 중에 상상력은 활동하지 않는다. 그리고, 감각의 생성과 사고의 발현은 오늘날 신경생물학적으로나 해부학적으로나 그 구별이 가능해지고 있다.

칸트의 범주 · 도식론은 비의식 상태에서 일어나는 우리의 인식과정을 심도 있게 풀어내고 있다. 하지만, 칸트 역시 다른 논자들과 마찬가지로, 사고의 본성이 형식을 통해 의미를 구현하는 '동일화'라는 사실을 고려하지 않았다. 그런 칸트는 '직접경험' 여부에 따라 사고를 오성 · 이성 · 판단력으로 구별함으로써 사고의 본질적 형식인 판단이 마치 본질적으로 규정적 판단력과 반성적 판단력으로 나뉘는 것으로 설명한다.

칸트에게 지각 즉 경험인식은 규정적 판단력에 의한다. 칸트는, 경험 인상을 도식화된 범주에 포섭하는 건 규정적 판단력이 수행한다고

---

4) I. H. Fichte (hg). *I. G. Fichtes Leben und liter*, Briefwechsel, 2. Teil. Leipzig. 1862, 181: 백훈승.『칸트와 독일관념론의 자아의식 이론』. 서광사. 2013. p. 93. 재인용.
5) Lothor Eley(백훈승 역). 같은 책. p. 105. 재인용.

말한다. 하지만, 규정적 판단력이나 반성적 판단력이나 모두 본질에서 '동일화' 정신작용이다. 이러한 동일화 정신작용에 의해서 범주나 도식이 생성된다. 한편, 칸트는 범주를 전제가 필요 없는 사고의 근본형식으로 규정한다. 그러나, 사고의 본성은 동일화로서, 사고의 근본형식이라는 무매개적 인식이나 판단의 형식은 존재하지 않는다는 게 이 책의 필자의 생각이다. 범주 역시 사고(A=C)의 한 형식인 까닭에 'A=B, B=C'라는 매개적 전제가 요구된다.

지각의 과정에서 요구되는 인식수단의 기호 역시 우리의 동일화 사고 능력에 의해서 생성된다. 도식기호는 카시러의 경우 상징 기능에 의해 생성되고, 칸트의 경우는 '사고의 근본형식'인 범주의 시각적 형상태인 '도식'이다. 그러한 카시러의 상징 기능과 칸트의 범주화 능력은 본질에서 모두 동일한 성질의 것으로, 다름 아닌 '동일화' 정신작용이다. 그러한 동일화 능력에 의해 도식기호는 생성된다.

칸트의 '도식'은, 지각의 과정에서 우리의 정신이 사용하는 '내현기호'이다. 그러한 도식의 내현기호는 이미 우리의 유아기부터 경험적 사고를 통해 지식화되고 체화되어 있다. 도식은 지각 사고를 돕는 정보의 비의식기호로서 우리의 정신계에 자리하고 있다. 그러한 지식화되고 체화된 내현기호의 기능에 의해 우리는 칸트가 말하는 바와 같이 사물의 인상에 대한 범주적 포섭 여부를 판단할 수 있다.

동일화 정신작용의 능력을 지닌 우리는 칸트가 말하는 범주와 도식 또는, 카시러가 말하는 상징 기능으로써 경험 대상의 인상을 재구성하여 사물을 지각한다. 그리고 우리는 대상의 인상 대신 재구성된 기호를 지식으로 기억한다. 인상에 관하여 사고하는 우리는 기호에 관하여 사고하고 기호를 기억한다. 그리고 통찰의 수행 시에 우리는 기억(사고)된 기호를 '비의식기호'로써 사용한다. 물론, 모호한 사물의 지각에 있어서는 추론에 의하며, 이 경우 도식기호를 구성함으로써 최종 인식을 완성한다.

칸트의 '범주 · 도식' 이론을 비롯하여 카시러의 '상징 기능' 이론이나 인지과학 분야의 형판이론 · 원형이론 · 지온이론 등은 모두 도식기호의 생성을 설명하는 하나의 이론 모델들이다. 그러한 이론들의 개념이나 정신기능의 근원적 밑바탕에는 어떠한 형식으로써 의미를 구현하고자 하는 '동일화'라는 정신작용이 자리하고 있다. 그러한바, 동일화는 도식기호를 구성하는 본질적 능력의 정신작용이다.

아울러, 사고의 본성인 '동일화'는 칸트가 말하는 사고의 근본형식인 범주나 촘스키의 심층구조 원리, 그레마스 등의 의미생성 원리와 같은 그러한 근원적 형식 이전의 것이다. 그러한바, 이들 형식의 규칙들은 모두가 동일화의 원리로 환원된다고 말할 수 있다. 다시 말하면, 이들 형식의 규칙들은 그러한 사고 형식들의 근본 형식으로 완결되거나 규정될 수가 없음을 의미하는 것이기도 하다.

2.2.2. 비의식기호

복잡한 사고이든, 단순한 사고이든 우리의 사고는 모두 의식하지 않는 가운데 전일적으로 이루어진다. 그런 까닭에 우리의 모든 사고는 통찰적이다. 우리는 그러한 비의식 상태의 통찰을 수행하는 과정에서 내장된 기호들을 떠올려, 사고가 완료될 때까지 파지한다. 그와 같이 사고를 수행하는 과정에서 의식하지 않는 가운데 떠올려 파지하는 기호를 비의식기호라고 한다.

일반적으로 심리학에서는, 사고의 의미단위가 장기기억에 의미부호로 기호화되어 있으며, 의미부호는 심상부호(imagery code)와 어의부호(semantic code)로 나뉘어 있다고 한다.[6] 이러한 의미부호는 우리의 정신계에 내재하는 정보의 지식들이다. 우리는 평소에 사고의 수행 과정에서 이러한 기호들을 떠올리고 파지하여 판단을 수행한다.

언어학자 야콥슨(Roman Jakobson, 1896-1982)은 “내적인 사고는—특히 이 사고가 창조적일 때—언어보다 덜 규범화되고 보다 융통성 있는 다른 체계를 사용하는데 이런 기호 체계는 창조적 사고에 보다 많은 자유와 활력을 준다.”고 하였다.[7] 한편, 철학자이면서 인지과학자인 포더(Jerry Fodor, 1935-)는 우리의 장기기억 속에 있는 의미 정보들을 ‘사고언어’[language of thought: 심성언어(Mentalese)라고도 한다]라고 하는 ‘사고 언어 가설’(language of thought hypothesis)을 제시하였다(*The Language of thought*, 1975).

언어심리학자이자 인지과학자인 핑커(Steven Pinker, 1954-)는 포더의 견해에 따라, 사람들은 영어나 중국어나 아파치어와 같은 자연언어로 생각하는 것이 아니라, 추상의 정신어로 사고한다고 말한다. 사고언어는 자연언어와 비슷할 수 있으나, 자연언어에 비해 어떤 면에서는 한층 더 풍부하고 한층 더 단순하여 대화에 사용되는 특화된 단어(가령 a와 the)와 구문들 그리고, 단어의 배열에 관한 정보들이 불필요하다고 생각했다.[8]

---

6) 정양은. 『심리학 통론』. 법문사. 1985. p. 478.
7) Jacques Hadamard. 『수학분야에서의 발명의 심리학』(정계섭 역). 범양사. 1990. pp. 94-95. 재인용.

그런 핑커의 생각은 이러하다: 뇌에는 어휘들의 개념사전인 정신사전과 개념 관계를 조율하는 어휘조합규칙의 정신문법이 있다. 이러한 언어 작동 수단들이 사고언어, 즉 보편적 정신어라 할 수 있다.[9] 하나의 언어를 안다는 것은 정신어를 단어열로, 단어열을 정신어로 번역하는 법을 안다는 것이다. 언어가 없는 사람들도 정신어를 가지고 있으며, 유아나 인간 보다 지능이 낮은 동물들도 단순하지민 자신들만의 방언을 가지고 있다.[10]

심리학자들이 말하는 '의미 부호'나 특히, 포더가 주장한 '사고언어'는 이 책에서 말하는 '비의식기호'와 같은 맥락의 것이다. 비의식기호의 존재를 이해하기 위해서는 우선 사고의 구조와 과정을 살펴볼 필요가 있다. 사고(A=C)의 형식적 구조는 'A=B, B=C ∴ A=C'의 형태로 단순화할 수 있다. 그러한 사고의 수행과정은, 매개어 B를 구하여, 대·소전제를 세우고, 직각 사고로써 결론을 인지(확인)하는 것이다. 그러한 과정에서 우리는 내부의 정보체에서 기호를 탐색하고, 파지하며, 판단한다. 한편, 탐색은 전전두엽·측두엽을 중심으로 수행되며, 판단은 전전두엽을 중심으로 수행된다.

우리는 전화를 걸거나 사전에서 낱말을 찾을 때 대상 낱말을 파지하고 있으면서 필요시마다 의식 상태에서 확인을 한다. 이것을 심리학에서는 '작업기호'라 한다. 그러하듯 우리는 통찰의 사고 과정에서도 기호를 찾고 판단을 내리기까지는 관련 기호들을 파지해야 한다. 물론,

8) Steven Pinker.『언어 본능』(김한영 외 역). 개정판. 동녘사이언스. 2007. p. 120.같은 책.
9) 같은 책. p. 126.
10) 같은 책. p. 121.

사고는 비의식 상태에서 이루어진다. 이처럼 우리는 비의식 상태에서 수행되는 사고의 과정에서도 기호를 파지할 수 있어야 한다. 그렇게 파지되는 기호가 '비의식기호'이다.

☞ 기억을 윌리엄 제임스(1890)는 단기기억에 해당하는 일차기억과 장기기억에 해당하는 이차기억으로 구별했다. 이후 애트킨슨과 쉬프린(Atkinson & Shiffrin, 1968)은 감각기억 · 단기저장고 · 장기저장고로 나눈다. 그리고, 배들리 등(Baddley & Hitch, 1974)은 기억이 저장 개념이 아니라 역동적이고 과정적이라는 점을 강조하기 위해 '작업기억'이라는 용어를 사용한다.

간단히 말하면, 작업기억은 우리의 일상생활에서 짧은 시간 동안 잠시 의식에서 기호를 파지하는 일이다. 그런데, 통찰의 수행에 있어서도 '작업기억'에 상응하는 정신작용이 요구됨은 물론이다. 다만 의식이 아닌 비의식의 상태에서 수행된다는 점이 다를 뿐이다.

기억(내장)은 사고로써 이루어진다. (이하, 편의상 '기억'이라고만 표기한다.) 기억은 기억할 대상을 기존 지식과 결합하는 일이다. 기억은 기억할 대상기호(A)를 기존의 지식(기호)과 결합함으로써 이루어진다. 기존의 지식과 결합하지 않는 경우, 다시 말해 기존의 지식과 맥락적 동일화를 이루지 않으면 기억은 이루어지지 않는다.

단순한 암기는 기억 행위가 아니다. 언급했듯이 사고는 매개를 이용해 대상기호를 목표기호와 동일화하는 일이다. 그러므로 우리가 어떤 대상기호(A)를 기억하기 위해선 기존의 지식기호 B나 C를 이용해 'A=C'라는 형식의 인식을 이루어야 한다. 그럼으로써 대상기호(A)는 장기기억이 된다.

해마는 기억의 관문 또는 통찰 관련기관으로 알려지고 있다. 그러한 해마는 사실은 사고를 돕는 기관이다. 그럼으로써 기억이 이루어진다. 한편, 해마가 통찰의 수행에 필수불가결한 기관임은 다음과 같은 사실들에서 확인되고 있다. 양전자방사단층촬영 결과에서 통찰의 수행 시 해마에 뇌혈류가 증가한다. 그리고 해마가 손상된 환자의 경우 통찰이 불가하다. (사고가 본질에서 통찰적임은 언급한바와 같다.)

사고는 매개를 통해 어떤 것을 다른 것으로 동일화하는 일이다. 매개항이 없는 ‘a=b’라는 형식의 단순한 인식과 달리, ‘A=C’ 형식의 통찰 사고는 삼단논법의 판단과정들을 거친다. 한편, 그러한 과정에서 우리는 관련 기호의 정보들을 비의식 상태에서 파지할 수 있어야 한다. 만약, 그러한 파지가 이루어지지 않으면 무엇과 무엇을 비교 · 검토해야 하는지조차 알지 못하는 상황이 된다. 따라서 이러한 경우 우리는 그 어떤 동일화의 판단도 수행할 수 없다. 사고로 해마의 기능이 일실된 경우 사고가 이루어지지 않는 것은 해마가 사고의 수행에 필요한 정보들을 파지할 수 없기 때문이다.

다시 말해, 기억은 통찰의 동일화 과정을 거침으로써 이루어진다. (물론, 이것은 심리학에서 말하는 서술기억의 ‘의미기억’ 경우를 말한다.) 단순한 ‘a=b’의 무매개적 인식만으로는 기억이 이루어지지 않는다. 해마 손상환자와 마찬가지로 우리 또한 장기기억에 실패하는 건 기억할 정보를 기존의 정보와 연결하지 않기 때문이다.

매개를 사용하여 어떤 기호를 다른 기호로 동일화하는 우리의 사고는 기억의 본질적 형식이자 수단이다. 해마는 그러한 동일화 사고의 과정에서 비의식기호들을 파지함으로써 전전두엽 · 측두엽 등과 함께 사고를 가능하게 한다. 기호의 탐색 · 파지 · 판단 등의 일련의 사고과정에서 해마가 비의식기호를 파지함은 앞서 언급한바와 같다(보다 상세한 내용은 "Ⅴ. 11. 통찰에서의 '비의식작업기억' 기관: 해마" 편 참조).

한 가지 오해하지 않아야 하는 것은, 사고가 기호를 사용함으로써 수행된다고 하였는데, 이 말은 사고의 수행 중에 우리의 정신은 비의식기호를 사용한다는 뜻이다. 우리의 사고는 말이나 문자와 같은 외현기호에서 볼 수 있는 형식과 문장구조를 따르지 않는다. 사고는 외현기호의 감각적 구조나 문자적 조사(助詞)체계를 사용하지 않는다. 우리의 사고는 그러한 구조와 체계의 형식들을 초월한 비의식기호로써 수행된다.

우리의 정보체인 의식되지 않는 비의식의 정신계는 투명한 홀로그램의 세계로 생각할 수 있다. 그러니까, 우리의 비의식의 정보세계는 홀로그램으로 된 사전과도 같다. 의식의 세계에서는 그러한 우리의 비의식의 세계를 들여다보지 못한다. 하지만, 사고를 수행하는 우리의 정신은 그러한 비의식의 정보세계를 투명하게 들여다 볼 수 있다.

종이책의 경우, 우리가 단어를 찾기 위해서는 자모음 순에 따라 페이지를 넘겨야 한다. 하지만 우리 내부의 비의식의 정보체는 투명한 홀로그램과도 같아서 페이지를 넘기지 않고도 필요한 단어가 있는 곳을 손쉽게 알아낸다. 물론, 그러한 능력을 갖기 위해서는 음운이나 의미 등을 중심으로 한 범주 인식능력을 길러야 한다. 그러한 범주 인식능력은 동일성 여부 파악 능력에 의한다.

우리의 사고는 비의식의 상태로 이루어지는 화학적이고 전기적인 신호작용의 세계이다. 비의식은 우리의 사고를 전일적이고도 즉시적으로 수행하게 한다. 우리의 사고가 발화보다 빨리 그리고 많은 내용을 발화보다 상대적으로 빠른 시간에 수행할 수 있는 것은 비의식의 상태에서 전 기호적인 신호작용으로 의미를 다루기 때문이다.

산문 형식보다는 속담이나 격언 등의 은유를 사용하는 시적 표현이 보다 많은 정보를 함축적으로 나타낼 수 있다. 문자 체계보다는 도상 형식의 그림이나 아이콘이 보다 많은 정보를 압축적이고도 효과적으로 제시한다. 짧은 시간에 이루어지는 은유적 꿈이나, 시문이 많은 다양한 해석과 비평을 요구하는 이유이기도 하다.

그리고 비의식으로만 수행되는 통찰은 의식이 개입되는 추론에 비해 훨씬 많은 대상을 효과적으로 사고할 수 있다. 비의식계에서 수행되는 통찰 사고를 위한 비의식기호는 문자나 도상의 외현기호보다도 훨씬 더 효과적인 방식으로 다루어진다. 이것은 '둘러가지 않고 곧 바로 알 수 있다는 의미'에서 '직관'이라는 표현을 쓸 수밖에 없다. 물론, 이러한 비의식 사고의 신속성과 전일성은 우뇌와 소뇌의 기능으로 가능하다.

오감은 대상에 관한 지극히 표피적인 인식이다. 우리의 사고는 그러한 감각의 세계를 넘어서 펼쳐진다. 동일화 정신작용의 사고는 감각을 초월한 인식능력으로서, 전일적 통찰과 그에 대한 반성적 추론을 행하는 인식능력이다. 그러한 우리의 사고는 (음운체계와 조사체계, 도상적 형식 등의) 감각 의존적 외현기호를 사용하지 않는다. 우리는 사고가 발화와 같은 선적(linear)인 형태로 진행되는 것으로 여기기 쉽다. 그러나, 발화는 사고의 번역물이다.

우리는 일상의 대화에서 즉시적으로 사고된 내용을 표현해야 한다. 그러한 까닭에 사고의 구조가 단순하고, 표현되는 말의 통사구조 역시 단순할 수밖에 없다. 우리가 평소에 생각을 하면서 대화를 할 수 있는 것은 그러한 까닭이다. 그러나 보고서나 메일의 작성은 말처럼 쉽지 않다. 문서로 작성하는 경우 우리는 발화와 달리 보다 심층구조의 통사구문을 사용하기 때문이다.

말은 문법규칙이나 논리규칙과 같은 형식에 따라 표현되지만, 문법이나 논리규칙은 '사고'가 아니라, 사고에 의해 이미 규정되어 있는 '지식'이며 '기호'이다. 언어나 그러한 규칙들은 사고의 방향이나 표현 방향을 잃지 않도록 돕는 일련의 연상(인과)적 체계성을 갖춘 기호이다. 우리는 생각 즉 통찰 사고를 말이나 문자로 표현함에 있어 언제나 '추론'으로 재구성해야 한다. 뻔한 마음 속의 생각을 말이나 글로 표현하기가 어려운 것은 비의식기호로 구성된 사고와 외현기호인 자연언어 체계의 간극 때문이다.

언급했듯이, 우리의 정신작용에 있어서 우리가 기억하고 있는 자료들의 정보체는 투명한 사전과도 같다. 사고는 그러한 홀로그램의 자료들을 이용하여 기존 정보체의 홀로그램을 확장하는 일이다. 그러한 우리의 사고는 평면 위에서 선형적으로 이루어지는 것이 아니다. 사고는 정신의 공간에서 비의식기호를 사용하여 정보체의 홀로그램을 구성하는 일이다. 그리고, 발화는 사고된 홀로그램을 자연언어로 풀어내는 일이다. 다시 말해 비의식기호로 구성된 비 통사체계의 정보들을 통사체계의 외현기호로 변환하는 일이다.

전일적으로 이루어지는 통찰 사고는, 우리가 비의식기호를 활용하여 의식되지 않는 상태에서 동일화 정신작용을 수행한다는 사실을 보여주는 명백한 증거이다. 이 책의 '비의식기호' 개념은 심리학의 '의미부호' 개념과 기호학의 '기호' 개념을 연결한다. 아울러, 사고의 구조와 과정에 대한 설명과 이해를 돕는다. 그리고 사고 · 기호 · 기억의 상호작용을 보다 본질적 측면에서 이해할 수 있게 한다.

2.2.3. 심상기호

표상은 우리 인식의 최초의 산물이다. 길란 코헨(Gillian Cohen, 1983)에 의하면, 크라익(K. J. W. Craik, 1943)은 내적 상징의 수단에 의해 현실모델을 만들어내는 세 단계로 사고의 기능을 언급한다. 1) 외부 대상이나 사상들을 표상으로 바꾸는 것. 2). 추론적 판단, 가설제기 또는 계산으로 그 이상의 표상을 만들어 내는 것. 3). 이들 새로운 표상들을 외적 과정으로 재 변환 시키는 일이 그것이다.[11)]

크라익에게 언어와 사고에 관한 문제들은 내적 상징의 수단에 의한 표상의 생성과 상징의 조작, 그 두 단계에 집중된다. 코헨이나 크라익 등이 이해하였듯이 표상은 상징의 첫 단계이다. 우리는 그 표상들을 연결하여 발전적으로 사고를 수행한다. 물론, 크라익과 같은 시대에 카시러(1944)는, 우리의 지성이 표상보다는 상징을 필요로 한다고 하였지만, 표상 역시 상징의 기능에 의한 것이다.

코헨과 크라익이 말하는 '내적 상징의 수단'이란 오늘날 우리의 표현으로, 동일화 정신작용'이다. 그들은 또한 외부 대상이나 사상들을 표상으로 바꾸는 것을 사고 기능의 첫 단계로 이해하였다. 이는 표상작용이 상징의 사고작용이라는 우리의 견해와 다를 바가 없다. 이러한

---

11) Gillian Cohen. 『인지심리학』(이관용 역). 법문사. 1984. p. 163,

표상은 추론과 통찰 등의 사고작용에 의한 동일화 '체계'로 발전하여 학술 · 예술 · 규범 등 문화를 생성한다.

사고의 산물로서의 표상은 하나의 의미를 지닌 지식이다. 이러한 지식은 우리 내부의 정보체에 저장된다. 물론, 이러한 저장은 사고의 결과로서, 기억 활동은 곧 우리의 정보체를 확장하는 사고이다. 그리고, 사고의 결과물인 의미는 기호이다. 이러한 의미는 우리의 정보체에 비의식기호로 저장되며, 사고의 수행 시에 비의식 상태에서 회상되어 판단을 구성한다. 그리고 사고가 종료되면 의식에 표상된다. 이것이 심상기호이다.

퍼스는 이러한 표상의 관념에 대해서 이 책과 마찬가지로 '기호'라고 하였다. 퍼스는 "관념 그 자체가 기호"인바, "그것은 대상을 표상하기 때문"("믿음의 고정")이라고 하였다.[12] 퍼스는, '관념'이 질료적 표상체를 갖고 있지 않음에도 대상을 지시한다는 점에서 기호로 이해하였다. 사실, 기호의 본질소는 가시성이나 물질성의 표상체가 아니라 사고의 결과물인 '의미'이다. 퍼스는 관념이 기호인 것은, 대상을 표상하기 때문이라고 하였으나, 그것은 간략히 '의미체'라는 말로 대신할 수 있다.

사고의 출발은 의식 상태에서 시작되나, 사고의 수행에 필요한 기호들은 비의식 상태에서 탐색된다. 그러한 우리의 사고는 정신의 시공간에서 마치 홀로그램을 구성하듯 동일화 정신작용을 수행한다. 그러한 우리들 사고의 수행에서 심상기호의 상이나 외현기호가 지니는 '표상

---

12) C. S. Peirce. 『퍼스의 기호학』(제임스 홉스 편, 김동식 외 역). 나남. 2008. p. 249.

체(기표)'는 사용되지 않는다. 심상기호의 상이나 외현기호의 표상체는 인지와 소통을 위해 부가되는 것이다.

심상기호는 마음에 나타나는 의미체의 상이다. 이러한 심상기호는 통찰 · 추론 · 영감적 사고의 결과물, 지각 사고의 결과물, 회상의 결과물과 같은 세 유형이 있다. 그러한 표상들은 낱말과 같은 단일 기호나 도상을 비롯해서 논리규칙 · 문법 · 수사법 · 개념과 같은 명세 형식의 것들도 있다. 한편, 칸트는 표상 능력을 이 책의 필자가 그러하듯 상상력으로 이해했다. 그리고 상상력을, 지각 사고의 상이나 (영감적 사고에 의한) 미적 이념을 표상하는 '생산적 상상력'과 단지 회상을 수행하는 '재생적 상상력'으로 구별했다.

칸트는 과학적 통찰이나 추론의 결과로서 우리의 의식에 나타나는 표상을 언급하지 않았다. 이러한 표상은 미적 이념의 표상과 함께 모두 복합 판단들로 구성된 순수한 사고의 결과물들이다. 이와 같이 순수한 사고나 지각 · 회상의 결과물로서 의식에 나타나는 심상기호의 상들을 철학이나 심리학에서는 '표상'이라 한다. 그리고 신경생물학이나 심리철학 같은 분야에서는 '감각질(qualia)'이라 한다.

의식에 나타나는 심상기호는 철학의 인식론과 심리현상을 연구하는 심리학 · 인지심리학, 의식(정신작용)을 연구하는 신경생물학 · 뇌과학 그리고 인공지능을 탐구하는 인지과학에 이르기까지 그들 학문의 기초적 토대를 이루는 주요 개념의 하나이다. 이러한 심상기호의 감각질은 아직도 제 학문에서는 미완의 연구과제로서 해결에 어려움을 겪고 있는 문제이다.

일례로, 철학에서는 칸트의 경우 감각과 지성의 결합으로 표상을 얻는다고 생각했다. 하지만, 피히테는 감각과 지성이 분리되지 않는 하나로 이해했다. 셸링과 이후의 철학자들 또한 대체로 칸트의 이원론을 비판한다. 그리고, 오늘날 심리철학이나 신경과학은 감각질이라는 용어로써 감성과 지성의 문제에 관해 명쾌한 결론을 내리길 유보하고 있는 상황이다.

한편, 인지과학은 감각기능과 상징의 사고기능을 구별하지 않고 모두 신호적 계산과정으로 환원한다. 인지과학은 계산과정에 대한 의미해석에는 관심을 두지 않으며, 계산의 결과에 의의를 둔다. 나아가, 강한 인공지능론은 컴퓨터의 계산과정이 인간의 사고작용에 상응하는 결과를 창출할 수 있다고 생각하기까지 한다. 이에 대해, 존 설이나 로저 펜로즈 같은 이는 컴퓨터의 계산과정은 형식적 과정일 뿐, 의미의 해석과 이해에 바탕한 것이 아니라고 한다. 따라서, 인간 사고의 특징인 통찰력을 발휘할 수 없다고 주장한다.

그런데 분명한 건, 감각 자료로써 우리는 뇌 신경생리작용에 의해 최종적으로 '의미'를 얻는다는 사실이다. 바꾸어 말하면, 감각기관은 '의미'를 얻기 위한 것이라고 말할 수 있다. 그리고, 우리에게 중요한 건, 그러한 의미를 연결하여 새로운 의미를 만들어 나가는 일로서, 그것은 다름 아닌 상징 즉 '사고'이다. 그러하듯, 컴퓨터의 계산과 인간 사고를 가르는 경계는 '의미'의 인식과 그러한 의미에 바탕한 동일화의 통찰이라 할 수 있다.

정리하면, 우리의 사고는 형식을 통해 의미를 구현하는 동일화 정신작용이다. 사고는 매개를 사용하여 서로 다른 두 기호를 동일화하는 일이다. 동일화를 위한 매개의 발견은 통찰로써 가능하다. 그러한 우리의 사고는 비의식 상태에서 수행되며, 사고의 결과는 의식에 심상이나 관념으로 표상된다. 이러한 의미체의 표상들이 심상기호이다.

3. 활성기호

활성기호는 비의식기호에 대한 맥락적 동일화의 관계성을 강조한 용어이다. 기억은 기존의 정보체에 기억할 대상을 결합하는 일이다. 창조적 사고를 위해선 기억할 기호를 보다 많은 정보들과 연결해야 한다. 기존의 정보체와 보다 전체적이고 통일적 동일화를 이룰수록 기호는 창조성을 발휘한다. 인드라망의 그물은 모든 하나의 진주가 전체 진주를 비춘다고 한다. 양자는 홀로그램 필름처럼 부분의 하나가 전체적 성질을 띠고 있다. 활성기호는 인드라망의 진주나 비국소적 성질의 양자에 비유할 수 있다. 활성기호는 전체 정보와 연결된 통일적 맥락의 성질을 지닌다.

교육학 연구자 온기찬은 교육의 현장에서 '질문'의 중요성에 관하여 다음과 같은 교과서적 언급들을 제시하고 있다: 좋은 질문은 "정보단위들 또는 개념들 간의 연결, 다양한 思考들간의 연결을 활성화(卞烘圭·楡鎬相, 1966; 韓范淑, 1996: 479-489; Woloshyn, Pressley, & Schneider, 1992)"한다. 정교한 질문은 "정보를 의미 있게 투입시키는데 효율적이기 때문에 다양한 연결을 통하여 지시기반을 탄탄하게 조직화시켜 준다. 이것은 後에 인출의 효율성을 가져오며, 그 결과 추론과 같은 창조적 사고를 일으키는데 결정적 역할을 한다."[1)]

이것은, 체계적인 교육을 통해 문제해결을 위한 유용한 구조들이 장기기억에 저장되어 있을 때 필요한 상황에서 인출이 가능하다는 것이다(Langley & Jones).[2)] 그런데 '탄탄하게 조직화 된 기억'이란 곧 '활성기호'로서 넓고 깊게 사고되어 체화된 기억이다. 그것은 단순한 동일화 연결의 암기에 의한 것이 아니라 기존의 정보체와 보다 폭넓게 연결되고 체계적으로 이해되어진 기호이다. 다음은 신경과학철학자 처치랜드(Paul M. Churchland, 1942)의 망상 구조 의미론(network theory of meaning)의 진술이다.

> 화학 이론, 전자기 이론, 원자론, 열역학 기타 등등, 통상적으로 그런 이론은 문장들-보통 일반 문장들이나 법칙들-로 이루어져 있다. 이 법칙들은 그 이론들에 의해 전제되는 대상들, 집합들, 수치들, 속성들 사이에서 성립하는 관계들을 표현하고 있다. 그런 속성이나 대상들은 문

---

1) 온기찬. "竝列分散處理 모델에 기초한 直觀에 관한 實驗的 研究". 교육학 박사학위논문. 전북대학교 대학원. 1997. p. 96. 재인용.
2) 온기찬. 같은 논문. pp. 21-22. 재인용.

> 제되는 이론이 가지고 있는 독특한 이론적 용어들의 집합에 의해 표현되고 그 의미가 정해지게 된다.
>
> 전자기 이론을 예로 들어본다면, 이 이론은 전하와 전기장 그리고 자기장의 존재를 가정한다. 전자기 이론의 법칙들은 이런 것들이 서로서로 그리고 여러 다른 현상들과 어떻게 관련을 맺고 있는가에 관해 진술하고 있다. "전기장"이란 표현을 충분히 이해하기 위해서는 그 표현이 나타내고 있는 이론적 원칙들의 망상구조에 익숙해져야 한다. 그런 구조가 전체적으로 우리에게 전기장이 무엇이고 그것이 어떤 작용을 하는지를 알려주게 되는 것이다.
>
> 이것은 하나의 전형적인 경우이다. 이론적 용어들은 일반적으로 그것의 사용을 위한 필요충분 조건을 제시하는 단일하고 명확한 정의에 의해 그 의미가 밝혀지게 되는 그런 것들이 아니다. 이론적 용어는 그것들이 포함되어 있는 원칙들의 망상구조에 의해 암묵적으로 정의되는 것이다.[3)]

처치랜드는 "모든 지각의 이론 의존성"에 관한 장에서 "모든 개념들은 상호 대조되는 개념들의 그물망(network)의 한 마디이며 그 각각의 의미는 그런 그물망 내에서 그것들이 차지하는 특정한 위치에 의해 결정된다"고 다시 한번 강조한다. 그런데, 이러한 망상 이론(network theory)은 물리학에서뿐만이 아니라 언어학은 물론, 종교, 신화학, 심리학, 생태학 등 제 학문에서 볼 수있는 유기적 전체론의 특징이기도

---

3) Paul Churchland.『물질과 의식: 현대심리철학입문』(석봉래 역). 서광사. 1992. pp. 96-97.

하며, 아울러 우리 정보체의 지식들인 비의식기호의 연결상황이기도 하다.

심리학자들은 기억에 관해 대체로 이러한 견해들에 합의하고 있는 것으로 보인다: 정보는 어떤 형태로든 상호 관련된 지식구조를 형성한다. 서술기억은 대체로, 일상적 경험을 중심으로 한 일화기억과 의미기억으로 구별된다. 일화기억은 사태가 일어나는 순서에 따라 계열화된 사태도식(schema structure)으로 저장되고, 의미기억은 위계망 구조와 의미망 구조로 저장된다.[4)]

기억 방략은 기억을 증진시키기 위한 인지적 또는 신체적 활동(Naus & Ornstein, 1983)으로 사진을 찍듯 입력하는 '축어기억(verbatim memory)'과 추론에 의한 '요점기억(gist memory)'으로 대별된다. 전자와 관련된 '시연방략(rehearsar strategy)'은 기억할 대상을 눈으로 여러 번 보아 두거나 말로 되풀이해 보는 것이다. 후자와 관련된 '조직화방략(organization strategy)'은 자료를 맥락적, 범주적으로 구성하는 방법이다.[5)]

이 외에 둘 이상의 정보를 또 다른 편의상의 기준으로 결합하는 정교화(elaboration) 방략(Pressley, 1982; Ryan, Ledger, &Weed, 1987) 등도 있을 수 있다. 그리고, 의미지식의 정보를 조직하는 효과적인 방법은 위계를 형성하는 것이다(Ericsson & Polson, 1988).[6)] 위계적 연결망은 위계적 관계를 기초로 의미를 범주화(분류)하는 것이다., 의미연결

---

4) 성현란 외 6인. 『인지발달』. 학지사. 2001. pp. 307-08.
5) 같은 책. pp. 291, 304.

망은 개념과 개념 간의 관계를 연결하는 방식으로 의미정보를 조직하는 일이다.

일반적으로 6-7세 이전의 아동은 문자 그대로 약호화하여 기억하는 반면 나이가 들면서 비유적으로 약호화하여 기억한다(Brainerd & Gordon, 1994; Brainerd, Reyna, Harnishfeger, & Howe, 1993).[7] 어의적 맥락화는 회상을 증가시키나 시연적 암송은 학습에 별 달리 도움이 되지 않는다[8] 이와 같이 오늘날 심리학자들은 각인이 아닌 맥락적 이해에 의한 학습의 기억이 보다 잘 회상된다고 생각하고 있다. 그리고, 이러한 견해는 일찍이 연합주의 심리학자들 역시 깊이 이해하고 있는 문제였다.

형태주의 심리학의 창시자인 Max Wertheimer(1880-1943)는 기계적 암기에 의한 학습내용은 쉽게 잊어버리지만, 원리에 기초한 학습은 문제의 본질적 이해에 바탕한 것으로 오랫동안 기억할 수 있음을 지적했다.[9] 그리고 보다 이전에, 연합주의 심리학을 변증법적으로 받아들인 윌리엄 제임스는 이러한 사실에 관하여 "가장 많이 고찰하고 체계적으로 조직하는 사람이 가장 좋은 기억력을 지니게 된다"고 하였다. 아울러 제임스는 맥락적 이해의 기억에 대한 성격과 효과에 관해 이렇게 말한다:[10]

공부에는 뒤처진 대학 운동선수가 스포츠 통계의 살아 있는 사전처

6) S. K. Reed. 『이론과 적용 인지심리학』(박권생 역) 센게이지러닝코리아. 2011. p. 292.
7) 성현란 외 6인. 같은 책. p. 293.
8) S. K. Reed(박권생 역). 같은 책. pp. 209-10.
9) M. H. Olson. 『학습심리학』(김효창 외 역). 학지사. 2009. p. 368.
10) William James. 『심리학의 원리』Ⅱ(정양은 역). 아카넷. 2005. p. 1191.

럼 다른 선수들의 '기록'은 매우 잘 알고 있어 놀라게 한다. 그것은 끊임없이 자료들을 비교 · 검토하고 계열화하기 때문이다. 그에게 그러한 자료들은 단지 단편적으로 모아 둔 것이 아니라 개념화하여 체계화한 것들이다.

'벼락공부'는 결코 좋지 않은 방법이다. 학기 내내 공부를 않다가 시험 몇 시간 전이나 며칠 동안 요점을 중심으로 하는 공부는 다른 자료들을 연합하지 못한다. 그러한 학습은 특정한 뇌 회로만을 구성하여 상대적으로 회상 내용이 적다. 하지만, 같은 자료라도 매일 다른 맥락과 관점에서 고찰하면, 수많은 정보 체계의 회로가 열리고 기억은 영구적이 된다. 윌리엄 제임스는 이러한 사실을 학생들이 알아야 한다며 전체적이고도 통일적 맥락의 학습과 기억을 강조한다.

기호는 '기억의 내용'으로서 '지식'이다. 그리고, 기억은 기억할 대상을 기존의 정보에 결합하여 우리의 지식을 확장하는 일로서 곧 '사고'이다. '기억'은 새로운 정보를 대상으로 하고, 그에 대한 회상을 전제로 한 표현일 뿐, 그 실체적 행위는 동일화 정신작용의 '사고'이다. 기억과 마찬가지로 사고 또한 우리들 정보체의 지식을 확장하는 일이다. 새로운 정보기호를 기존의 정보기호들과 동일화함으로써 기억은 이루어진다. 다시 말해, 동일화 정신작용의 사고가 개입되지 않으면 기억은 이루어지지 않는다. 기억은 기존의 정보체를 활용하여 새로운 정보기호를 수용하는 사고이다.

해마가 기억의 저장고나 기억의 관문 같은 것으로 이해되는 것은, 해마가 사고를 위해 기존의 정보를 파지하기 때문이다. 해마는 본질적으로 기억의 저장고나 기억의 관문 역할을 하는 기관이 아니다. 해마는 사고를 위해 정보들을 사고가 종료될 때까지 비의식 상태에서 파지한다. 기억의 결과는 사고의 결과로서 측두엽을 비롯한 관련 기능 부위의 신경계에 흔적을 남긴다.

우리의 사고는 매개기호로써 어떤 기호를 다른 기호로 동일화 하는 일이다. 기억은 새로운 정보를 기존의 정보체계에 수용하는 일로서, 새로운 내용의 학습은 기억 사고이다. 이와 달리 이미 알고 있는 내용에 대한 복습은 기억 활동이 아니라 순수한 사고 활동이거나 또는 회상이다. 한편, 경험 인식의 지각 경우에도 새로운 정보가 동일화 사고에 개입된다. 이때도 역시 동일화 정신작용에 의해 새로운 지각 대상이 우리의 정보체에 내장된다. 하지만, 경험 인식의 경우 우리는 '사고'나 '기억'이라는 용어를 사용하지 않고 '지각'이나 '형태재인' 같은 용어를 사용한다.

범주화 · 맥락화 · 정교화와 같은 기억방략들의 본질적 원리는 '동일화'이다. 이러한 기억방략의 동일화는 기억할 정보를 기존의 정보기호들과 결합하는 일이다. 웨이터가 주문을 기억하는 일이라거나 일일연속극의 대사를 외우는 일과 같은 단기기억의 과제가 아니라, 학습이나 연구를 위한 장기기억에 관한 것이라면 기억할 정보는 기존의 모든 정보들과 통일적으로 동일화를 이루어야 한다.

우리가 기존의 다양한 정보들과 동일화 과정을 거치는 경우 활성기호가 형성된다. 이러한 기호는 동일화 사고를 자극하여 또 다른 기호를 생성하게 한다. 이와 달리 단순한 연결에 의해 암기된 기호는 새로운 지식을 생성하기보다는 오히려 사고를 위험하게 한다. 바둑의 용어를 빌리면 이러한 기호는 '사석(死石)' 기호이다. 사석기호는 어떤 기호와도 연결되지 않는 각인된 기호이다. 단순한 연결의 암기에 의한 지식기호는 일종의 선입견이나 아집과도 같은 고착화된 기호이다.

통찰 사고는 '활성기호'의 축적이 전제된다. 활성기호는 원리에 바탕한 맥락적 이해로써 생성된다. 언급하였듯이, 기호 없이 사고는 수행되지 않는다. 기호(지식)의 축적은 동일화의 사고를 풍요롭게 한다. 그러나, 지식의 습득이 곧 사고력의 함양은 아니다. 축어적 기억과 같은 단순히 연결된 지식의 기호는 동일화의 운동성을 제약한다. 각인된 기호는 오히려 정보체의 혈류를 방해한다. 창조적 에너지의 활성기호는 끊임없는 사고의 지속으로 생성된다. 이해된 기호는 우리를 보다 넓고 깊은 사고로 나아가게 한다. 그러한 통찰 사고는 끊임없이 유동하는 창조적 활성기호의 생성으로 가능하다.

4. 기호학의 표지: 사고와 기호의 경계

사고의 본성은 동일화이고 사고의 실체는 동일화 정신작용이다. 동일화는 형식을 통해 의미를 구현하는 일이다. 동일화 사고는 인과적 과정의 판단들을 전제한다. 그리고 전제된 판단들은 그것들을 있게 한 판단들에 대해 무한히 소급되어 추궁될 수 있다. 아울러, 사고된 기호 또한 사고에 의해 또 다른 동일화 사고의 세계로 전개된다.

퍼스(Peirce, C. Sanders, 1839-1914)는 그와 같은 기호와 사고의 불가분적인 관계를 인지하였다. 기호가 사고의 기반이자 사고를 생성하는 해석체임을 지적한 퍼스는 의미체인 기호와 사고의 관계에 주목했다. 하지만 퍼스는 사고의 생성에 관한 관찰과 반성의 내성 능력을 부인했다. 내적 표상에 관한 증명주의는 신앙으로의 회귀를 결론으로 삼을 뿐이라며 퍼스는 칸트의 선험적 관념론과 제임스의 신경생물학적 심리학의 내성론을 불가지론으로 비판했다.[1]

그런 퍼스는 "내적 세계에 관한 우리의 모든 지식은 외적 사실들에 관한 우리의 지식으로부터의 가설적 추론에 의해서 도출된다."고 한다.[2] 그리고, 사고의 결과에 대한 논리적 추론과 통찰(insight)의 해석을 추구하는 기호학(semiotics)을 제시했다. 내성능력을 비판하는 퍼스는 이 책의 비의식기호나 포더((Jerry Fodor)의 사고 언어와 같은 내현기호인 정신계의 기호세계를 연구하지 않는다.

그런 퍼스는 '사고와 기호'의 본질적 속성과 관계를 고려하지 않은 채, '모든 사고는 기호'라는 은유적 표현을 한다.[3] 하지만, 그럼에도 불구하고, 퍼스는 기호와 사고의 분리할 수 없는 일원적 관계성을 깊이 인식하였다. 아울러, 논리학과 기호학에 통찰(insight)이 요구됨을 인식하고 귀추법이라는 사고의 형식을 언급했다.

퍼스는 현상적 사실들로부터 보편적 원리의 가설을 발견하는 통찰사고가 기호작용에 결정적으로 중요한 역할을 한다는 사실을 인식했다. 그런데, 우리의 사고는 모두 통찰적이다. 언급해왔듯 언제나 우리는 먼저 결론을 내리고 그 이유를 추론에 의해서 규명한다. 퍼스는 이러한 역순의 사고 과정에 귀추법이라는 용어를 사용한 것이다. 우리는 어떤 경우이든 통찰을 수행하고 추론을 수행하는 귀추적 사고를 한다. 단지 이러한 사실을 간과하고 있을 뿐이다.

---

1) C. S. Peirce.『퍼스의 기호학』(제임스 훕스 편, 김동식 외 역). 나남. 2008. p. 44.
2) 같은 책. p. 107.
3) 같은 책. pp. 151, 394.

'의미'는 형식과 함께 사고의 본성인 '동일화'를 이루는 축이다. 사고의 내용인 동일화의 '형식과 의미'는 기호로 표상된다. 기호는 사고의 결과물인 '의미체'이다. 퍼스가 기호 즉 '의미'와 사고의 일원적 관계를 다루었다면, 그레마스(Algirdas Julius Greimas, 1917-1992)는 본질적 측면에서 '의미'와 '형식' 다시 말해 기호와 사고형식의 관계를 다루었다고 할 수 있다.

그레마스 기호학의 대상은 '의미의 파악과 생성의 조건을 개념 구축의 형태로 명시하는 일'이다. 그것은 ① 의미 파악의 원리와 ② 의미 생성의 원리에 관한 규명이다. '의미 파악의 원리'는 텍스트 다시 말해 '군집 기호에 대한 구조 이론'이며, '의미 생성의 원리'는 '사고의 형식에 관한 이론'이다. 다시 말해, 의미 파악의 원리론은 텍스트 이해를 위한 방법론이며, 의미 생성론은 텍스트 구현을 위한 방법론이다. 그러한바, 그레마스의 '의미 파악과 생성의 조건'에 관한 기호 이론은 곧 사고의 형식에 관한 이론이라고 할 수가 있다.

사고의 본성은 동일화이며, 동일화는 형식을 통해 의미를 구현하는 일이다. 다시 말해, 사고는 곧 형식으로써 의미를 구현하는 일이다. 그러한즉, 사고의 형식은 '의미'를 결정하는 방식이자 의미 생성의 조건이다. 그리고, 의미 생성의 조건은 곧 의미 파악의 단서이자 의미 파악의 조건이기도 하다.

한편, '의미'와 '기호'의 관계 다시 말해 그레마스가 의미를 기호로 생각하였는지는 불명하다. 아울러 의미의 파악과 생성관계에 대한 명시적 표상들을 기호로 생각했는지의 문제 역시 불명하다. 그러나, 이 책은 사고의 결과로서 나타나는 의미를 기호로 규정한다.

기표의 기반과 관련하여, 기호는 세 가지 형태로 존재할 수 있다. 뇌신경계의 연결 흔적으로서 존재하는 비의식기호, 우리의 의식에 나타나는 심상기호, 질료적 매체에 투사되는 외현기호이다. 그레마스가 말하는 '의미의 파악과 생성의 조건'은 사고의 형식에 관한 도식의 기호로서, 양태에 따라 비의식기호 · 심상기호 · 외현기호의 형태로 존재할 수 있다. 그러니까, 의미의 파악과 생성조건은 '의미' 세계의 것으로 그 자체는 내현기호로서, 지식의 형태는 비의식기호이고 의식에서의 표상물은 심상기호이다. 그리고 그에 대한 질료적 표상체는 외현기호이다.

그레마스의 '의미의 사각형' 이론은 문학의 서사 텍스트에 대한 형식론적 접근의 연구이다. 형식은 '기능'의 다른 표현으로서 기호의 속성을 지니기기도 하지만, 동시에 사고의 속성을 지니기도 한다. 한편, 사고와 관련한 '기능'과 '형식'의 관점에서, 기능과 형식은 칸트와 카시러의 철학을 구성하는 주요 개념이기도 하다.

칸트(Immanuel Kant, 1724-1894)는 "선험적 분석론"에서 오성과 이성의 기능을 철저히 형식적 관점에서 기술했다. 한편, '순수 이성' 중심의 지성론에 반대한 카시러(Ernst Cassirer, 1874-1945)는 '상징기능' 개념을 제시함으로써 사고 즉 상징에 관한 형식의 철학을 제시하였다. 그러한 카시러의 상징 기능론이 레비 스트로스(Claude Levi Strauss, 1908-2009)에서는 무의식과 결부되어 무의식적 구조 기능의 친족이론과 신화분석이론으로 전개된다. 그리고, 그레마스(Algirdas Julius Greimas, 1917-1992)에 이르러서는 문학 서사의 의미 생성구조를 탐색하게 된다.

이와 같이 동일화 정신작용 즉 사고의 결과물로서의 '의미'는 퍼스에 의해 '기호와 사고'의 관점에서 논의되고, 그레마스에 이르러서는

'사고의 형식' 측면에서 논의된다. 결국, 현대의 기호학은 기호의 본질적 근원을 추궁하는 과정에서 기호와 사고가 하나의 지점에서 만나고 있다. 또한 이러한 사실을 바탕으로 기호학은 문학 서사만이 아니라 시학 · 미학 · 정치학은 물론, 제반 개별 과학과 사회과학을 비롯한 제 분야로 전개될 가능성을 열어두었다고 할 수 있다.

4.1. 퍼스의 기호와 사고 이론

퍼스는 실재계에 관심이 있는 실용주의자이다. 퍼스는 형이상학이 인간 의식의 연구에만 빠진다면, 내적 표상들에 관한 증명이라는 선험주의적 비판체계를 탐구하게 될 뿐이라며 칸트의 선험적 논리학을 둘러싼 논의를 비판했다. 칸트의 인식론에 대한 거부는 익히 알고 있듯 헤겔에게서도 마찬가지로 나타났다. 그런데 헤겔이 현실과 자아의 통일 문제로 철학과 논리학을 전개해 나갔다면, 퍼스는 세계에 대한 해석적 물음과 탐구를 수행하는 기호학과 논리학을 전개했다.

물론, 그렇다고 칸트의 지성론이 무용한 추상의 이론은 아니다. 사고의 본질적 구성소와 범주 · 도식론 그리고 기능적 관계 등에 관한 기술의 선험적 논리학은 오늘날 인간의 지능과 인공지능에 대한 연구에 있어서 더없이 중요한 학문적 토대를 제공한다. 아울러, 엄격한 이성비판 철학의 정신은 수학적 논리학과 논리실증주의적 철학의 발전을 가져오게 했다.

하지만, 19세기 중후반 당시의 학문적 상황에서 퍼스는 칸트의 선험적 논리학과 친구 윌리엄 제임스의 뇌신경생물학적 심리학에 거부감을 느꼈다. 언급한 바와 같이 퍼스는 정신의 내적 작용에 대해선 불가지론을 천명하며 생성된 지식으로부터 앎의 근원을 추궁하고 또한 생성된 지식으로부터 새로운 앎을 생성하는 실용주의적 입장을 취했다.

퍼스는 자신의 철학사상을 기호학으로 정립하고 논리학을 보조기관으로 사용했다. 그런 퍼스에게 "논리학은 형식의 기호학"이며 "논리학은 기호학의 다른 이름일 뿐"이다(C. P. 2.227). 퍼스는 내적 세계에 관한 우리의 모든 지식은 외적 사실들로서의 지식에 대한 가설적 추론에 의해서 도출되며, 모든 인지는 선행적 인지에 의해서 논리적으로 규정된다고 말한다.

퍼스는 기호를 논했지만 사실은 사고기관을 논하였다고 할 수 있다. 퍼스는 "기호 없이는 사고능력을 갖지 못한다."[4]고 하는데, 이것은 "모든 사고는 반드시 기호 안에 존재해야 한다."는 말과 상응한다. 이 말은 "기호란 단순한 우연적 외피(外皮)가 아니라 그것의 필연적 · 본질적인 기관(器官, Organ)"[5]이라는 카시러의 말을 떠올리게 한다. 우리의 사고는 의미의 출현으로 가능하다. 사고는 의미와 의미를 연결하는 일이다. 물론, 그러한 의미의 연결은 의미의 출현과 함께 가능하도록 우리의 뇌 기반 시스템이 신의 축복 속에 이미 마련되어 있었다.

'기호 속의 사고(thoughts in signs)'와 '사고-기호(thought-sign)'란 말을 사용하는 퍼스는 "모든 사고-기호는 후속적 사고 속에서 번역되거나 해석된다는 법칙에는 예외가 없다."며 "어떤 경우든 나중에 나오

4) 같은 책, p. 107.
5) Ernst Cassirer. 『상징형식의 철학』 I (박찬국 역). 아카넷. 2011. p. 48.

는 사고는 앞선 사고의 내용을 나타낸다"고 한다.[6] 아울러 "사고가 존재하려면 그 이전에 사고가 존재했어야만 한다"고 말한다.[7]

사고의 본성은 동일화이다. 사고는 인과적 과정의 판단들을 전제한다. 그리고 전제된 판단들과 그 전제적 판단들 역시 무한히 소급되어 추궁될 수 있다. 아울러, 사고된 기호는 또 다시 해석을 요구하며 따라서 그에 대한 통찰과 추론이 수행되고 그러한 반복은 무한히 이어진다. 퍼스는 이러한 사고의 되풀이를 '기호작용'과 '해석체' 개념으로 기술한다: 기호는 대상체를 지시하기 위해 어떤 해석체를 규정하는 모든 것이다. 해석체는 대상체를 지시하며, 해석체는 다시 기호가 되고, 이렇게 끝없이 진행된다(C. P. 2.303).

퍼스는 기호에 관해 "다른 것(그것의 해석항)으로 하여금 그 자신이 (그것의 '대상'을) 지시하는 바와 동일한 방식으로 어떤 대상을 지시하도록 결정하게 하는 것으로서, 그 해석항은 다시 하나의 기호가 되고, 그런 식으로 무한히 계속"[8]된다고 말한다. 사고는 기호와 기호를 연결하는 능력이다. 기호와 기호를 연결함으로써 새로운 해석항을 산출하며 무한 추론의 해석체를 발전시킨다. 그런데 카시러에게서도 퍼스의 해석체론과 유사한 견해의 언급을 볼 수 있다.

기호는 고정된 의식상태의 반영이 아니라 그러한 운동의 방향이다. 단어는 물리적인 실체라는 면에서 보면 단순한 입김(Lufthauch)에 불

6) 같은 책. p. 125.
7) C. S. Peirce(제임스 홉스 편, 김동식 외 역). 같은 책, p. 96.
8) 같은 책. p. 401.

과한 것이지만, 이러한 입김에는 표상과 사유의 역동적인 움직임을 야기하는 특별한 힘이 작용하고 있다. 이미 라이프니츠의 '보편적 기호법(Charakteristica generalis)'의 구상이 기호가 갖는 본질적이고 일반적인 이점으로서, 기호가 단순히 표현하는 것뿐 아니라 어떤 논리적 관계들의 발견에 기여하며, 그것은 이미 알려져 있는 것에 대한 상징적 압축을 제공할 뿐 아니라 미지의 것에 도달하는 새로운 길을 열어준다는 사실을 강조하고 있다.[9)]

논리학은 논리규칙을 생성하는 학문이다. 그리고, 논리규칙은 창조적 사고인 통찰의 내용을 추론 사고로써 표현하는데 사용되는 절차적 형식의 규칙이다. 추론은 창조적 통찰 사고의 내용을 분절하여 문법질서와 논리규칙의 질서에 따라 표현하는 사고이다. 논리규칙은 그러한 추론에 사용되는 절차적 형식의 기호체계이다. 그러하듯, 논리규칙은 사고를 생성하는 원리나 법칙이 아니다.

논리학은 추론 사고의 진행을 돕는 형식의 규칙론에 불과하다. 퍼스 역시 이러한 사실을 인식했다. 퍼스는 기호적 사실이나 사실들로부터 보편적 인과성의 원리를 발견하는 통찰 능력이 기호작용에 요구됨을 인식했다. 그런 퍼스는 추론에 통찰을 반영한 사고의 형식인 '귀추법(retroduction)'을 제시했다.

내성 능력을 부정하는 퍼스가 비추론적 정신작용인 통찰 사고를 수용하는 건 의외라 할 수 있다. 하지만, 지각 사고에 있어서도 퍼스는 칸트나 윌리엄 제임스와 달리, 무의식적 추론으로 이루어진다고 주장했

9) Ernst Cassire(박찬국 역). 같은 책. pp. 98-99.

다("제임스의 심리학").[10] 칸트에게 '추론'은 '이성'의 기능이다. 이와 달리 '지각'은 개념을 구성하는 오성의 일로서 '직접 인식'하는 일이다. 그런 칸트는 "직접 인식되는 것과 추리되는 것은 구별된다"고 하였다(B. 359).

윌리엄 제임스는, 지각에 있어서 신호와 그 신호로부터 추정되는 사물 그 둘 이상의 항을 가정할 필요가 없다며, 지각은 추론 사고에서 볼 수 있는 매개항이 요구되지 않는다고 했다.[11] 그러나 퍼스는 "삼단논법의 과정과 동등한 어떤 것이 유기체 안에서 일어난다."며[12] 지각이 '무의식적' 추론임을 주장했다. 뿐만 아니라, 헬름홀츠가 그러했듯, 퍼스는 모든 마음의 움직임을 추론으로 이해했다.[13]

그런 퍼스는 "후건에서 전건으로의 추론"을 귀추법(retroduction)이라 하였다("신의 실재에 대한 간과된 논증"). 귀추법은 어떤 사실(후건)로부터 가설(전건)을 통찰하고 또 다른 사실을 입증하는 방법이다. 여기서 가설은 사실들에 대한 통찰로부터 얻는다. 그런데 퍼스는 추론과 함께 통찰작용이 필요하다는 사실을 수용할 뿐, 정신작용에 대해 불가지론을 견지한 그는 통찰의 정신과정에 대한 탐구로 나아가지 않았다.

퍼스는 귀추법의 핵심 기능인 '통찰(insight)'의 본성과 생성 원리에 관해서는 언급을 하고 있지 않다. 그는 단지 귀납추론의 과정에서 통찰이 수행된다는 사실을 인정하고 있을 뿐이다. 물론, 당시의 뇌신경

---

10) C. S. Peirce(제임스 홉스 편, 김동식 외 역). 같은 책. p. 353.
11) William James. 『심리학의 원리』Ⅱ, Ⅲ(정양은 역). 아카넷. 2005. pp. 1441-43. 1833.
12) C. S. Peirce(제임스 홉스 편, 김동식 외 역). 같은 책. p. 109.
13) 같은 책. p. 154.

생물학을 비롯한 관련 기반 학문의 연구수준을 고려할 때 퍼스의 불가지론은 후일의 행동주의심리학자들처럼 객관적 태도를 견지한 것으로 볼 수 있다.

그러나, 칸트의 사고이론인 "선험적 논리학"의 기술이나 이 책의 사고이론에서도 볼 수 있듯, 사고의 본성과 작용원리에 관한 정신작용은 면밀한 현상학적 관찰로써 상당 부분 개념적으로 형식화하여 기술할 수 있다. 사실은, 오늘날 뇌신경생물학이나 뇌과학 등의 정신작용에 관한 설명들은 내성적 관찰의 결과를 넘어 사고의 본성과 작용원리에 관한 새로운 사실을 알려주는 것은 거의 없다고 해도 무방하다. 그것은 신경생물학적 연구가 뇌의 기능과 작용에 대한 기술(記述)인 것과 달리, 사고는 뇌기능에 의해 생성된 의미 기호를 인과적으로 연결하는 수의적 기술(技術)의 세계이기 때문이다.

사고는 매개를 이용해서 어떤 기호를 다른 기호로 나타내는 동일화 정신작용이다. 새로운 기호의 생성은, 매개를 이용해서 어떤 기호를 다른 기호로 나타내기 위한 전제들을 세움으로써 이루어진다. 그러니까, 새로운 기호는 매개를 찾고 대전제와 소전제를 세움으로써 생성된다. 이러한 사고의 원리는 곧 통찰의 원리이기도 하다.

새로운 기호를 생성하는 통찰의 원리는 유사 동질성의 발견에 있다. 유사 동질성의 발견 능력에 의해 통찰은 수행되며 새로운 기호가 생성된다. 과학자는 사물과 세계의 형상을 해체함으로써 유사 동질성을 찾아내어 보편적 원리의 가설을 발견한다. 그리고, 시 · 예술은 사물의 형상을 초월함으로써 내재된 성질의 유사성을 찾아내고 은유를 형성한다.

과학자와 시인, 예술가는 사물의 배면이나 내면에 숨어있는 유사 동질성을 찾아냄으로써 새로운 기호를 생성한다. 이러한 유사 동질성의 발견 능력이 통찰 능력이자 통찰의 원리이다. 퍼스가 말하는 통찰 사고 역시, 사실들 간의 유사 동질성을 발견하는 일이다. 그럼으로써 가설을 세우고 사실들 간의 매개와 전제들을 연결하여 귀납추리가 이루어진다.

퍼스는 사고의 본성과 작용의 원리에 대한 인식 위에서 기호를 다루지 않은 관계로 사고와 기호에 대한 언급들이 그의 본래 취지나 의도보다 앞서 나간 표현들을 사용한다. 그런 퍼스는 "우리의 모든 사고는 기호"라고 한다. 그리고 "논리학이 사고에 적용 가능한 것은 사고의 기호로서의 성격에 놓여 있다"고 한다("미세한 논리학").[14] 아울러, "모든 사고는 반드시 기호 안에 존재해야 한다." "모든 사고는 스스로를 다른 어떤 것에 전달해야 하며, 다른 어떤 것을 결정해야 한다." 왜냐하면 "그것이 기호의 본질이기 때문"이라고 한다[15].

그런 퍼스는 "인지될 수 없는 사고는 존재하지 않는다. 따라서 모든 사고는 반드시 기호 안에 존재해야 한다."고 말한다("인간에 대해 주장된 특정 능력들에 대한 물음")[16] 그런데, 모든 사고는 반드시 기호로써 수행된다. 그리고 기호가 사고의 투사물이라는 점에서 모든 사고는 반드시 기호 안에 존재한다. 그러나 "모든 사고는 기호"라는 말은 당위적 표현이 아닌, 수사적 표현이다. "기호 속의 사고(thoughts in signs)"와

14) 같은 책. p. 394.
15) 같은 책. 96.
16) 같은 책. p. 96.

"사고-기호(thought-sign)" 역시 그러한 관점에서 이해할 수 있다.

사고는 어떤 기호를 매개로 하여 다른 기호를 또 다른 기호로 나타내는 일이다. 기호는 또 다른 기호를 낳도록 우리의 사고를 촉구하며 사고는 또 다른 기호를 생성한다. 그러하듯, 기호는 사고가 아니며, 사고 또한 기호가 아니다. 다만, 사고는 기호에 투사되고, 기호는 그러한 사고를 내장할 뿐이다. 한편, 퍼스는 논문 "네 가지 무능력의 귀결들"에서, "유기체는 사고의 도구일 뿐"이며, '인간 · 사고 · 기호'는 동일한 것이라고 한다.

> 인간이 사용한 단어나 기호는 인간 자신이라는 것이다. 모든 사고가 기호라는 사실이, 삶이 사고의 행렬이라는 사실과 함께 인간이 하나의 기호라는 것을 입증하는 것과 마찬가지로, 모든 사고가 '외적' 기호라는 것은 인간이 외적 기호라는 것을 입증한다. 말하자면, '사람'이라는 단어와 '인간'이 동일한 것과 같은 의미에서 인간과 외적 기호는 동일한 것이다. 따라서 나의 언어는 나 자신의 총합이다. 왜냐하면 인간은 사고이기 때문이다.[17]

퍼스는 사고의 결과물로서의 기호와 사고 그리고 인간을 동일시한다. 퍼스는 사고와 기호의 상보성에 기대어 사고와 기호의 관계를 은유적 방식으로 표현한다. 그런데, 사고와 기호 그리고 인간을 동일한 지평에서 이해할 수는 있으나, 사고가 기호는 아니다. 기호와 논리규

17) 같은 책. p. 151.

칙을 통해서 우리는 사고의 내용을 명확히 드러낼 수 있다.

기호는 사고가 아니며, 기호를 낳는 건 사고이다. 그와 같은 기호가 사고에 대해서 요구할 수 있는 건 자신의 해석체를 완결토록 하는 것이다. 그리고 우리가 이성의 의지에 따라 또 다른 인식(기호)을 낳도록 촉구하는 일이다. 그것은 퍼스가 언급하듯, 하나의 기호에 대한 경험은 끊임없이 의문과 질문, 물음을 갖게 하기 때문이다.

4.2. 그레마스의 의미와 형식의 기호론

그레마스는 『의미에 관하여』(제2권: 1983)의 서론을 이렇게 맺는다. "마치 모든 일이 자신의 몇몇 도구적 개념들이 지닌 발견적 가치를 소진시킨 초기 기호학의 뒤를 이어 새로운 기도, 즉 10년에 걸친 집단적인 노력 끝에 탄생한 양상(樣相, modalité)의 통사구조를 구축한 기호학이 이미 자리를 이어받을 태세를 갖추고 있는 것처럼 보인다. 이 기호학은 자신의 고유한 문제를 제기하고, 기호학의 새로운 대상들을 정의할 수 있는 능력을 갖고 있기 때문이다. 이론의 발전에서 비롯한 위기든, 아니면 돌이킬 수 없는 변화에서 비롯한 위기든 기호학의 새로운 면모가 서서히 나타나고 있다."[18]

'새로운' 기호학의 '새로운 대상들'이란 의미론적 기호학과 그 의미론적 기호학이 탐구 대상으로 삼는 '의미의 파악과 생성의 조건들'이다. 김성도는 『현대 기호학 강의』(1998)에서 '기호의 소멸 혹은 해체'

---

18) Anne Hénault. 『기호학사』(박인철 역). 도서, 2000. p. 11.

에 관해 정리적으로 보여준다: "기호학의 궁극적 대상은 기호가 아니라, 기호가 구상화되는 과정의 기저에 있는 요인들"이며 "기호를 소멸시키고 더 미세한 단위로 나누려는 입장은 이미 옐름슬레브(Louis Hjelmslev)에게서 나타났다".

옐름슬레우는 "초기 저작에서 소쉬르 언어의 기호 체계 개념을 논하며, 기호가 가장 적합한 기호학 단위가 아님을 주장하고, 『언어학 서설』(1968, 58-64쪽)에서는 기호학에서 기호 개념은 적합한 개념이 될 수 없다고 결정적으로 단정함과 동시에 그것을 과감하게 내던진다". "기호는 보다 작은 의미 단위들인 의소(sèmes)와 음소 구성소(phèmes)를 구분" 가능케 하며 반면 "기호의 구조성은 서사 시퀀스와 같은 보다 광범위한 단위들을 상정" 가능케 한다.

옐름슬레우는 하나의 독립적 의미체로서의 기호에서 음소와 의미소가 기호의 단위임을 인식하면서 기호 개념을 보다 분절적으로 미세화하였다. 한편, 바르트(1915-1980)와 그레마스는 옐름슬레우와는 달리 단락과 작품의 텍스트 또는 그 구조를 기호학의 대상으로 이해함으로써 기호학의 관심을 텍스트와 그 형식의 문제로 이동시켰다.

이와 같이 기호에 관한 고전적 개념을 거부함으로 인해, 언어기호학의 전통에 선 파리 기호학자들의 고민은 과연 기호학이라는 학명을 계속 유지해야 하느냐 하는 것이다. 퍼스의 "역동 기호학에서도 역시 고정된 기호 개념은 폐기되어야 할 대상"이며 그가 제시하는 "기호학의 대상은 기호가 아니라 기호의 작용과 활동인 세미오시스"임을 언급한다.[19]

그들의 이러한 '의미론적 접근'의 논의는 본질적으로 '사고'의 문제로 나아간다. '기호학의 대상은 기호가 아니라 기호의 작용과 활동인 세미오시스' 라는 현대 기호학의 지표는 새로운 관점을 제시한다. 기호학의 대상은 기호가 아니며, 기호의 기능과 의미작용이 그 대상이라는 건 상징 즉 사고 세계로의 이행을 의미한다. 물론 그들의 탐구 대상은 '의미 생성'의 통사형식에 관한 것이다. 하지만 그들의 의도와는 상관 없이 그들은 상징 즉 사고의 형식을 다루고 있다.

기호학자 박인철은 그레마스의 기획과 이후의 '파리 학파'의 연구 상황을 다음과 같이 요약하고 있다: "그레마스가 내세운 기획은 기호를 소멸시키고 기호를 통칭하는 관계들의 망을 기술하려는 것"이며 "기호는 체계의 효과에 불과하거나, 의미의 겉껍데기일 뿐"이다. 아울러 "그 순수한 외관을 넘어 그 속성들과 작동들은 기호의 심층이나 배후에 깔려 있는 체계에 의해 조절"되는바, "이것이 곧 의미 작용의 기호학"이다.

"그렇다면 기호학의 목표는 무엇인가? 그것은 '의미 체계에 관한 일반이론'(J.-Cl. Coquet, "L'Ecole de Paris" in Sémiotique, *L'Ecole de Paris*, Hachette, 1982, 5쪽)을 세우는 것"으로, "그레마스의 야심 찬 표현을 빌리면, 기호학은 '의미의 파악과 생성의 모든 조건을 개념 구축의 형태로 명시하는 것'"(*Dictionaire*, 345쪽)이다. "여기서 우리는 그레마스의 기호학이 그가 애초에 수립하고자 했던 일반 의미론의 연장선상에 있음을 알 수 있다. 왜냐하면 기호학 역시 의미 일반을 방법적으로 기술할 수 있는 상위 언어의 구축을 목표로 삼고 있기 때문"이다.[20]

그레마스의 의미론적 기호학과 그 의미론적 기호학이 탐구 대상으

19) 김성도, 『현대 기호학 강의』. 민음사. 1998. pp. 48-50.
20) 박인철, 『파리 학파의 기호학』. 민음사. 2003. p. 116.

로 삼는 '의미의 파악과 생성의 조건들'은 다름 아닌 상징의 '형식'이다. 또한 그것은 사고 전개의 방법론인 논리학 · 문법학 · 수사학 등과 마찬가지로 '사고의 외현적 형식'에 관한 연구이기도 하다. 그것은 문학텍스트의 이해와 창작에 관한 방법의 기호이론으로서, 기호학이 사고이론의 문제로 한 걸음 이행하였음을 의미한다.

퍼스의 경우 사고와 기호의 불가분성을 인식하고 논리학을 기호학의 방법론으로 삼았다면, 그레마스는 문학 텍스트에 대한 의미의 파악과 생성 즉 '해석과 창작에 관한 방법론'을 기호학의 대상으로 삼았다. 현대 기호학의 이러한 연구 상황은 기호와 사고가 원천적으로 상보적 관계에 있다는 사실에서 당연한 일일 것이다.

기표는 기호의 본질소가 아니다. 기호의 기표는 퍼스나 이 책의 필자처럼 심상을 펼치는 우리의 마음이 될 수도 있고, 벽돌이나 나무 그리고 벽돌과 나무로 지은 건물이 될 수도 있다. 또한 우리의 뇌신경 연결망의 흔적일 수도 있다. 실제로 사고의 수행에 있어서 우리는 문자와 같은 외현기호를 사용하지 않는다. 우리의 사고는 전기 · 화학적 신호작용에 의한 비의식기호로써 수행된다.

기호는 사고의 결과로써 획득된 '의미'이며 이러한 의미를 표현하고 전달하기 위해서 기표는 사용된다. 기호의 본질소는 의미로서, 의미는 곧 기호이다. 기표는 의식에서의 인지나 전달을 위해 의미에 부가되는 것이다. 이러한 관점에서, 의미의 파악과 생성의 조건에 관심을 갖는다는 건, 기호를 본질적 관점에서 새롭게 접근하는 일이라 하겠다.

사고의 결과는 '의미'이며, 의미는 곧 기호이다. 그러한바, '의미의 파악과 생성'에 관한 연구는 파리기호학파가 (그들이 의미를 기호로 인식하고 있는지 여부와는 별개로) 기호를 보다 본질적 측면에서 접근해 들어가는 것이다. 물론, 이러한 현상은 기호와 사고의 관계를 탐구하는 일이기도 하다.

칸트의 고전적 견해처럼, 개념 즉 의미는 (오성이나 이성이라는) 사고의 결과이다. 그러나 사고는 의미 즉 기호의 출현으로 가능하다. 그리고 사고는 언제나 다시 새로운 의미를 생성한다. 파르메니데스(BC 515?-BC 445?)가 "사람들은 하나의 이름을 확정했다. 즉 각각의 것들에 대해서 기호를 붙이는 것"이라고 하였듯, 사람들은 의미에 이름 즉 기호를 부여한다. 그런데, 사실은, 사고는 기호가 아니라 의미를 생성한다. 사람들이 의미에 기호를 붙이는 것이다. 의미를 생성하는 사고작용을 논자들은 기호작용(semiosis)이라고 한다. 의미는 곧 기호로서, 의미작용은 기호작용이며, 곧 사고이다.

돌아보면 전통적 기호학은 기호와 사고의 본질적인 관계에 관심을 기울이지 않았다. 퍼스의 경우를 예외로 한다면, 기호를 생성하는 사고의 문제에는 학문의 경계역으로 선을 긋고 있다는 인상을 주기까지 한다. 이러한 상황에서 그레마스와 파리학파의 방향 전환은 본질적 측면에서 기호학을 사고의 이론으로 이동시키고 있음을 보여준다.

사고는 형식을 통해 의미 즉 기호를 구현한다. 기호가 '물음'과 '해석'을 통해 기호 자신에 대한 재귀적 물음을 지향한다면, 기호는 상징 즉 사고의 세계로 나아가기 마련이다. 기호학은 종국적으로 상징 즉 사고의 이론과 호환된다. 그레마스와 파리 기호학파의 작업은 그러한 일면을 보여준다. 기호학의 이러한 접근은 향후 문학 · 예술만이 아니라 제반 사회과학은 물론, 자연과학의 형식과 기능의 원리에도 그 적용의 가능성을 열어두었다고 할 수 있다.

5. 원형과 사고

우리는 많은 이론과 학문, 예술들이 유비적인 측면에서 영향을 주고 받는다는 사실을 보게 된다. 우리는 나와 남의 생각이 우연한 일치를 보이는 것을 경험한다. 내가 하고 있는 생각을 이미 다른 선각자가 보다 구체적으로 언급하였거나 아니면 적어도 나의 수고를 많은 부분 덜어주고 있음을 발견한다.

유비적 인식의 사고력이 없다면 비약적인 학문의 발전을 기대하기 어렵다. 프로이트가 오이디푸스 신화에서 오이디푸스 콤플렉스 이론을 떠올린 것은 신화의 내용을 모티프로 삼아 유비적 동일화의 사고로써 정신분석학의 토대를 착상해낸 사례이다. 칼 융은 신화가 꾸며진 사실(史實)에 다름 아니라는 사실로부터 꿈이 배면의 또 다른 의미를 지니고 있음에 관하여 언급한다.

융은 "그리이스인들이 신화는 합리적이고 (정상적인) 역사를 정교하게 다음은 것에 지나지 않는 것이라고 확신한 것과 마찬가지로, 심리학의 몇몇 선구자들도 꿈의 의미와 표면적으로 드러나는 꿈의 모습은 같은 것이 아니라는 결론에 이르게 된다."고 말한다.[1)]

소쉬르는 언어체계를 담화구성 측면에서의 통합적 관계와 심리적 연상 측면에서의 연합적 관계의 두 유형으로 보았다. 그런데, 야콥슨은 소쉬르의 언어학적 모델을 시 구조 분석에 도입하여 소쉬르의 연합적 관계를 대체 가능한 시어들의 관계인 계열적 관계로 치환한다. 그러한 야콥슨은 자신의 실어증 연구에서 발견한 유사적 무질서와 접촉적 무질서에 관한 정신분석학적 연구결과를 수사학과 시학에 적용하여 각각 은유와 환유에 대응시키며 나아가 꿈의 생성 구조와도 연결시킨다.

소쉬르의 언어학과 구조주의, 문학비평에의 정신분석학 도입, 주역사상에서 취한 닐스 보어의 상보성이론, 동양사상의 선적 통찰사고를 통해 바라본 프리조프 카프라(Fritjof Capra) 와 같은 현대물리학자들의 인식, 생물학의 적용에 따른 코울리지의 유기체론적 문학사상과 19세기의 유기체론의 철학, 거울에 반영되는 광학 현상에서 로크가 내적 지각을 반성(反省, reflection)이라고 한 것 등 이러한 유비적 동일화의 사고(아리스토텔레스의 『시학』과 카시러의 『인간론』에서 언급된바 있기도 한 "유추에 의한 전용")로써 기존의 이론으로부터 새로운 이론을 생성해낸 사

---

1) C. G. Jung. 『인간과 상징』(이윤기 역). 열린책들. 2009. p. 90.

례는 수없이 많다.

그리고, 동시대 또는 시대를 달리하여 전혀 영향을 주고받지 않은 사람들이 유사한 문제나 혹은 동일한 문제를 연구해 내거나 동일한 결론에 도달하는 것을 우리는 종종 볼 수 있다. 라이프니츠와 뉴톤의 미적분 발견, 라부아지에(1743-1794)와 프리스틀리(1733-1804)의 산소 발견, 융과 프로이트의 무의식에 관한 동시적 관심 등이 그러하다.

필자 역시 그러한 사례를 빈번히 경험했다. 필자는 심상이나 관념을 심상기호라고 하였다. 그런데 후일에, 퍼스가 관념을 기호로 이해했음을 알게 되었다. 특히, 필자는 전기 · 화학적 신호작용에 의해 비의식 상태로 수행되는 우리의 사고에 분명히 기호가 사용된다는 생각에서 그러한 기호를 비의식기호로 명명했다. 그런데, 인지과학자 제리 포더 교수가 사고의 수행에 사용되는 정신 언어에 관한 '사고 언어 가설'(language of thought hypothesis)을 1975년에 제시했다는 사실을 알게 되었다.

또한 필자는 1990년 무렵에, 사고가 비의식 상태로 수행된다는 것을 내성적 관찰을 통해 인지하고 그러한 사실을 알게 된 것에 대해 나름으로 자부심을 갖고 있었다. 그런데, 20세기 초에 뷔르츠부르크 대학의 심리학자들이 공동 연구의 결과로 '무심상 사고'라는 개념을 사용하면서 사고가 비의식으로 수행된다는 사실을 어느 정도 이해하고 있었고, 싸르트르 역시 그러한 사실을 인지하고 있었음을 알게 되었다.

그리고 1998년에 조지 레이코프와 존슨 역시 사고가 대부분 무의식적으로 수행된다고 주장하였다는 사실을 알게 되었다. (철학계와는 달리 오늘날 인지심리학 · 신경생물학 · 인지과학계에서 그것은 보편화된 지식이다.) 또한 필자는 시간을 공간의 한 속성이자 운동의 한 양태로 이해했으나, 뒤에서 언급이 되겠지만 고대의 아리스토텔레스 역시 『자연학』에서 시간을 운동의 속성으로 이해하고 있었다. 이 외에도 필자의 인지나 깨달음과 같은 내용에 대해 다른 이들 역시 동일하거나 유사한 견해를 선취하고 있음을 종종 볼 수 있었다.

우리는 동일성의 패턴과 원형을 인지하는 생래적 능력을 지니고 있다. 한편, 이러한 동시성적 원형의 발현에 관해 Borring(1971) 또한 융의 '동시성' 개념을 빌려서 '근-동시성(near-simultaneities, near-synchronism)'이라 하였다. 그는 근-동시성에 관해, 두 명 혹은 그 이상의 사람이나 집단이 함께 작업을 하지 않고도 무엇인가를 거의 동시에 발견할 때 발생하는 것이라고 말한다. 그리고, Orburn과 Thomas의 경우는 1922년에 '동시대에 발생한 독자적인 발견과 발명' 148개를 확인(Boring, 1971)했으며, 이후에 Lamb과 Easton(1984)은 더욱 많은 사례들을 제시한 것으로 보고되고 있다.[2]

5.1. 동시성

현대물리학은 불교사상이나 연금술과 마찬가지로 전일적 세계관을 보여준다. 현대물리학은 뉴톤 이래 합리적 과학관의 바탕이 된 절대적 시ㆍ공간과 인과적 결정론을 벗어나 불확정적이고 비국소적인 전일적 경향을 나타내 보여주고 있다. 양자역학적 대상에 관찰자의 측정행위가 영향을 미치는 전체성을 논함에 있어서 보어는 관찰을 원자계와 측

---

2) M. A. Runco. 『창의성-이론과 주제』(전경원 외 역). 시그마프레스. 2009. p. 264.

정 도구와의 상호작용으로 보았다.

하지만 파울리는 측정도구를 관찰자의 감각기관이 확장된 것으로 보면서, 관찰 과정을 원자계와 관찰자의 의식과의 상호작용으로 간주했다. 파울리는 원자를 관찰하기 위한 기구를 관찰자의 확장된 눈으로 보았으며 그것은 관찰계에 영향을 미친다고 생각했다. 파울리는 물질과 정신을 구별한 데카르트적 이원론과 달리 실재는 물리적 측면과 정신적 측면을 동시에 포함하는 전체로서 이해되어야만 한다고 생각했다.

사실, 물질이든 정신이든 그 구성 질료는 동일하며, 세계는 분리되어 있지 않은 하나이다. 세계의 창조를 빛의 유출로 보았던 플로티누스에 따라, 점성술 · 연금술 · 카발라 명상 등에서는 정신과 물질의 세계를 소통 가능한 하나의 전일적 세계로 이해한다. 정신이나 물질이라는 개념은 고전적인 해부학적 관점에서나 의미가 있을 뿐, 분리될 수 있는 실체가 아니다.

모든 현상들은 상호 연결되어 있다. 다만 우리가 그러한 사실들을 인지하지 못할 뿐이다. 시인 · 과학자 · 예지자들은 그러한 전일성의 세계를 상대적으로 잘 파악하고 인지할 수 있는 능력을 연마한 사람들이다. 그러한 인지능력은 다름 아닌 동일화 사고능력으로서, 우리의 사고는 감각을 초월한 인지능력이다.

이 특별한 능력은 매개를 통해서 어떤 현상을 또 다른 현상과 결부시키는 힘이다. 시인은 그러한 은유의 능력을 사용해서 세계의 본질적 내면을 비춰 보여주고, 과학자는 형상을 제거한 통찰로써 우리를 새로운 현상의 세계로 안내한다. 그리고 예지자는 우리의 일상적 삶에서 일어날 일들을 예측한다.

조셉 캠벨(Joseph Campbell, 1904-1987)은 제임스 조이스의 『피네

건의 경야』에서 빈번히 출현하는 숫자 1132의 뜻을 알기 위해 골몰하다가『율리시즈』의 작중 인물 블룸이 더블린의 거리를 거닐며 "물체의 낙하 법칙, 초속 32피트, 초속…"하는 생각에 32는 인류의 타락을 상징하는 숫자이며, 십진법의 매번 시작하는 숫자 1의 결합인 11은 구속일 거라는 생각을 하게 된다.

그리고,『피네건의 경야』와도 관련 있는 더블린의 가장 큰 공원의 이름이 '재 속에서 날아오르는 불새'를 뜻하는 피닉스라는 점에서 캠벨은 1132가 '죽음과 재생'일 것이라고 생각한다. 그런데, "하느님이 모든 사람을 순종치 아니하는 가운데 거두어 두심은 모든 사람에게 긍휼을 베풀려 하심이로다." 하는 로마서를 읽다가 "그래, 조이스가 하고 싶었던 말이 바로 이거로구나!" 하고 다음날 있을 강의 노트에다 "로마서 11장 32절"이라고 적는다, 그리고 캠벨은 깜짝 놀란다. 1132의 비의(泌意)가 바로 그곳에 있었던 것이다.[3)]

'1132'의 해석에 있어서 제임스 조이스와 캠벨을 연결하는 매개는 자비심을 기록한 로마서의 내용이다. 우리의 주위에는 이러한 매개적 계시들로 가득 차 있다. 단지 우리의 훈련되지 않은 동일화 상징 능력이 이러한 계시들을 발견하지 못할 뿐이다. 분리되어 있지 않은 세계는 하나로서의 통일적 동일화의 관계를 이루고 있다.

스베덴보리(Emanuel Swedenborg, 1688-1772)[4)]는『靈의 세계』에서, 길을 가던 한 농부가 갑자기 거리가 온통 붉은 핏빛으로 물들며 자신의 어린 아들이 난파선의 조각을 붙든 채 바다 한 가운데서 수많은

---

3) Joseph Campbel, Bill Movers.『신화의 힘』(이윤기 역). 고려원. 1996. pp. 227-28.

사람들과 함께 살려달라고 애원하는 것을 목격하게 되고 이후에 결국 아들을 잃게 되는 사례를 책머리에 실어 두었다.

그런데 이러한 예지의 능력 또한 동일화 사고의 능력이다. 우리의 사고는 매개를 이용해서 어떤 사태나 기호를 또 다른 사태나 기호로 이행시키는 정신작용이다. 이러한 능력을 우리는 '통찰'이라 한다. 매개를 통한 동일화 정신작용의 능력에 의해서 우리는 전혀 다른 두 세계나 기호를 하나로 통일하거나 전환시켜 낼 수 있다.

융은 비인과적 현상이 알려주는 초월적 예지 현상 등에 관해 꿈과 주역, 점성술은 물론, 환자의 임상 사례와 자신의 직접 경험 사례를 통해, 그의 저서 곳곳에서 풍부히 피력하고 있다. 융은 동시성을 마음과 외부 세계와의 관계로 규정하였지만, 그러나 정신과 물질의 극미시적 관점에서 볼 때 서로는 하나로 환원되어 상호 교통한다. 그리고, 이 세계는 정신과 물질의 상보적 표현으로서, 끊임없이 서로 영향을 미치고 있다.

칼 융(1875-1961)은 동시성 개념을 55세 되던 1930년에 사용하기 시작했다. 하지만 75세 되던 1950년 7월에 "비인과적 연결 원리로서의 동시성(Synchronizität als ein Prinzip akausaler Zusammenhänge)"이라는 제목의 논문으로 작성했다. 그리고 볼프강 파울리

---

4) 21세에 스웨덴 웁살라 대학을 졸업하면서 그 해에 라틴어 자작 시집을 발표했다. 귀족원 의원, 철학 · 과학 · 수학자이자 발명가로 활동했다. 55세에 그는, 그리스도교가 진정한 신앙을 잃었으니 사람들이 행한 대로 영계 · 정령계 · 지옥에 거하게 됨을 알리라는 계시를 받았으며, 이전부터 자신이 세상을 떠나는 날은 1772. 3. 29.이라며 그날을 즐겁게 기다렸다고 한다. 1908년 학사원의 청원으로 국왕이 영국에 군함을 파견하여 유골을 스웨덴으로 옮겼다.

(Wolfgang Pauli. 1900-1958)의 "케플러의 과학이론에 미친 원형적 관념의 영향"이라는 논문과 함께『자연의 해석과 정신』이라는 책으로 출간했다.

융은 동시성[5]에 관해 '둘 혹은 그 이상의 사건들 사이의 의미상의 일치'로서 제1. 마음과 사건이 일치하는 경우, 제2. 마음과 사건의 일치가 (대체로) 동일한 시간에 다른 곳에서 일어나는 경우, 제3. 사건이 미래에 일어나는 경우로 나누고 있으며 제1의 유형을 동시성synchronisity이라 하고, 제2, 제3의 유형을 동시성적synchronistisch이라고 했다.

융은 동시성에 관해 "현재로서는 인과적으로 설명할 가능성이 없기 때문에 우리는 임시로 비확률적 우연(chance), 또는 비인과적 성질의 의미상의 일치(coincidence)가 나타난다고 짐작할 수밖에" 없다고 하였다.[6] 그리고 '의미 있는 일치'에 대해 "우연이 아니라, 인과적 설명의 결핍"이라 하였다. 아울러 그 "설명 불가능성"은 "원인이 未知라는 사실 때문이 아니라, 지적인 의미로는 그 원인을 생각할 수조차 없다는 사실에서 연유하는 것"으로 "공간, 시간, 인과율과 함께 동시성적

5) 융은「동시성: 비인과적 연결 원리」(Sinchronicity: An Acausal Connecting Priniciple)에서 동 이론의 선구로 쇼펜하우어의 "우리가 '우연'이라고 부르는 인과적으로 연결되지 않은 동시발생(simultaneity)"[『개인의 운명에서의 명백한 계획에 대하여』(On the Apparent Disign In the Fate of The Individual)]이라는 구절을 밝히고 있다. 융은 또, 하나의 선구로서 라이프니쯔의 예정조화설을 들고 있는데 이것 역시 쇼펜하우어의 위 논고에서 "그 두 종류의 연결은 동시적으로 존재하며 (…) 이것은 우리의 이해력을 넘어서는 것으로 가장 놀라운 예정조화(pre-established harmony)에 의해서만 감지될 수 있을 뿐"이라 하고 있음을 밝히고 있다.

6) C. G. Jung, W. Pauli.『자연의 해석과 정신』(이창일 역). 청계. 2002. p. 373.

현상이 자연적 사건의 특별한 종류라는 점"이라고 한다.[7]

융은 "동시성"을 '시간적 일치(동일-시간성Gleichzeitigkeit)'라는 의미로 표현했다. 그런데, 융이 나눈 3가지 유형 중 제2, 제3의 경우는 시간의 일치를 이루지도 않지만, 자연계에서 초월적 현상과 추상적 관념의 시간성은 중요하지 않다. 우리들 인간에게 있어서는 사건의 발현 시기가 중요하나, 자연의 세계에서는 그냥 일어나는 일일 뿐으로, 융이언 폰 프란츠(Marie Louise von Franze)의 표현대로 "바로 그렇다는 이야기(just-so-story)" 그것일 뿐이다.

융이 라인(Joseph Banks Rhine, 1895-1980)[8]의 카드 예측 실험을 제시하며 언급했듯, 동시성은 시 · 공은 물론 움직이는 주사위 즉 동력자에조차 그 영향을 미치고 초월한다. 그러나, 시공을 초월한다는 것은 단지 고전 역학적 의미에서 인과성의 부재를 의미할 뿐이다. 정신을 포함한 자연 현상에 있어서 '언제' 일어나느냐의 문제는 자연의 세계에 있어서는 사실, 아무런 흥미거리도 중요한 일도 되지 않는다. 그리고 무엇보다도 시간은 객체로서 존재하지 않는다.

---

7) 같은 책. pp. 183-94. 참조

8) 미국의 초(超)심리학자이다. 듀크대학의 심리학자 W. 맥두걸 밑에서 연구하여 투시 · 텔레파시 · 예지 · 초능력의 존재를 실험적으로 증명코자 했다. 또한 초감각적 지각(ESP)과 초능력(PK: 정신동력학)의 개념을 정립하고, 그 연구를 초심리학이라고 명명했다. 라인은 피실험자들로 하여금 5장의 카드(별, 사각형, 원, 십자, 두줄의 물결선)를 알아 마치도록 했는데 많은 사람들이 적중 확률 5: 1을 넘어선 6.5: 1(가능확률: 250,000: 1)을 나타내었으며 심지어는 가능 확률이 289,023,223,876,953,125인 25장의 카드를 모두 맞히기도 했다고 한다. 융은 점성술과 함께 라인의 카드 예측 실험을 동시성이론의 실례로서 인용하고 있다.

5.2. 시간

뉴톤(Isaac Newton, 1642-1727)은 『프린키피아』에서 이렇게 말한다: "절대적이며 참된 수학적 시간은 그 자체가, 그리고 그 자체의 본성상, 다른 어떤 외계와도 관계없이 균등하게 흐른다. 이것은 달리 지속이라고도 불린다. (…) 모든 운동은 가속되거나 감속될 수 있지만, 절대시간의 흐름은 어떤 변화도 겪지 않는다. 존재하는 사물의 지속 내지 보존은 운동의 속도나 운동의 유무와 관계없이, 동일하게 유지된다."[9)]

뉴톤의 절대적 시공간론에 힘입은 죤 로크(John Locke, 1632-1704)는 '지속되는 시간이란 무한하게 뻗어나가는 일직선의 길이' 라고 했다. 그러나, 뉴톤이 기술하는 '절대적이며 참된 수학적 시간'이란 말 그대로 수학에서의 추상적 시간일 뿐 실재하는 현상체가 아니다. 시간이 물질계의 움직임 그것이라면, 삼라만상의 움직임(속도)은 너무도 다양하며 따라서, 절대적일 수가 없다. 환언하면, 시간이 움직임 그것이라면, 시간은 당연히 감속하며, 가속된다. 그러한 관점에서 아인슈타인의 동시성[10)] 부정은 조금도 놀랄 일이 아니다.

칸트는 말한다: 시간은 우리(인간)가 직관하는 주관적 조건이다. 또 시간은 주관을 떠난 자체에 있어서는 없는 것이다(B 51). 우리는 시간

---

9) 오영환.『화이트헤드와 인간의 시간 경험』. 통나무. 1997. p. 149. 재인용.

10) 아인슈타인의 '동시성'은 칼 융의 '동시성'과는 다르다. 전자는, 상대적 움직임 속에서는 외부 세계에 관한 동시적 지각이 불가하다는 것이고 후자는, 초월적 현상의 동시(적) 발현을 이른다.

의 절대적 실재성에 대한 모든 요구를 거부한다(B 52). 시간의 절대적 실재성은 승인될 수 없다. 시간은 우리의 내적 직관의 형식임이 틀림없다(B 54). 칸트는 뉴톤의 실체적 시간관을 정면으로 부정했다. 시간은 객관적 실체로서가 아니라 인간의 마음속에만 존재한다는 것이다.

아우구스티누스(Aurelius Augustinus, 354-430)는 『고백록』제11권을 통해 천지창조와 시간에 관하여 언급한다. 그런데, 눈길을 끄는 것은 아우구스티누스는 같은 책 제26장에서 시간이란 '정신의 연장'이라고 하여 그 역시 객관적 대상으로서의 시간을 부정했다. 그런데, '정신의 연장'이란 관념은 플로티누스 역시 이미 가지고 있었던 것으로 아마 그 기원은 더욱 거슬러 올라갈 것으로 생각된다.

외재적 시간 즉, 절대적 시간관은 갈릴레오로부터 시작하여 뉴톤에 이르러 비로소 확립되었다고 볼 때 그 이전의 시기에는 아우구스티누스와 마찬가지로 시간의 외재적 실체성을 인정하지 않았을 것으로 생각된다. 아리스토텔레스(Aristoteles, BC 384-BC 322) 역시 『자연학』에서 "시간은 운동의 전과 후를 측정하는 수"이며(4:11), "전과 후는 운동의 속성"(4:14)이라고 하여 '시간'이라는 개념은 운동의 속성을 나타낸 것임을 언급하였다.

시인 옥타비오 파스(Octavio Paz, 1914-1998)는 이렇게 말한다. "시간은 우리의 외부에 있지 않으며 시계 바늘처럼 우리 눈앞을 지나가는 어떤 것도 아니다. 우리가 바로 시간이며, 지나가는 것은 시간이 아니라 우리 자신이다."[11)] 파스는 시간을 부재로 인식하고 삶 그 자체로 환원하는 매우 현실적인 시간관을 보여주었다. 그런 파스는 직선으로서의 시간관을 배척하므로써 영원한 현재로서의 삶을 꿈꾸었다: "시간은 존재하지 않는 것. 리듬으로서의 시는 원형의 과거를 불러내고 모든 차원의 존재자를 화해케 함으로써 현존하게 한다."[12]

그리고, 보르헤스는 소설 『쌍갈래 작은 길들이 있는 정원』에서 환생한 스테펜 알버트 박사의 입을 통해 "여러 시간들의 무한한 계열, 즉 분산하고 수렴하며 평행하는 시간들의 증식하고 혼잡한 그물 (…) 접근하기도 하고 갈라지기도 하며 분단되기도"[13]라고 하는 매우 환상적이고 입체적인 시간관을 보여준다. 이와 같이, 중남미 문화권의 두 거장은 기계적이고도 물리적인 시간의 세계를 떠나 원형적이고도 신화적인 세계의 삶을 꿈꾸었다.

엘리아데는 『이미지와 상징』의 "시간과 영원에 관한 인도의 상징" 편에서 불타의 시간관에 대해 말한다: "『삼유타니카야』(Ⅰ, 141)에서 말하고 있듯이, '불타에게는 과거도 미래도 존재하지 않는다.' 불타에게 모든 시간은 현재가 될 수 있다(『비숫디 마가』, 411). 이 말은 곧 그가 시간의 불가역성을 파기했다는 뜻"이다.

또한 엘리아데는 『마이트리 우파니샤드』를 인용하여 "태양에 앞서는 것은 무시간이자 미분화된 것이다. 태양과 더불어 시작하는 것은 부분을 가진 시간으로 그 형태는 해"라고 말한다. 시간의 비실재성에 관해선 힌두 사상에서도 나타난다. 우리는 고대의 힌두인들이 시간을

---

11) Octavio Paz. 『활과 리라』(김홍근 외 역). 솔. 1998. p. 72.
※ 쉘링 역시 "시간은 자아와는 독립하여 흘러가는 뭔가로서가 아닌, 활동하고 있는 (…) 자아 자신이라 생각된다."고 하여 시간의 외재성을 부인했다 [Friedrich Kümmel. 『시간의 개념과 구조』(권의무 역). 계명대 출판부. 1986). p. 60.]. 그러나, 파스는 원형적 신화론의 시간관이라는 점에서 셸링과 다르다.

12) 같은 책, pp. 77-80.

13) J. L. Borges. 『죽지 않는 인간 외 』(김창환 역). 오늘의 세계문학 제29권. 중앙일보사. pp. 5, 34, 37.

우주 그것으로 보고 있었음을 유추할 수 있다. 아울러, 그들의 사유가 오늘의 현대물리학의 세계관과 다르지 않음을 보여준다.

"아인슈타인-로젠 다리"라고 불리운 웜 홀(worm hole)과 블랙홀이라는 용어를 처음으로 사용한 존 휠러(John Wheeler)는 연구실 밖에서 이지만, 보다 분명한 말을 한 것으로 안다. "시간이란 말은 하늘로부터 하느님의 선물로 주어진 것이 아니다. 시간이란 개념은 인간이 만들어낸 하나의 낱말이고 만약에 이에 관해서 미심쩍은 점이 있다면 (…) 그것은 우리가 말을 만들어내고 사용했던 탓"이라고 휠러는 말한 바 있다.

물리학계에선 시간의 비외재성 즉, 객관적 실체로서의 시간을 직접적으로 부인하고 있지는 않다. 그러나, 시간과 공간이 그림자 속에 숨고 시간과 공간이 융합하는 시대가 온다고 한 민코프스키의 시공간 통합 선언의 의미와, 아인슈타인의 동시성 부정, 그리고 중력장 속에서의 시간의 지연론 등은 그 내용을 들여다보면 움직이는 세계와 그 힘이 주인임을 알 수 있다.

아인슈타인이 말했듯, 과거와 현재, 미래의 차이는 단지 환상일 뿐이다. 파르메니데스는 이미 2,500여 년 전에 '변화'란 인간의 환각일 뿐이라고 했다. 오늘날 시간이란 공간의 한 부차적 차원으로서 이해될 뿐 독립적 실체로 간주되지 않는다. 시간이란 공간의 움직임에 대한 추상적 계량치일 뿐으로, 공간의 다른 면에 불과하다. 우주는 움직인다. 그러나 시간이 우주를 움직이지는 않는다. 우리가 말하는 동시성은 시간의 예속물이 아니다. 동시성은 원형을 파지하는 매개적 사고의 결과로써 얻은 인식이다.

5.3. 원형

융은 '원형'이라는 용어 사용의 근원에 대해 이렇게 밝히고 있다.

> '원형archetypus'이라는 표현은 인간 안에 있는 신의 이마고imago Dei와 관련해서 이미 필로 이우대우스Phillo Iudaeus[14]에게서 발견된다. 이레내우스Irenaeus[15]도 "세상의 창조자는 자기 자신이 이 세상의 존재들을 창조한 것이 아니라, 다만 자기 밖의 원형들을 묘사했을 뿐이다"라고 했다. 『코르푸스 헤르메티쿰*Corpus Hermeticum*』(헤르메스 사상총서)[16]에서는 신을 토 아르케튀폰 포스*Tòἀρχ Ωετυπον Φως*(원형적 빛)라고 칭했다. 이 표현은 디오니시우스 아레오파기타Dionysius Areopagita의 저술에 자주 나오는데 예를 들어 『천상의 위계에 대하여*De caelesti bierarcbia*』[17]라는 책에서 '하이 아뉠라이 아르케튀피아이*αἱ ἀϋλαι ἀρχετυπἰαι*(비물질적 원형)'라는 말이 나오고, 또한 마찬가지로 『신의 명칭에 관하여*De devinis nominibus*』[18]라는 책에도 원형이라는 표현이 나온다. 아우구스티누스Augustinus의 말 가운데서 원형이라는 표현은 발견되지 않으나, 이데Idee(이념, 관념-역주)라는 말이 나온다. 즉 『다양한 질문에 관하여*De devinis nominibus*』라는 책에는 "이데Idee, 즉 스스로 형성되지는 않으며 (…) 신적인 지식에 포함되어 있는 관념"[19]이라는 말이 발견된다. '원형'은 플라톤의 에이도스*εἶδος*(형상, 표상-역주)를 설명할 수 있도록 다른 말로 바꾸어 쓴 것이다.[20]

융은 논문 "집단적 무의식의 개념"에서 원형(Archetypus)에 대해 "신화학적 연구에서는 이것들을 주제(Motive)라 부르고, 원시인 심리학에서는 레비 브륄의 '집단표상'에 해당되며, 비교종교학에서는 후베르트(Hubert)와 마우스(Maus)에 의해 '상상의 범주들'이라 정의된다. 아돌프 바스티안(Adolf Bastian)은 그것들을 일찍이 '기본적 또는 원초적 사고'라고 이름하였다."며 원형이 융 자신만의 개념이 아니고 "다른 학문 영역에서도 인정되고 명명된 것이라는 점이 충분히 밝혀졌을 것"이라고 말한다.[21]

그리고, 융은 "원형이 언제 어떻게 생겼는지는 아무도 모른다. 이러한 물음은 형이상학적 물음이어서 대답이 불가능하다."[22]고 한다. 한편, 융이언 이부영은 "태초로부터의 체험의 침전(沈澱)이 바로 원형"이

14) *De mundi opificio*. Opera Bd. I, Lyon, 1561.(원주)
15) *Adversus omnes haereses*, 2, 6.(원주)
16) Scott, *Hermetical*, Oxford, 1934, p. 140.(원주)
17) Ⅱ, 4[Migne, P.G.-L. Ⅲ col. 144](원주)
18) Ⅱ,6[Migne, l.c., col. 595](원주)
19) de diversis quaestionibus, LXXXIII, XLVI col. 49. '원형archetypus' 이라는 말은 연금술사에게도 비슷한 뜻으로 쓰였다. Tractatus aureus des Hermes Trismegistus(*Theatrum chemicum*, 1613, Ⅳ, p. 718)에 이런 말이 있다. "마치 신이 그의 신성의 모든 보배를 (…) 그 자신 속에 '원형'에서처럼 간직하듯 (…) 마찬가지로 토성은 금속체의 모상을 은밀히 자신 속에 감싸고 있다." *Vigenerus(Tractatus de igne et sale in: Theatrum chemicum*, 1661, Ⅳ, kp. 4, p. 3)에서 세계는 "그의 원형의 상에 따라 만들어졌다"고 했고 그래서 '위대한 사람[magnus homo(Swedenborg는 'homo maximus')]이라고 명명되었다.(원주)
20) C. G. Jung. 『융 기본 저작집』Ⅱ 원형과 무의식(한국융연구원C.G.융저작번역위원회 역). 솔. 2002. pp. 106-07.
21) 같은 책. pp. 156-70.
22) C. G. Jung. *Von den Wurzeln des Bewußtseins*. p. 81, 123, 주27. 이부영. 『분석심리학』. 일조각. 2002. p. 102. 재인용.

라고 한다. 그리고, "원형은 인간이면 누구의 정신에나 존재하는 인간 정신의 보편적이며 근원적인 핵"이자 "선험적 조건"으로서 "이러한 조건은 문화적인 전통과 관련된 인간관 또는 가치관의 차이를 넘어서는 것"[23]이라고 한다. 한편 융은, 빌헬름 분트(Wilhelm Wundt, 1832-1920)를 비롯한 비판자들이 원형 개념을 원형상 즉, 어떤 신화적 상의 이미지나 주제를 뜻하는 것으로 잘못 받아들였다고 도로한다.

> 이렇게 다양한 표상들이 유전될 수 있으리라고 생각하는 것은 어리석은 일이다. (…) 그 표상들은 기본적인 유형을 잃지 않으면서 세부적으로는 매우 달라질 수 있는 것들이다. (…) 나의 비판자들은 내가 '유전된 표상들'을 다루고 있다고 잘못 생각하고, 그런 이유에서 원형에 대한 개념을 단지 미신에 불과한 것으로 무시해 왔다.[24]

융은 "근원을 깊이 파헤쳐 들어가면 들어갈수록, 우리는 끝없이 짜나가는 원형적인 패턴의 직조를 발견하게 된다."[25]고 말한다. 아울러, "원형Archetypus의 개념은 정신 속 어디에나 보편적으로 있고, 널리 퍼져 있는, 어떤 일정한 형식들"[26]이라고 한다. 또한, "집단적 무의식의 개념"에서 융은, 인간이면서 자신도 모르게 헤라의 양자가 되어 불사의 힘을 얻은 헤라클레스, 이집트 사원 산실 벽의 파라오의 두번째

23) 이부영. 같은 책. pp. 100-02.
24) C. G. Jung.『인간과 무의식의 상징』(이부영 외 역). 집문당. 1983. p. 68.
25) C. G. Jung(한국융연구원C.G.융저작번역위원회). 같은 책. p. 80.
26) 같은 책. p. 156.

신적인 수태와 출산의 묘사, 기독교에서의 대부 · 대모 관계설정의 세례의식을 통한 '재탄생'과 같은 예를 들며 민족과 시공간을 초월하여 원형은 보편적 '형식'으로서 존재함을 피력한다.

그런 융은 논문 "정신의 본질에 관한 이론적 고찰"에서, "모든 신화와 종교, 그리고 무슨무슨 주의의 본질적 내용은 원형적 성질의 것"[27] 이라고 말한다. 이와 같이 융은 '원형'을 정형적 형상이 아니라, 형상을 이루는 형식이나 관념적 형식으로도 이해하고 있음을 우리는 알 수 있다. 그러하듯, 이제 이 책의 필자는 하나의 결론을 내리고자 한다. 그것은. 원형에서 형상은 본질적인 요소가 아니라는 사실이다.

5.4. 원형과 동일화 정신작용

프로프(V. Y. Propp), 그레마스(A. J. Gremas), 토도로프(Tzvetan Todorov)는 의식 심층에 설화의 문법이 있음을 인지했다. 촘스키(Noam Chomsky)는 인간 의식의 심층부에 보편적 언어 생성 능력이 있다고 생각했다. 또한 우리는 모든 문화 형식이 어떤 기호의 관계망으로 환원되어지고 있음을 알 수 있다. 프로프와 그레마스의 문학 텍스트의 구조분석 노력은 그 예증들 중의 하나이다. 물론, 그러한 기호적 체계나 기호기능의 패턴은 하나의 원형들이다.

동일화 정신작용은 형식을 통해 의미를 구현하는 일이다. 우리의 사고는 궁극적으로 통일적 의미를 구현하는 일이다. 그리고 의미는 형식

---

27) 같은 책. p. 70.

을 통해서 구현된다. 그러한 형식은 사고의 가장 본질적 원형이다. 통일적 체계의 규칙들은 모두 상징 즉 동일화 정신작용으로 이루어진다. 그것은 문화적 · 심리적 무의식 세계의 형성 역시 마찬가지이다.

원형이라는 형상이나 성질 또는 구조 너머에서 작용하는 우리의 상징 기능인 '사고'는 모든 원형의 근본형식이다. 사고에 의해서 도식기호가 생성되고 심상기호가 구현되며 비의식기호로 우리의 정신계에 내장되어 우리는 통찰 사고를 수행한다. 물론, 통찰은 매개적 정신활동으로서 시적 은유와 과학적 가설 그리고 시공을 초월한 예지 등을 생성한다. 그러한 유비적 동일화의 사고는 하나로서의 통일성을 비추는 '원형'의 형식을 통찰하게 한다.

Stemberg · Grigorenco · Singer는, Root-Bernstein과 Root-Bernstein이 언급했듯 예술과 과학에서 창의적인 사람들은 공통적으로 패턴, 비유, 모델과 같은 사고도구를 사용한다고 말한다.[28] 그들은 "한 분야에서 창의적으로 사고과정을 학습한다는 것은 다른 어떤 분야에서든 그 분야와 관계되는 창의적 과정을 이해할 수 있는 훈련을 하고 있다는 의미가 될 수 있다."며 이렇게 말한다. "창의적인 사람들은 자신의 분야와 전혀 상관없는 영역에서도 개인적으로 공헌할 수 있는 일반적 창의성을 소유하고 있다."[29]

레오나르도 다빈치(Leonardo da Vinci, 1452-1519)는 한 장의 그림을 그리기 위해 먼저 과학자였고 해부학자였다. 미의 창조에 있어서

---

28) R. J. Stemberg, E. L. Grigorenco, J. L. Singer.『창의성: 그 잠재력의 실현을 위하여』(임웅 역). 학지사. 2009. p. 315.
29) 같은 책. p. 205.

과학은 진실의 바탕이 된다. 시와 과학은 그렇게 극과 극에서 이격되어 있는 것이 아니라, 인간에게 있어서 유기적인 상호보완적 관계의 한 쌍으로서 요구된다. 수학자나 이론물리학자들은 시인들 이상으로 아름다움에 관심을 갖고 있다. 뛰어난 물리학자들이 훌륭한 연주 실력을 지녔다거나 경험미학을 제창한 페히너(Gustav T. Fechner 1801-1887)가 물리학자였다는 등의 얘기는 또 다른 문제일 것이다. 그들은 공식이나 정리의 수식들이 단순하고 아름답지 않으면 결코 신뢰하지 않는다.

이것은 다양한 분야의 일들을 수행하는 우리들 사고에 그 어떤 공통된 원형적 원리의 성질이 자리함을 의미한다. 스피어먼(Chares Spear-man, 1863-1945)은 인간의 지능을 언어 · 음악 · 기계 분야 등의 특수지능(special intelligence) 요인과 그것들에 공통적으로 나타나는 일반지능(general intelligence) 요인으로 구별했다.

그러한 일반지능 요인의 본질적 속성과 원리는 바로 ‘동일화’이다. 이것은 매개를 사용해서 서로 다른 두 기호를 통일하는 일이다. 동일화는 지능 · 창의성 · 통찰과 같은 사고 능력에 없어서는 안 될 본질적 성질의 정신작용이다. 이러한 사고의 본성이자 원리인 ‘동일화’는 우리의 다양하고도 특수한 여러 문화 형식들을 이루는 본질로서 가장 근원적 성격의 ‘원형’이다.

Ⅴ. 상징의 실체: 사고

1. 의식

심신 문제의 중심에 있는 근본적인 물음은 다음과 같다. 의식적인 마음과 그것을 일으키게 하는 몸 안의 전기화학적 상호작용 간의 관계는 무엇인가? …수백 미터 위 절벽에 손가락 몇 개로 겨우 매달려 있는 짜릿한 느낌과 같은 것이, 어떻게 신경 세포(뉴런)의 그물망으로부터 생겨날 수 있는 것일까? 나는 자각(awareness)과 의식(consciousness)을 동의어로 사용한다(크릭)[1].

---

1) Christof Koch. 『의식의 탐구: 신경생물학적 접근』(김미선 역). 시그마프레스. 2006. p. 2.

현대에 이르기까지 철학에서는 의식이란 용어에 대해 지능 · 정서 · 의지 · 각성 · 심상 인지작용 등을 모두 아우른 자아의 문제로 다루었다. 20세기 들어 분화된 심리학 역시 그러한 사정은 마찬가지이다. 이것은 상징 이론이 상징이란 용어를 상징물과 상징의 형식 그리고 상징의 실체인 동일화 정신작용의 사고를 구별하지 않고 다루어오는 것과 같은 상황이다.

상징은 상징물 · 상징의 형식 · 상징의 실체로 구별된다. 이러한 상징은 앞에서 언급된 의식의 성질 가운데 '지능'의 문제이다. 상징물은 의미체의 기호이고, 상징의 형식은 의미를 구현하는 양식이며, 상징의 실체는 사고이다. 그러한즉, 기호를 사용해 의미를 구현하는 상징은 '지능'에 속하는 정신작용이다. 물론, 그러한 상징은 보다 근원적으로는 정서에 바탕하며 우리의 의지에 의해서 수행된다.

언급이 있었듯, 동일화(A=C) 정신작용의 사고는 대상기호(A)를 목표기호(C)와 동일화하는 일이다. 그러한 과정에서 우리는 반드시 매개기호(B)를 찾아내어야 하며, 매개에 대한 판단은 신피질부를 중심으로 수행된다. 하지만, 최종 결정은 '의지'의 문제로서 변연계와 뇌간부에서 행한다. 그리고 신피질부의 판단에 대한 동의 여부는 우리의 정서에 바탕하며, 선택은 가치 인식에 대한 의지가 작동해야 한다. 그러하듯, 상징 즉 지능의 문제는 정서와 의지의 문제를 떠나서 생각할 수 없다.

이것은 컴퓨터나 로봇의 인공지능이 우리 인간 지능의 원리와는 다른 근본적 차이점이기도 하다. 컨퓨터나 로봇은 인간과는 달리 스스로 사고할 수 있는 동기적 정서나 의지가 없다. 설령 유사한 면이 있다고 간주 하더라도 박약하다. 하지만, 이러한 동기적 정서나 의지를 컴퓨터나 로봇의 인공지능에 부여하기 위해선 먼저 윤리적 판단 시스템이 갖추어져야 할 것으로, 이에 관해선 또 다른 글에서 다루어질 문제이다.

그런데, 창조적 사고의 문제에 있어서 지능 · 정서 · 의지 · 각성 등을 모두 묶어서 의식이라는 용어를 사용한다면 사고의 이론은 전개되지 않는다. 그런 까닭에 이 책은 의식의 일반적 개념에서 심상 인지작용만을 취하는 한편 지능의 문제를 분리한다. 그리고, 지능의 작용인 상징 즉 사고를 본성(의미와 형식) · 실체(정신작용) · 결과(기호)의 문제로 구별한다. 아울러, 동일화 형식을 통해 의미를 구현하는 사고는 의식과 비의식이라는 정신기능에 기반함을 언급한다.

한편, 철학이나 심리학은 사고를 의식의 관점에서 다루어왔다. 19세기 말에 심리현상을 물리현상과 마찬가지로 객관적 방법으로 연구하고자 철학에서 심리학을 독립시킨 분트(W. Wundt, 1832-1920) 역시 의식을 심리학의 대상으로 삼았다. 잘 알려져 있듯 데카르트는 『방법서설』(1637)에서 명석 판명한 사고의 존립 근거로서 '의식(awareness)'이라는 용어를 사용했다. 그런 데카르트에게 의식은 깨어 있는 자기 인식작용이자 사고이었다. 그리고, 이후의 철학은 카시러도 지적한바 있듯 '의식'을 '사고'이자 '인식'의 의미로 사용하게 된다:

> 데카르트 철학이 '의식'이라는 새로운 포괄적인 개념에서부터 출발하면서도 이 개념을 사고(Cogitatio)로 표현함으로써 의식을 다시 순수 '사유'와 동일시하는 것처럼, 데카르트와 합리주의의 전체에서는 정신의 체계학도 사고의 체계학과 일치하게 된다.[2)]

2) Ernst Cassirer. 『상징형식의 철학』 I (박찬국 역). 아카넷. 2011. p. 43.

데카르트 이래 이 '의식'이라는 용어는 '명석판명한 정신상태'라는 의미가 깔려 있다. 그러나 언급해왔듯이 '사고생성의 과정'은 인지되지 않는다. 우리는 사고의 결과물만 인지한다. 전통적으로 의식을 자아 또는 자기 등의 생명 주체로 이해한 철학자들은 사고를 의식과 결부 지었고, '사고'를 '의식'의 산물로 생각한다. 아울러, 사고 그것을 의식한다고 생각해왔다.

그러나, 우리의 모든 사고는 통찰 작용으로서 비의식에서 수행된다. 그래야만 우리는 에너지의 소모를 줄이고 효율적으로 사고를 수행할 수 있다. 만약, 모든 일에 있어서 우리의 사고가 그 과정에서 일어나는 동일화 과정들을 의식에서 빠짐없이 놓치지 않고 인지해야 한다면 우리는 어떤 작은 문제도 해결하지 못한다.

우리는 사고의 수행에 있어서 기억된 정보를 활용하며, 기억된 정보와 연결하기까지 필요한 동일화 과정을 비의식으로 수행한다. 그리고 사고의 결과를 상상력으로써 우리의 의식에 기호로 나타낸다. 우리는 전기 · 화학적 신호작용으로 수행되는 정신과정을 지각하지 않는다. 우리는 사고의 결과물 즉 의식에 표상된 기호만을 인지한다.

20세기 후반 들어 심리학과 신경과학 심지어는 인공지능을 비롯한 인지과학에서도 의식은 중요한 주제로 다루어지고 있다. 과학은 의식(정신)을 하나의 자연현상으로 규명하기를 희망하며, 그럼으로써 우리의 정신을 컴퓨터나 로봇에 옮길 수 있으리라고 생각한다. 그러나, 마음과 육체의 데카르트적 이원론을 계승한 토마스 네이글 같은 이는 의식이 개입되면 마음과 육체의 문제는 과학에서 해결되지 않을 것으로 생각한다.[3]

물질의 본성은 연장이요, 마음의 본성은 사고라고 데카르트는 생각했다. 이러한 마음과 물질의 관계에 대한 규명은 현대의 심리철학에서도 여전히 핵심 주제로 자리하고 있다.

오늘날 지능과 감각질은 심리주의와 물리주의 논쟁의 중심에 놓여 있다. 그런데, 심리학자들이나 신경과학자들은 '현상적 의식'을 이루는 감각질을 적극적으로 규명하려기보다는 대체로 의식현상을 있는 그대로 받아들이는 상황이다. 그들은 감각질을 동반하는 의식 상태보다는 지향적 심리상태의 내용에 관심을 갖고 있다.[4] 그러하듯, 오늘의 심리철학에서도 결국, 의식의 문제는 감각질의 기호 표상과 그러한 기호들을 연결하는 사고의 문제로 수렴된다.

우리는 인지 즉 의식을 하려면 할수록 사고작용이 중단됨을 알 수 있다. 사고작용은 비의식 상태에서 이루어지므로 인지되지 않으며 사고작용의 결과물인 기호만 의식에서 인지된다. 인지작용인 의식은 비의식의 사고작용을 방해한다. 실제 사고의 수행 과정에 있어서 심상기호는 의식에 표상되지 않는다. 의식은 비의식에서 진행되는 '신호적 상징작용'을 상상력으로써 기호적 표상으로 인지할 수 있게 한다. 다시 말하면, '의식'이란 상상력을 이용한 '기호화 정신작용'이라고도 할 수 있다.

전통 철학에서는 '의식'을 '사고'나 '마음'과 동의어로 사용함으로써 '의식'에 관한 연구는 철학과 심리학자들을 괴롭혔고, '사고'에 관한

3) "What is it like to be a bar?" in the Block ed. *The Nature of Consciousness* (Cambridge: MIT Press. 1977). p. 519. 우리사상연구소.『우리말 철학사전』Ⅳ. 지식산업사. 2005. p. 239.
4) 같은 책. pp. 277-80 참조.

연구를 방해해왔다. 하지만 사고의 연구에 있어서, 의식은 심상 인지 기능에 한정해서 이해하고 사용해야 한다. 그래야만 사고작용의 시스템과 작용원리를 제대로 연구해 나갈 수 있다. 사고작용을 '의식'과 동의어나 유사어로 생각하는 건 사고의 수행 원리를 고려하지 않은 미분화된 인식이다.

상징이 사고작용이라는 사실을 인식하지 않음에 상징과 기호의 혼쟁사는 지속되어 왔다. 창조적 정신작용의 사고에 관한 연구의 진전을 가로막는 건, 사고가 투명한 의식의 상태에서 수행된다고 생각하는 것이다. 사고작용과 인지작용을 '의식'에서 분리하지 않으면 창조적 사고작용의 논의는 미궁에 빠질 수밖에 없다.

사고작용 그 자체는 의식되지 않는 불수의적 세계이다. 인지되지 않는 사고작용의 세계에 논자들은 '의식'이라는 용어를 사용하고 인식의 대상으로 생각하지만 이는 사고의 본성과 작용 원리를 이해하지 않은 비본질적인 견해이다. 사고는 의식과 비의식의 기반 위에서 수행되며, 의식의 개입 정도에 따라 지각, 통찰, 추론 등으로 사고의 유형이 형성된다.

창작의 경우에는 정신을 집중하므로 의식과 비의식의 상황을 식별할 수 있다. 그러나 별 다른 주의집중 없이 이루어지는 일상생활에서는 의식과 비의식의 수행이 매우 자연스레 이루어지므로 논자들이 오해하듯 비의식의 세계에서 생성되는 사고가 마치 인지 가능한 듯 여겨지기도 한다. 여기서 우리의 사고작용에 관한 오해와 늪지대가 형성된다. 시 · 예술 · 학문적 사고의 작용 원리를 오해하게 하는 요인은 '의식'이라는 용어의 사용에 있다.

일례로, 기존의 시 창작 교육은 의식 상태에서 시어나 시문을 떠올리도록 가르치는 경우가 대부분이다. 그러나 의식은 비의식의 활동을 방해한다. 따라서 그러한 경우 당연히 심층 사고작용이 수행되지 않는다. 적합한 시문을 떠올렸는지 의식 상태에서 확인해가며 작업을 수행한다는 것은 통찰 사고에 몰입하지 않음을 의미한다. 대체로 시 메모를 활용하는 경우 그러한 작업 방식에 의하는데, 확산 은유의 시문을 떠올리기 위해선 의식을 떠나야 한다.

메모나 어떤 단서에 의한 사고는 통찰 사고가 아니라 추론 사고이다. 언급이 있겠지만 추론은 주어진 지식이나 방법론을 따라 진행되는 사고이다. 이러한 사고는 사고의 방향이나 범위가 비교적 구체적으로 제한되어 있는 까닭에 사고의 내용이 한정적일 수밖에 없어 확산 은유의 창조성을 띠지 않는다.

헤겔은 수수께끼와 달리 상징(형식을 의미함)은 표현의 결과는 물론 표현 되는 순간에도 의미가 한정되거나 고정되어 있지 않음을 인식했다. 상징은 명석판명한 인식 상태에서가 아니라 비의식 상태에서 수행된다. 다시 말해 확산 은유의 비유는 지각이나 추론이 아닌 통찰 사고의 정신작용이다. 물론, 준비단계의 구상이나 퇴고의 시점에서는 추론을 사용할 수 있으나, 본문의 창작은 되도록 심층비의식의 통찰이나 영감적 사고를 수행해야 한다.

이 책은, 전통적으로 의식이라고 말해지는 지 · 정 · 의 · 인지 등을 아우른 의미 대신, 상상력에 의한 인지 기능을 의식이라 할 것을 제안한다. 사고를 탐구하기 위해서는 전통적으로 말해지는 의식이라는 용어에 내포된 여러 정신기능들을 분리해 내어야 한다. 그리고 상징학에서는 의식이라는 용어의 의미를 상상력에 의한 인지작용으로 재정의할 필요가 있다. 한편, 필자 외에도 의식이라는 용어를 인지작용으로 이해하는 연구자를 볼 수 있다.

『인간 의식의 혁명』(*The Evolution of Human Consciousness*)의 저자 크룩(J. H. Crook)과 1962년 노벨 생리의학상 수상자 크릭(F. H. C. Crick) 같은 이들 역시 의식이 인지 기능의 정신작용이라는 생각을 견지하고 있다. 크룩은 의식을 "인지 능력"과 "인지 통제 능력"으로서 "표상적 연속(presentational continuum)을 배경으로 하는, 새로운 정보를 영사할 수 있는 일종의 스크린"으로 이해하였다.[5] 크릭 또한 코흐의 저서 『의식의 탐구: 신경생물학적 접근』의 추천사에서 "나는 자각(awareness)과 의식(consciousness)을 동의어로 사용한다."고 하였다.

이론물리학자 로저 펜로즈(1931-)는 "의식의 본질적 측면으로 '이해력(understanding)'이라는 용어를 사용하고 싶으나, 어쩌면 '통찰력(insight)이 더 나은 말일 수도 있을 것"이라고 한다.[6] 그러나 신경생물학자 에델만(1929-2014)은, 의식을 사고로 여기는 건 매우 단순한 생각이라고 주장한다. 사고는 복잡한 심상, 의도, 추측, 논리적 추론 등의 요소들로 구성되는 여러 단계의 정신 활동의 혼합물로서 추상적인 최상위 단계에서 이루어지는 기호적 능력에 의존하는 기술(skill)[7]이라는 것이다.

---

5) J. H. Crook. *The Evolution of Human Consciousness*. pp. 24-25. 이만갑.『의식에 대한 사회과학자의 도전; 자연과학적 전망』. 소화. 1996. pp. 186, 193. 재인용.
6) Roger Penrose, Abner Shimony, Nancy Cartwight, S. W. Hawking, M. S. Longair.『우주, 양자, 마음』(김성원 외 역). 사이언스북스. 2002. p. 132.
7) Gerald Edelman.『신경과학과 마음의 세계』(황희숙 역). 범양사. 1998. p. 256.

한편, 사르트르에게 상상력은 "비반성적 의식의 속성"으로서, 사고가 아니라 이미지를 생성하는 의식작용이다. 사르트르는 칸트와 마찬가지로 상상력을 이미지 구성과 회상의 능력으로 생각하였으며, 아울러 의식을 그러한 정신작용으로서의 과정으로 이해했다.[8] 그러한 사르트르에게 의식은 사고가 아니라, 상상력으로써 이미지를 구성하거나 회상하는 정신작용이라 할 수 있다.

의식이 상상력에 의한 인지작용이며 사고가 비의식으로 진행된다는 것을 인식한다는 것은 단지 그러한 사실을 아는 그 이상의 중요한 의미가 있다. 의식을 활용하는 추론은 비의식 상태에서 수행된 통찰의 내용을 구체적으로 표현해낸다. 의식은 비의식과 상호 협력적인 관계를 이루어 우리의 사고를 객관화 하고 보다 완전하게 한다.

의식은 '자신 내 · 외부의 상황 인식 기제'이다. 우리의 사고는 의식의 지원 아래 심상기호화 된다. 우리는 세계와의 동일화를 위해 비의식의 사고 세계를 의식에서 인지 가능한 기호로 표상한다. 의식은 자연상태의 신경생리적 정신작용이 자의적인 우리의 문화생활로 이행하는 과정에서 요구된 특별한 진전의 결과로 이루어진 정신작용이다.

1.1. 의식은 우리의 내 · 외적 상황을 인지하게 한다

의식은 우리가 외부 환경과 상황을 인지하고, 사물을 지각하며, 우리 내부의 심적 상황이나 일들을 자각하게 한다. 이러한 지각과 자각

---

8) Jean-Paul Sartre. 『상상력』(지영래 역). 기파랑. 2008. p. 228.

은 기호를 생성하고, 그러한 기호를 바탕으로 사고를 수행하게 한다. 칸트는 지각을 감성에 오성이 작용한 경험인식으로 규정했다. 현대의 심리철학 등에서는 이러한 지각 능력이나 지각된 표상물에 감각질이라는 용어를 사용한다. 인지작용의 의식은 쾌 · 불쾌의 정서적 판단을 돕고, 주어진 환경을 초월하여 문화적 행위의 사고를 유도한다.

관념으로든 질료적 매체로서 이든 의식은 모든 사고된 것들 즉 지식(기호)을 인식하게 하는 정신작용이다. 지식은 단일의 이미지 기호, 도식의 규칙, 일련의 구성적인 일화기억을 포함한다. 그러한 기호들에 대한 인지나 인식을 바탕으로 우리는 직각의 판단, 추론과 통찰을 수행한다. 의식은 자신과 외부를 이어주는 창이자 비의식을 제어하고 조정하는 자아의 보조기관이다. 그러한 내 · 외부 세계에 대한 인지기능은 우리가 기호라는 도구를 사용하게 하고 나아가 새로운 상징을 생성하며 체계화 하게 한다.

1.2. 합목적적 사고 수행의 지원

우리는 깊은 사고에 몰입할 땐 주위의 어떤 소음도 듣지 못한다. 우리의 비의식의 사고는 의식을 배제한 채 외부상황을 고려하지 않는 속성을 지니고 있다. 그러한 비의식의 정신작용은 우리의 사고를 정해진 관점에서만 집중하고 몰입하게 한다. 의식은 그러한 비의식의 사고를 기호로 드러내어 반성케 함으로써 맹목적 질주의 사고를 합목적적 방향으로 유도한다.

또한, 우리의 사고는 집중력이 떨어지면 본능적 원망에 따라 사고의 대상을 마치 꿈처럼 자유로이 바꾸어 백일몽과 같은 정서적 사고의 상태가 된다. 의식은 그러한 사고를 보다 긴밀한 인과성의 동일화 사고로 전환하게 한다. 그렇듯이 우리는 의식의 지원과 안내를 받음으로써 사고를 보다 목적적이고 효과적으로 수행할 수 있다.

하지만 간과해서 안 될 것은, 느슨함과 긴밀함의 상보성이다. 백일몽 · 꿈 · 시 · 예술은 느슨한 동일화의 형식을 통해 자연과 우리를 전일적으로 이해하게 한다. 한편, 기호적이고 선형적이며 코드화된 수학이나 과학 등은 긴밀한 동일화의 형식을 통해 우리의 감각을 초월하여 자연의 정신을 드러내 보여준다. 백일몽과 기호는 우리 정신의 양 극단에서 동일화 정신작용의 균형을 잡게 한다. 그럼으로써 우리는 자연과 인간에 대한 보다 합목적적인 사고를 수행할 수 있다.

1.3. 심상기호화 기능

1905년에 T. 시몬과 함께 비네 · 시몬지능검사법을 만든 A. 비네는, 사고는 무의식적 작용이므로 사고의 내용을 의식하기 위해선 이미지와 단어가 필요하다고 했다(1903). 우리의 사고는 비의식 상태로 수행된다. 그러한 까닭에 우리는 사고의 수행 즉시 상상력을 통해 의식에서 그 내용을 심상기호로 표상한다. 그럼으로써 사고의 내용을 알 수 있다. 더욱이, 확산 은유의 통찰이나 학문적 통찰의 경우는 그 내용을 추론 사고로써 다시 정리해내어야 복잡다단한 내용을 분명히 이해할 수 있다. 뿐만 아니라, 인지작용의 의식은 작업기억을 가능하게 함으로써 우리가 일상생활을 영위할 수 있게 한다.

한편, 의식은 현재 사고에 대한 심상기호화만이 아니라 과거의 사고와 경험을 기호화 하는 장소이기도 하다. 칸트는 전자의 경우를 생산적 상상력, 후자는 재생적 상상력이라 했다. 사고가 활동하는 장소가 비의식이라면, 표상이나 회상의 상상력이 활동하는 장소는 의식이다. 의식은 그와 같이 비의식에서 수행된 사고를 우리가 심상기호로 인지할 수 있게 한다. 그러한바, 의식은 상상력을 통한 사고의 기호화 작용이라고도 할 수 있다. 이미지를 상상하는 의식작용으로 이해한 사르트르의 생각은 그러한 인식에 바탕한다.

우리의 의식이 다른 존재와 달리 뛰어난 점은 내 · 외부의 자극들을 신경생리적 신호작용의 차원에서 처리하는 것에 그치지 않고, 의미화된 기호를 명료히 인식할 수 있도록 마음에 표상한다는 것이다. 우리는 이러한 기호를 연결하여 판단을 구성하는 통찰을 수행하며, 또한 추론으로써 그 내용을 객관화한다. 의식은 이와 같이 비의식과 함께 고도의 통찰행위를 가능케 함으로써 인간만의 특별한 문화를 창조하게 한다.

1.4. 사고의 심도 조절 기제

우리는 인지 즉 의식을 하려하면 할수록 사고작용이 중단됨을 알 수 있다. 사고는 비의식 상태에서 수행되며 사고가 종료되면 의식 상태가 된다. 그리고 사고의 결과를 표상하거나 또 다른 사고를 수행하게 된다. 의식은 인지 작용계이고, 비의식은 사고작용계이다. 인지작용의 의식은 비의식의 사고작용을 방해한다. 따라서 의식의 집중은 비의식의 활동을 저해한다.

의식의 비의식에 대한 제어는 시 · 예술이나 학술의 경우만이 아니라 운동의 경우 역시 마찬가지이다. 신체적 운동을 '멘털 게임'으로 여기는 건 당연하다. 의식의 상태에서는 결코 원하는 결과를 얻을 수 없다. 골프나 야구의 경우 "이렇게 쳐야겠다" 하는 자기 확인의 상태에서는 결코 좋은 스윙이 나오지 않는다. 사유와 운동이 하나 된 다시 말해 사고와 몸이 유리되지 않은 비의식의 스윙을 해야 좋은 결과가 나온다. 물론 심층비의식과 의식이 동시에 수반되는 영감적 사고의 상태를 견지토록 훈련을 쌓았다면 그것은 또 다른 문제이다.

그와 같이 의식과 비의식은 배척적이다. 하지만, 의식의 개입 여부나 개입 형식에 따라 우리는 의식이 상시 개입되는 일상비의식(지각), 숙고를 요하지만 의식의 확인이 개입되는 의식비의식(추론), 의식의 개입을 불허하는 심층비의식(통찰), 의식의 개입 아래 수행되는 초의식비의식(영감적 사고)의 사고를 수행한다.

사물에 대한 지각, "예쁘구나!"와 같은 단순한 표현, 거리의 신호등이나 표지판 인식 등과 같이 일상생활에서 수행되는 직각 사고는 의식과 비의식이 아주 자연스레 전환되어 상보적 관계를 유지하여 수행된다. 이러한 일상비의식의 사고는 우리가 외부 환경과 상황을 인지하면서도 비의식의 사고를 자연스럽게 수행할 수 있게 한다.

시 · 예술 창작과 같이 사전에 어떤 해결 단서도 주어지지 않은 경우 우리는 의식을 배제하고 심층비의식의 사고에 몰입한다. 깊은 사고를 위해선 의식작용이 중단되어야 한다. 칼 융 역시 언급한바 있듯 심오한 상징물의 표상이나 시어는 우리가 의식하지 않는 가운데 나타난다. 다시 말해 의식이라는 인지기능이 중지됨으로써 비로소 우리의 정신은 깊은 통찰 작업을 수행할 수 있다.

심층비의식의 상태에서 수행되는 통찰의 내용은 직각 사고로써 이해가 가능하도록 기호 체계로 나타낼 필요가 있는데, 이때 추론이 수행된다. 추론은 얕은 통찰과 직각이 체계적 규칙의 단계나 과정에서 순차적으로 수행되며 그때 마다 의식은 사고의 결과나 상황을 인지하게 함으로써 추론이 올바른 방향으로 진행되도록 한다.

한편, 시 · 예술 창작의 경우 심층비의식의 통찰 사고로써 작품 구상에 몰입하지만, 어떤 경우는 심층비의식의 통찰과 의식을 동시적으로 병행하기도 한다. 이것은 사고에 있어서 몰입과 합목적성을 함께 견지코자 하는, 심신의 에너지가 고도로 집중된 상태의 사고이다. 이를 '영감적 사고'라 하며, 또한 의식과 비의식이 초월적으로 병행된다는 점에서 초의식비의식 사고라고도 한다.

이러한 영감적 사고의 본질 역시 일반적 통찰 사고의 원리인 동질적 동일화 형식의 유비적 사고이다. 그러나, 영감적 사고는 비록 의식과 비의식이 교차한다고는 하나 사고의 내용이 의식에 분명한 개념이나 선명한 이미지로 나타나는 대신 어떤 빛의 반짝거림이 나타난다. 기호가 아닌 빛이 인식되는 건 우리가 사고된 기호를 의식 상태에서 파지하지만 이어서 다시 곧 바로 사고를 수행해야 하는 관계로 기호를 충분히 인지할 시간적 여유가 없는 까닭으로 생각된다. 의식에서의 표상이 분명하면 할수록 그것은 동일화 통찰의 심도가 얕음을 의미한다.

분리뇌 환자의 경우 지각된 기호가 분명히 머릿속에 존재하나 그 기호가 반대쪽 뇌에 위치하고 있어 인지되지 않는다. 이 경우는 내장된 기호의 위치 문제로 기호가 의식되지 않으나, 영감적 사고의 경우는 의식과 비의식이 매우 빠른 속도로 교차되는 까닭에 사고된 기호를 미처 인지하지 못하는 것으로 생각된다.

앞에서 우리는, 830년경에 제작된 필사본 복음서의 그림에서 온 몸을 떨며 하느님의 말씀을 받아쓰고 있는 성 마테오를 기억할 것이다.

성 마테오는 심층비의식 상태에 있으면서도 의식이 극히 짧은 순간에 교차하는 영감적 사고의 상태에 있다. 필자의 경우는 첫 시집의 시편들을 준비할 때 그러한 상태에서 시편들을 작성하였다. 앙드레 브르통은 초현실주의 제1차선언문에서 '자동기술'에 관하여 언급하는데, '영감적 사고'의 상태에서 완전한 자동기술을 수행할 수 있다.

1.5. 지식의 완성에 기여

우리의 사고는 비의식에서 생성되어 사고가 종료되면 상상력에 의해 의식에서 표상되는데, 그것은 우리의 사고가 본질에서 통찰적이기 때문이다. 더욱이, 시 · 예술이나 과학적 원리의 통찰 등은 심층 비의식에서 수행되어, 사고가 이루어지고서도 우리는 그 내용을 분명히 알 수 없다. 따라서 우리는 즉시적 인식이 가능한 직각 사고로써도 통찰의 내용을 알 수 있도록 논리규칙과 문법 등을 활용하는 추론 사고로써 다시 정리해 내어야 한다. 추론의 과정에 수행되는 직각의 사고는 의식에 맞닿아 있어 수시로 의식에 의한 확인을 할 수 있다.

칸트가 그러하였듯, 사람들은 시 · 예술이 불립문자이므로 논리적 해명이 불가능하다거나 또는 불필요하다고 주장하기도 한다. 그러나 시 · 예술이라고 해서 추론적 설명이 필요하지 않은 건 아니다. 창작에 있어서의 통찰 능력과 감상을 위한 추론 능력이 누구나 동일한 것은 아니다. 작품 창조의 형식적 기법과 원리를 추론에 의해 객관적으로 기호화함으로써 창작 지망생들의 창작활동과 작품에 대한 감상자의 이해를 도울 수 있다.

창작 형식의 규칙이나 원리에 관한 지식이 곧 창작에 있어서의 통찰 능력은 아니다. 하지만, 그러한 규칙들에 관한 이해는 창작 지망생들이 창작의 길을 체득하는 과정에서 불필요하게 우회로를 배회하거나 방황하지 않도록 한다. 한편, 이러한 창작의 규칙이나 원리가 어떤 지망생들에겐 모방의 대상으로서 구체적이고 개별적인 하나의 형식으로 받아들여질 수 있으나, 유비적 사고능력을 지닌 훌륭한 지망생들에겐 제시된 형식의 규칙이나 원리를 통해 보다 근원적 원형을 통찰케 함으로써 자신만의 또 다른 형식들을 생성하게 한다.

비의식의 통찰은 창조의 본질적 기관이자 그 원동력이다. 하지만, 그것이 추론 사고로써 기호화되지 않으면 보다 나은 발전을 기대하기 어렵다. 칸트는 학재의 경우 아무리 뛰어나도 천재가 아니나, 그럼에도 시 · 예술보다 과학이 더 우월할 수 있는 건 과학은 보다 큰 체계를 이루어 발전하기 때문이라 한다.

하지만, 과학과 달리 시 · 예술은 체계를 추구하기 보다 체계를 초월코자 한다. 시 · 예술은 체계를 은유라는 통찰의 한 점으로 수렴한다. 탁월한 은유일수록 기호체계로 환원하기 어려운 것은 그러한 까닭이다. 그러나, 시 · 예술 또한 칸트 자신이 말했듯 취미에 관한 판단이 성립한다. 그리고, 앞서 언급한 바와 같이 시 · 예술 창작의 원리 또한 우리는 추론으로써 객관화할 수 있다. 아울러, 우리는 작품의 특별한 형식은 물론 창작자의 동일화 통찰의 과정 역시 추론으로써 기술할 수 있다. 다만, 재능과 현실적 이유들로 인해 그에 관한 열의를 보이는 연구가 과학 분야에 비해 상대적으로 적을 뿐이다.

비의식의 통찰 내용에 대한 기호적 인식은 의식의 기능으로 가능하며, 그러한 기호의 체계화는 의식이 개입하는 추론에 의한다. 그러한 바. 우리의 사고는 의식과 비의식의 상보적 활용으로 비로소 완전한 인식을 얻을 수 있다. 또한 그럼으로써 보다 큰 체계를 이루어 새로운 창조와 발전을 가능하게 한다. 앞서 언급된 의식의 "합목적적 사고 수행의 지원" 기능과 "심상기호화 기능" 역시 종국적으로는 '인식의 완성과 발전'이라는 문제로 수렴된다.

1.6. 의식과 뇌기반

좌우 두정엽이 손상되면 지각적 재인에 문제를 초래한다. 의식적인 경험을 하기 위해서 필요한 조건은 뇌 영역에서의 의미 있는 정보의 기호화(meaningful encoding of information)이다(Ralph E. Hoffman, "신경망 연구가 의식과 무의식 정신 과정에 대해 어떤 점을 시사하나")[9].

뉴버그에 의하면, 수도승들이 명상으로써 외부세계와 단절될 때 두정엽(OAA: Orientation Association Area)으로 가는 감각 정보가 차단되고 그 영역의 뉴런들은 거의 활동을 멈춘다. 그와 동시에 강렬한 집중으로 인해 전전두엽의 주의연합영역(AAA: attention association area)이 크게 활성화된다.

좌측 두정엽의 활동으로 우리는 공간상에서 자신의 위치를 파악할 수 있고, 육체의 물리적 경계를 감지할 수 있으며, 우리는 세상으로부터 자신을 분리하여 지각할 수 있다. 두정엽이 활동을 멈추면 우리는 육체의 물리적 경계를 감지하지 못하며 세상과 자신이 별개라는 느낌이 사라진다고 뉴버그는 말한다.[10]

---

9) D. J, Stein. 『인지과학과 무의식』(김종우 외 역). 하나의학사. 2002. p. 163.

감각 자극에 반응하여 의식적 자각이 이루어질 때 어떤 일이 일어나는지 알기 위해. 데하네는 뇌영상을 촬영하는 동시에 뇌의 전기 활성도를 기록했다. 그는 정보가 뇌 영역에 널리 전송되고 의식에서 인지될 때, 독특한 전기 활성 리듬이 발생한다는 것을 알았다. 이 리듬이 뇌의 두정엽과 전두엽에서 하향 증폭을 일으키는 피라미드 신경세포들의 망을 활성화함으로써 의식을 촉발하는 것 같다고 한다. 이것은 청각과 촉각을 수반하는 실험에서도 비슷한 결과를 보였다.[11]

☞ 이만갑 교수는 헵(Donald Olding Hebb(1904-1985))이 "사고하고 있는 것은 뇌"라고 한 말에 동의할 수 없다며, "뇌는 사고를 포함한 인지과정(cognitive processes)의 대부분이 그 속에서 전개되는 기관 또는 조직체라고 할 수는 있지만, 사고하는 것은 뇌가 아니고 뇌를 포함한 신체 전체이며, 신체를 소유하고 있는 '나'라고 하는 주체적 존재자"라고 하였다.[12] 필자는 기술의 과정에서 편의상 '의식'이 주체 그것인 듯 오해할 수 있는 은유적인 표현을 사용하기도 하였다. 하지만, 그것은 어디까지나 표현과 이해의 편의를 위한 수단일 뿐임을 밝힌다. 의식과 사고의 주체는 우리의 자아 자신임은 말할 것이 없다.

---

10) Eric Hoffmann. 『이타적 인간의 뇌』(장현갑 역). 불광. 2012. pp. 216-17.
11) E. R. Kandel. 『통찰의 시대』(이한음 역). 알에이치코리아. 2013. pp. 552-53.
12) 이만갑. 『의식에 대한 사회과학자의 도전; 자연과학적 전망』. 소화. 1996. p. 328.

2. 비의식(unconsciousness)

당신은 감각 용어로 이루어진 사고의 표상만을 의식한다. 사고 그 자체는 자각의 경계 너머에 있다. 심오하고 방해받지 않는 의식의 흐름이라는 당신의 정신적 삶은, 사고 그 자체가 아니라, 사고의 반영일 뿐이다. 의식은 사고의 과정도 그것의 내용도 알 수 없다. 당신이 스스로의 내면세계를 직접 의식한다고 생각해왔겠지만, 그것은 착각이다!(크리스토프 코흐)[1].

1) Christof Koch. 『의식의 탐구: 신경생물학적 접근』(김미선 역). 시그마프레스. 2006. p. 2.

원을 '사람'이라고 할 때, 원주인 외곽선은 사람의 신체이며 원의 내부는 정신에 해당한다. 통상 눈이나 촉각 등 우리의 감관은 원의 테두리인 신체만을 지각한다. 하지만 신체의 내부인 원안에는 정신계가 있다. 앞에서 언급했듯 눈, 촉각 등 감관은 우리의 신체인 거시적 양태만을 인지한다. 그런데, 원 테두리의 내부는 전기 · 화학적 미시물리 작용의 세계로서 우리의 감관으로는 인식되지 않는 불수의적 기관의 영역이다.

그런데, 원은 실제로는 원주와 원의 내부가 분리되어 있지 않은 하나이다. 단지 원주는 눈에 드러나 보이도록 그려져 있을 뿐이다. 의식은 그러니까, 원주라는 눈에 드러나 보이도록 한 화면이나 컴퓨터의 모니터 장치와도 같다. 우리가 의식을 영사막이나 스크린에 불과한 기능으로 한정하듯, 의식은 인지기능이 작용하는 정신계이다.

우리의 정신 작용은 전기 · 화학적 신호작용들로 이루어지는 비의식의 세계이며 사고된 결과물인 의미의 세계만이 의식에 나타난다. 물론, 사고의 결과물은 주의의 결핍이나 심리적 문제 등으로 회상되지 않아 '무의식'의 세계로 남을 수도 있다. 그러나 사고작용 자체는 결코 의식되지 않는다.

사고는 언제나 통찰적이며 가설적이다. 철학은 명석 판명함을 사고의 본성으로 규정한다. 그러나 사고는 명석 판명함 여부를 검토하기 이전에 발현되는 의식되지 않는 비의식의 통찰 작용이다. 명석판명은 통찰의 내용에 대한 추론의 결과로 드러난다. 통찰의 동일화 판단과정들은 의미화 이전의 전기 · 화학적 신호작용에 의해 비의식 상태에서 수행된다.

2.1. 비의식에 대한 인식 상황

화이트(Lancelot L. Whyte, 1896-1972)는 1680년경에서 1880년까지 200년의 기간에 대해 유럽인들의 무의식에 대한 관심을 조사했다. 그는 『프로이트 이전의 무의식』(1960)에서 “무의식적 정신 과정에 대한 생각이 대략 1700년경에 떠올랐고, 1800년경에는 화제가 되었으며, 1900년경에는 실효를 거두게 되었다.”고 한다. 그리고, 프로이트가 등장하기 전 30년 동안 매 10년마다 20명의 작가들 가운데 10명이 무의식이라는 개념을 약간이라도 언급했다고 한다.[2)]

한편, 『영혼의 순례자들』의 저자 웰치 신부는 무의식이 공식적으로 인정되기 시작한 건 낭만주의 시기라며 이렇게 전하고 있다. “영어에서 ‘무의식’이란 단어가 처음으로 등장한 해는 1751년도다. 영국과 독일은 의식과 무의식이라는 용어를 프랑스보다 먼저 썼다. 독일에서

---

2) Lancelot. L. Whyte. *The Unconscious Before Freud*(New York: Basic Books, Inc, 1960). p. 63. John Welch. 『영혼의 순례자들: 칼 융과 아빌라의 데레사』(심상영 역). 한국기독교연구소. 2000. p. 92. 재인용.

는 플라트너가 1776년 그런 용어를 처음으로 사용했다. 괴테, 쉴러, 쉘링도 1780년에서 1820년 사이에 이와 유사한 용어를 썼다."[3)]

그런데, 헤겔을 전후로 서양철학사에서 무의식에 대한 언급은 라이프니츠 · 셸링 · 하르트만 등에서 보듯이, 대체로 자아 · 본능 · 자연의 일원성 등에 대한 인식론과 존재론적 논의와 관련된 것들이다. 근대의 서양철학사에서 의식되지 않는 사고작용과 사고과정에 대해 무의식이나 비의식이라는 용어나 개념을 사용한 예는 쇼펜하우어 외에는 달리 확인되지 않는다. 다만, '무의식'이나 그와 유사한 용어로써 '미세 의식', '맹목적' 같은 용어를 사용하는 것을 볼 수 있다.

한편, 심리학이나 정신의학에서 나타나는 '무의식'에 관한 논의들 역시 사고의 문제를 직접 다루지 않는다. 의식이 자아와 동일시되어지듯, 무의식은 정신의 깊은 곳에서 그러한 자아의 근원이자 지배 원리로서 세계의 본질 같은 것으로 다루어지고 있다. 그러한바, 이 장에서는 무의식 또는 비의식이라는 용어의 사용 여부를 떠나, [상징학]의 일차적 기술 목표인 사고의 본성 · 원리 · 작용 시스템 등의 논의와 직접 관련이 있는 언급들만을 다룬다.

AD 4세기 무렵에 나타난 불교 유식사상의 〈유식 30송〉에는 시각 · 청각 · 후각 · 미각 · 촉각의 전 오식, 인식하는 마음인 제6식의 의식 그리고 자신도 모르는 가운데 무의식적으로 일어나 끊임없이 사고하게 되는 마음인 제7식의 말라식, 그러한 자아의 근원이라 할 제8식의

3) 같은 책. p. 92.

아뢰야식이라는 정신세계를 상정했다.

라이프니츠(1646-1716)는 '지각'이란 의식 상태에서만 이루어지는 것이 아니라 의식되지 않는 상태에서도 이루어진다고 생각했다. 의식되지 않는 불명료한 지각을 그는 '미세 지각'(petite perception)이라 했다. 데카르트(1596-1650)와는 달리 물질과 영혼이 별개가 아닌 하나의 실체라고 생각한 라이프니츠는 너 이싱 쪼갤 수 없는 실체의 본질적 단위를 모나드라고 하였다.

이 모나드는 인간만이 아니라 동 · 식물과 무기물에까지 내재한다. 물론, 모나드는 지각을 갖고 있다. 무기물은 '의식되지 않'는 지각 즉, '미세 지각' 작용만을 행하고 명료한 의식의 지각은 식물, 동물, 인간의 순으로 점증된다. 그러한 라이프니츠에게 전체 자연은 생명으로 가득하다. 라이프니츠에게는 무기물도 미세 지각을 갖는 영혼이자 실체로서의 힘이다.

셸링(1775-1854)의 '자아와 자연 합일'의 동일성 철학은 자아와 자연에 관한 '동질성'과 '연결성'을 말하고자 한 것으로 셸링은 의식과 함께 자연의 존재 형식인 무의식을 설정했다. 그러한 셸링의 영향을 받은 하르트만(1842-1906)은 『무의식의 철학』(1869-1882)에서 무의식자(das Unbewuβte)라는 근본원리를 내세워 헤겔(1770-1831)과 쇼펜하우어(1788-1860)의 종합을 기도했다. 무의식자는 이성과 무의식적 의지 그 둘을 속성으로 하는 세계의 근원적 실재이다.

헤겔은 1818년에서 1829년에 베를린 대학에서 강의한 수고의 간행물인 『미학강의』의 여러 곳에서 상징이 '무의식'의 산물임을 시사했다. 일례로 헤겔은 상징(이 책의 확산 은유)과 수수께끼를 구별했다. 수수께끼는 의식적인 표현으로, 고안될 당시에 그 의미가 분명히 정해져 있으나, 상징은 표현되기 전이나 표현된 후에도 여전히 해결되지 않은 과제로 남는다는 것이다.[4] 이것은 상징의 경우 말하고자 하는 원관념의 내용들이 상징을 제시할 당시에 명확히 설정되어 있지 않다는 사실을 헤겔이 이해하고 있었음을 의미한다. 아울러, 이것은 또한 상징이 의식의 산물이 아님을 헤겔이 인식하고 있었다고 볼 수 있다.

쇼펜하우어(1788-1860)는 우리의 사고가 무의식 상태에서 이루어진다는 사실에 관심을 가지고 다른 이들보다는 좀 더 진전된 견해를 기록하고 있다. 세포 내 기억과정의 발견 등으로 2000년에 노벨 생리의학상을 수상한 신경과학자 에릭 캔델(E. R. Kandel, 1929-)은 과학 · 예술 등의 창조적 세계와 무의식과의 관계를 집중적으로 연구한 저서 『통찰의 시대』(*The Age of Insight*, 2012)에서 그러한 사실을 제공하고 있다. 다음은 쇼펜하우어의 1851년도 저작인 *Essays and Aphorisms*에 있는 내용이다.

> 우리 사고의 절반이 무의식적으로 이루어진다고는 거의 믿기지 않는다. (……) 내가 이론적이거나 현실적인 어떤 문제의 사실관계 자료에 몰두해 왔다고 하자. 그 문제를 다시 생각하지 않아도, 때로 며칠 뒤에 답이 지극히 저절로 내 머릿속에 떠오르곤 한다. 하지만 그 답을 내놓은 머릿속의 작동 과정은 계산기의 작동 과정과 마찬가지로 내게는 수수께끼로 남아 있다. 다시금 무의식적 사고 과정이 진행된 것이다.[5]

---

4) G. W. F. Hegel. 『헤겔 미학』(두행숙 역). 나남. 1996. p. 160.

독일의 생리학자이자 물리학자인 헬름홀츠(1821-1894)는 최초로 시지각을 연구하였는데, 시지각의 과정에 무의식적 처리가 있음을 확인했다. 그는 또한 촉지각 연구에서, 신경세포 축삭의 전기신호가 초속 약 27m로 매우 느리다는 것을 알아냈다. 이를 통해 그는 뇌의 많은 감각 정보 처리과정이 무의식적으로 이루어진다고 생각했다.[6)]

그런 헬름홀츠는 1862년의 한 연설에서, 자연과학과 정신과학을 논리적 귀납법과 예술적-본능적 귀납법으로 구분하여 말했다. 예술적-본능적 귀납법은 그의 관점에서 무의식적으로 이루어지는 추론 사고의 형식이다. 물론, 본능적 귀납법이란 이 책에서는 통찰 사고의 형식에 해당한다.

영국의 생리학자이자 심리학자인 윌리엄 카펜터(1813-1885)는 1874년의 저서『정신생리학의 원리』(1874)에서 "정신활동의 두 흐름이 동시에 달린다. 하나는 의식적 흐름이고, 다른 하나는 무의식적 흐름"이라며 그는 마음의 메커니즘을 철저히 조사할수록 "무의식적 활동도 모든 정신과정에 광범위하게 관여한다"고 하였다.[7)]

니체(1844-1900)는 의식이 사고와 감정을 지배하는 것이 아니라, 무의식적이고 비인격적인 존재가 사고를 지배한다고 주장했다. 그는『선과 악의 저편』(1886, 제1장 17절)에서 "사고는 사고 자신이 원할 때

5) Arthur Schopenhauer(1851). *Essays and Aphorisms.* trans R. J. Hollingdale (London: Pengin Books, 1970), pp. 123-24. E. R. Kandel.『통찰의 시대』(이한음 역). 알에이치코리아. 2013. p. 556. 재인용.
6) E. R. Kandel(이한음 역). 같은 책. p. 254.
7) Leonard Mlodinow.『새로운 무의식: 정신분석에서 뇌과학으로』(김명남 역). 까치글방, 2013. p. 47. 재인용.

나오는 것이지, 자아가 원할 때 나오는 것이 아니다. 따라서 '나'라는 자아가 '사고한다'라는 술어의 주체인 듯이 말하는 것은 잘못"이라 하였다.

윌리엄 제임스(1842-1910)는 1875년에 모교인 하버드대학에 미국 최초로 실험심리학 연구소를 개설하였다. 그는 『심리학의 원리』(1890)의 "제6장 정신 소자 이론"의 "무의식의 정신 상태가 존재하는가?" 편의 10가지 증명 중 제4증명에서, "잠들기 전에 풀지 못했던 문제가 아침에 일어나 풀렸다. (…) 간밤에 미리 정한 시각에 정확히 깨어난다 등등…. 무의식적 사고, 무의식적 의지, 무의식적 시간 기록 등이 (…) 행동을 주재하는 것이 틀림없다."고 하였다.

그런 윌리엄 제임스는 동물의 신경생물학적 실험과 뇌신경이론에 바탕해 사고작용에 관한 내성적 관찰을 수행함으로써 사고의 실체적 측면을 연구하였다. 제임스는, 지각 생활의 주요 부분을 형성하고 있는 추정은 무의식적인 것으로, 일반적으로 우리는 추정하고 있다는 사실을 전혀 의식하지 않는 것이 확실하다고 했다.[8] 한편 제임스의 친구인 찰스 퍼스(1839-1914)는 한 걸음 더 나아가, 지각의 과정에서는 "삼단논법의 과정과 동등한 어떤 것이 유기체 안에서 일어난다."며 지각이 '무의식적' 추론의 결과임을 주장한다.[9]

앞에서 보았듯, 제임스는 『심리학의 원리』 제6장의 "무의식의 정신 상태가 존재하는가?"에서와 같이 '무의식적 사고'가 작용함을 인정했

8) William James.『심리학의 원리』Ⅲ(정양은 역). 아카넷. 2005. p. 1828.
9) C. S. Peirce.『퍼스의 기호학』(제임스 홉스 편, 김동식 외 역). 나남, 2008. p. 109.

으며, "제19장 사물지각"의 "환각의 신경 과정" 편에서는 사고와 비의식에 관한 중요하고도 효시적인 언급을 한다: "뚜렷이 의식되는 심상으로 가득 차 있는 경우 우리의 사고는 중단된다. 우리의 대화 시 대부분의 단어는 심상을 일으킬 만한 시간을 전혀 갖고 있지 않다. 단지 다음에 이어질 단어를 일깨우는 역할만을 할 뿐이다. 하지만 문장이 '끝날' 때에는 잠시 어떤 심상이 마음의 눈에 머물게 된다."[10]

아쉽게도 제임스는 더 이상의 설명을 하고 있지는 않다. 하지만, 제임스의 언급은 우리의 사고가 비의식으로 수행된다는 사실을 사고작용에 대한 내성적 관찰을 통해 구체적으로 언급한 효시적인 자료로 생각된다. 제임스가 한 말의 요지를 필자의 관점에서 정리하면, '사고는 비의식에서 수행되며, 사고가 종료되면 그 내용이 의식에서 표상된다'는 것이다.

베르그송(1859-1941)은 1886년에 "최면 상태에서의 무의식적 위장에 관하여"라는 논문을 발표하였다. 이것은 프로이트나 브로이어의 『히스테리 연구』보다 앞선 무의식에 대한 관심으로 평가된다. 베르그송은 1889년에 출간된 『의식에 직접 주어진 것들에 관한 시론』에서도 '무의식'이 우리의 정신작용에 관여하거나 지배함을 여러 곳에서 전제하는 발언을 하고 있다.

그런 베르그송은 1896년에 출간된 『물질과 기억』에서는 이렇게 반문한다: "모든 사람들은 우리 지각에 현실적으로 나타나는 이미지들이 물질의 전부는 아니라는 것을 인정한다. 그러나 다른 한편 지각되

10) William James(정양은 역). 같은 책 Ⅲ. pp. 1461-62.

지 않은 어떤 물질적 대상, 상상되지 않은 어떤 이미지는 일종의 무의식적인 정신 상태가 아니라면 무엇인가?"

그리고, 베르그송은 "널리 퍼져 있는 편견에도 불구하고 '무의식적 표상'이라는 관념은 명백한 것이다."[11] "우리는 그것을 항시 사용하며 그보다 더 상식에 친밀한 개념규정은 없다고 말할 수도 있다."고 한다.[12] 나아가, 논문 "형이상학 입문"(1903)과 『사유와 운동』(1934)에서 베르그송은 사고가 무의식(이 책의 비의식)에서도 수행됨을 언급한다: 어떤 사물을 인식하는 데는 근본적으로 다른 두 가지 방식이 있다. 하나는, 대상을 특정한 관점에서 관찰하는 '분석' 사고이고, 하나는 대상을 전일적으로 파악하는 '직관' 사고이다. 전자는 과학적 사고이고 후자는 형이상학적 사고라고 한다.[13]

베르그송은 '직관'이란 개념을 『사유와 운동』이 출간되기 30여 년 전에 "형이상학 입문"(1903)에서 정식으로 다루었다. 그런 베르그송은 셸링이나 쇼펜하우어 같은 철학자들이 직관을 지성에 대립하는 것으로 사용한 까닭에 '직관'이라는 용어의 사용을 오랫동안 망설였다고 한다. 그리고 자신이 말하는 직관은 "내적 지속과 관련된 것"으로서 "엄격한 논리와는 반대"되는 것이라고 한다.[14]

베르그송의 그러한 직관은 다름 아닌 비의식 상태에서 수행되는 통찰 사고이다. 다만, 그가 말하는 직관은 사물의 본질적인 전 면모를 포

---

11) Henri Bergson. 『물질과 기억』(박종원 역). 아카넷, 2005. pp. 157-58.
12) 같은 책. pp. 244-45.
13) 같은 책. pp. 191, 195.
14) Henri Bergson. 『사유와 운동』(이광래 역). 문예. 2012. pp. 33, 35-36.

착코자 한다는 점에서, 후설의 '현상학적 환원의 직관'과 같은 성격의 것으로 볼 수 있다. 그러니까, 방법론적으로 완전무결을 전제한 통찰 사고라 할 것이다. 후설은 베르그송의 저서에 많은 관심을 가졌는데, '지속'과 '직관' 개념은 특히 후설의 관심을 끌었을 것으로 생각된다.

그리고, T. 시몬과 함께 최초로 지능검사법을 만든 프랑스의 A. 비네(1857-1911)는 『지능에 대한 실험 연구』(1903)에서, 사고는 정신의 "무의식적 행위"로서 "이것이 의식되기 위해서는 이미지들과 단어가 필요하다"[15]며 사고 · 기호 · 의식 · 비의식의 관계를 정확히 이해하고 있음을 보여준다. 아다마르(Jacques-Salomon Hadamard, 1865-1963)에 의하면, 비네는 이 연구에서 약 30명을 조사했는데 그 중에 2명의 소녀(13, 14세)는 가족이었다.

비네는 어떤 질문을 하거나 단어를 제시하면서 무엇이 상기되는지 그리고 어떤 심상이 떠오르는지 등을 물었다. 그런데 한 소녀의 진술은 이 책을 쓰고 있는 필자 스스로의 관찰이나 판단과도 너무나 정확히 일치하여 놀라게 한다. 아다마르 역시 "이 소녀의 답변의 정확성이 놀랄 만하다"고 하는데, 그녀의 진술은 이러하다:

"내가 심상을 갖기 위해서는 아무것도 생각하지 않아야 한다. 하나의 단어가 수많은 상념을 나에게 암시할 때, 이런 때에는 결코 심상이 떠오르지 않는다. 이 단어에 대해 모든 사고가 고갈되었을 때에 비로소 심상이 떠오른다. 그리고 다시 사고가 시작되면 심상은 사라지고, 심상이 나타나기 시작하면 사고는 사라진다."

---

15) Jean-Paul Sartre. 『상상력』(지영래 역). 기파랑. 2008. p. 122, 재인용.

아다마르는 이러한 사실들에 대해 비네가 내린 하나의 결론을 그의 명저『수학분야에서의 발명의 심리학』에 옮겨 놓았다: "나중에 가서야 나는 아르망드(Armande)가 옳았다는 것을 확신할 수 있었다. 심상과 숙고 사이에는 특히 심상이 강렬할 때 일종의 대립이 있다는 것을 나는 인정한다. 가장 아름다운 심상이 활짝 전개되는 때는 몽상과 꿈속에서다."

그리고, 아다마르는 이런 사실을 부가해두고 있다. "그후 트웰쇼버스가 학생들에게 한 실험도 심상이 나타나는 조건에 대해 비네의 실험과 동일한 결론에 도달했다. 심상은 깨어 있는 상태에서 꿈을 꿀 때에만 나타난다고 그는 말한다. 충일한 의식이 되돌아오면 상상은 약해지고 흐려져서 알려지지 않은 영역으로 물러가는 것처럼 보인다."[16]

비네의 견해는 독일 뷔르츠부르크대학의 심리학자들에 의해 '무심상사고'에 관한 연구로 이어진다. O. 퀼페, N. 아흐, A. 메서, K. 마르베, K. 뷜러 등은 "감각과 이미지를 필요로 하지 않는 '무심상사고'에 주목하고, 실험적 내관(introspection)의 방법론을 확립했다. 사실, 비네가 조사한 소녀의 분명하고도 명확한 진술은 매우 정확하고 본질적인 것이어서 사고와 심상에 관한 윌리엄 제임스나 그 어떤 연구자들의 진술보다도 카타르시스를 안겨준다.

T. A. 리보(1839-1916) 역시,『무의식적 삶과 운동들』(1914)에서 "사유는 하나의 기능"이며, "이 활동은 그 본성상 무의식적이고, 그래서 그것은 자기가 다듬어 놓은 소여들에 의해서밖에는 의식적인 형태

16) Jacques Hadamard.『수학분야에서의 발명의 심리학』(정계섭 역). 범양사, 1990. pp. 73-75.

를 띠지 않는다"며 비네와 유사한 언급을 하였다.[17)]

한편, 프로이트(1856-1939)도 『무의식』(The Unconscious, 1915)에서 정신적 과정에 대해 "그 자체가 무의식적인 것이라고 주장하는 수밖에 선택의 여지가 없다"는 발언을 한바 있다.

아다마르는 1943년에서 1944년에 걸쳐 『수학 분야에서의 발명에 관한 심리학』(*Essai sur la psychologie de l'inventin dans le domaine mathématique*)을 집필하여 1945년에 출간했다. 그 책은 저명한 연구자들의 경험 사례에 바탕하여 사고와 무의식의 관계를 추적한 것이다. 수학자이자 물리학자인 로저 펜로즈 또한 "아다마르의 소책자인 고전을 추천하고 싶다"며 그 책에 실린 푸시앙(Fuchsian) 함수식의 정립에 고심하던 푸앵카레의 영감적 통찰의 사례를 소개한다.

> 우리는 다른 곳을 가기 위하여 작은 버스에 탑승하게 되었다. 버스의 계단에 첫발을 내딛는 순간 갑자기 한 가지 아이디어가 떠올랐는데 그것은 그 바로 전에 생각하던 내용과는 전혀 상관없는 내용이었다. 그 아이디어란 바로 내가 푸시앙 함수를 정의하기 위하여 사용하던 변환들이 비유클리드 기하에서의 변환과 동일하다는 것이다. 그 아이디어를 검증할 수는 없었다. 버스에서 자리를 잡자마자 나는 곧 잡담에 참여하여 그럴 만한 시간도 없었기 때문이다. 그러나 나는 그것이 확실히 옳다는 것을 느낄 수 있었다. 캉츠로 돌아오는 길에 나는 편리한 대로 틈틈이 그 결과를 검증하였다.

17) Théodule-Armand Ribot. 『무의식적 삶과 운동들』. 1914. p. 113 이하. Jean-Paul Sartre(지영래 역). 같은 책. p. 70. 재인용.

이에 관해 펜로즈는 푸앵카레의 의식이 전혀 다른 곳에 있었음에도 불구하고 복잡하고 깊은 아이디어가 그의 마음 속에 섬광처럼 나타났으며, 또한 그 아이디어가 옳다는 분명한 확신이 있었다는 사실에 놀라움을 표한다. 그리고 실제로 계산에 의해서 그 정확성이 검증되었다며 펜로즈는 이렇게 말한다.

> 분명히 해야 할 점은 그 아이디어 자체는 말로는 절대로 설명하기가 용이하지 않다는 것이다. (…) 그 이전에 이미 오랜 시간 심사 숙고하는 과정에서 그에 대한 의식의 활동이 있었고 그로 인하여 그 문제의 여러 가지 면모에 관하여 이미 잘 알고 있었다는 사실이 중요한 작용을 했음에 틀림없다. (…) 푸앵카레가 버스에 오르면서 떠올린 아이디어는 한 순간에 완전히 이해할 수 있는 '하나의' 아이디어였다는 사실이다. 더 더욱 놀라운 것은 그 아이디어가 옳다는 것에 대한 푸앵카레의 확신이다. 그러므로 후에 그가 자세한 검증을 하는 것이 거의 불필요한 작업처럼 보일 지경이었다.[18]

신경과 의사 로버트 버튼(Robert Burton)에 의하면, 유명한 인도의 수학자 스리니바사 라마누잔(Srinivasa Ramanujan)은 일찍이, 자신은 수 이론에서 어떤 복잡한 결과가 참이라는 것, 그래서 그것이 오로지 나중에 증명하기만 하면 되는 문제라는 것을 "그냥 안다"고 말했다고 한다.

---

18) Roger Penrose.『황제의 새마음』I (박승수 역). 이화여자대학교 출판부, 1996. pp. 634-35.

이에 대해 버튼은 어려운 수학적 정리가 어떤 심사숙고도 준비도 없이 나타날 수 있다는 것은 전혀 가능할 것 같지 않다고 하면서도, 의식되지 않는 통찰 사고에 관해 이렇게 말한다: “숨겨진 층 안에서 시작되고, 일단 맞다고 판단되면, 다음에는 의식으로 전달된다. 우리는 그 사고와 맞다는 느낌을 동시에 유레카(eureka)나 진실의 순간(moment of truth)으로 경험한다."[19]

실제로, 비의식 상태에서 수행되는 통찰의 결과에 대해 우리는 마치 어떤 마력이 작용하는 것처럼 강력한 확신을 갖게 되는 경우가 많다. 그리고, 대개의 경우 그것은 옳다. 그런데, 우리가 스스로의 통찰이 옳다며 확신을 갖는 것은 또 하나의 이유가 있다. 그것은 세계는 하나라는 사실이다. 따라서, 우리는 전혀 무관해 보이거나 서로 분리되어 있어 보이는 사물이나 현상들이지만 그들을 연결하는 매개가 반드시 존재한다고 확신할 수 있다는 사실이다. 다만 우리가 그러한 매개를 발견하는 통찰을 잘 발휘하지 못할 뿐이다.

또 한편, 우리는 통찰을 그러한 발견에 그치지 않고, 발명에도 사용할 수 있다는 사실이다. 그것은 우리가 어떤 기호든 제3의 기호를 사용해서 전혀 다른 기호로 이행시키거나 변증법적으로 통일적 동일화를 수행할 수 있기 때문이다. 우리는 비의식의 통찰 결과가 분명히 타당한 결론이라는 사실을 추론으로써 증명할 수 있다고 생각한다는 것이다.

수학적 천재들은 추론적 이유를 제시하지 않지만 확신할 수 있는 진

19) Robert Burton. 『뇌, 생각의 한계』(김미선 역). 북스토리. 2010. p. 92.

리를 제시하는 통찰을 수행한다. 법률적 사건 역시 마찬가지이다. 법률을 오래 다루다 보면 수십 개의 법령들이 얽혀 있는 사태이지만 정신을 집중하면 법리에 따라 흔들림 없는 해석을 도출하는 통찰을 발휘한다. 결론에 대한 증명의 추론은 별도의 시간을 더 요구할 뿐이다.

시어나 시문의 착상에 관해서도 마찬가지이다. 어떤 무관해 보이는 이미지들이지만 우리는 매개를 사용하여 하나의 이미지로 통일하는 통찰을 발휘할 수 있다. 훈련된 시인은 동일화의 실패를 두려워하지 않는다. 어떤 시어나 이미지 기호가 주어지더라도 매개적 속성을 이용해서 관련 시어들을 하나의 통일된 이미지로 구성할 수 있다.

모든 분야에서, 뛰어난 전문가나 천재들이 주위의 동료들에게 설명이나 논증되지 않는 결론이나 가설을 제기하고 양보하지 않는 고집을 부릴 수 있는 것은 그 분야의 여러 많은 원리적 질서들을 잘 파지하고 동일화하여 결합할 수 있기 때문이다. 어린이나 천재들은, 일반적으로 연구자들이 패턴이라고 하는, 원리나 질서의 파악에 민감하다.

아이들이 스스로 발화의 규칙이나 문자를 깨우치는 것은 그러한 동일화 원리의 파지 능력에 기인한다. 남다른 통찰력의 소유자들은 이론이나 현상의 다양한 패턴과 다양한 원리들을 연결함으로써 창조력을 발휘한다. 물론, 이러한 통찰은 아다마르 역시 잘 강조하고 있듯 의도적이고 의식적인 충분한 사전 정보(활성기호)의 수집에 바탕하여 의식을 벗어나 몰입된 비의식의 상태에서 수행된다.

촘스키는 아이들의 언어능력을 심층심리적 자질로서 변형생성문법이라는 형식으로써 설명한다. 그런데, 그간의 연구자들이 파악하고자 해온 보편문법의 이상은 하나의 근본형태로서 존재하지 않는다는 게 필자의 견해이다. 그러한 가정적 근본형식들은 (칸트의 사고의 근본형식으로서의 범주의 운명 또한 그러하듯) 종국적으로, 양파가 벗겨지듯 '동일화'라는 인간 사고의 본성으로 수렴되고 환원되기 때문이다.

펜로즈는, 푸앵카레의 통찰(논자들이 때로 직관이라고 부르는 사고)에 대한 확신에, 뜨거운 공감을 하고 있다. 또한 아다마르는 미처 설명되지 않은 전인미답의 불가사의한 수학적 통찰의 사례를 그의 소책자 말미에 싣고 있다. 다음은 아다마르가 소개하고 있는 페르마, 리만, 갈루아 그 세 천재의 수학적 발견에 대한 통찰의 사례이다:

> 피에르 드 페르마(Pierre de Fermat)는 (……) "나는 정수에 대해서는 $(x\neq 0, y\neq 0, z\neq 0, m>2)$ $x^n+y^n=z^n$이 불가능임을 증명하였다. 그러나 이 가장자리에 그 증명을 쓰기에는 너무 좁다."고 하였다. 그때로부터 3세기의 세월이 흘렀고, 수학자들은 그가 여백이 충분했다면 써놓았을 증명을 찾고 있다. (……) 독일 수학자 쿠머(E. E. Kummer)는 '페르마의 마지막 정리'를 풀기 위해 새롭고도 대담한 "이상수(ideal number)"라는 개념을 도입하지 않을 수 없었는데 이는 대수에서 혁명을 일으킨 위대한 착상이다. 그러나 이 강력한 도구조차도 이 신비스러운 정리를 부분적으로만 증명했을 뿐이다.
>
> 우리가 이미 그 놀라운 직관력에 대해 언급한 베른 하르트 리만(Bernhard Riemann)은 수학의 가장 신비스러운 문제 중의 하나인 소수의 분포에 대해 우리의 지식을 쇄신하였다. 그는 적분에서 끌어 온 고찰에서 보다 정확히 실수 또는 허수 값을 가질 수 있는 하나의 변수 S에 대한 연구로부터 이 문제의 결과를 연역하였고, 이 함수의 몇 가지 중요한 성질을 증명하였다. 그러나 그가 중시한 두세 개의 다른 특성에서

도 말하였는데 이에 대해서는 증명을 하지 않았다. 그가 죽고 나서 사람들은 그의 논문에서 다음과 같은 주를 찾았다: “ς(s)의 특성들은 이 함수의 식 중의 하나로부터 연역되는데, 나는 이 식을 발표할 만큼 충분히 단순화하는 데 이르지 못했다.” 우리는 지금까지도 이 식이 어떤 것인지에 대해 아무것도 모르고 있다. 그가 증명 없이 진술한 성질에 대해서는 내가 그것들을 증명하기 위해서—하나를 제외하고—30년의 세월이 필요했다. 이 마지막 증명되지 않은 성질에 관한 문제는 여전히 의문인 채로 남아 있다. (……) 그가 일반 원리를 사용하지 않고—그의 논문에서 일반 원리에 대해 언급하지 않는다—어떻게 그 특성을 발견하였는지 아무도 알 수가 없다.[20]

에바리스트 갈루아(Evariste Galua)의 개성은 가장 놀랄 만하다. (……) 20세의 나이에 그를 찾아온 죽음은 그러나 이런 투쟁 때문이 아니고 어이없는 결투에 의한 것이다. 그는 결투 전날 밤을 그의 발견에 대한 정리로 보냈다. 나중에 과학 아카데미가 알아볼 수 없다고 내버린 원고를 먼저 쓰고—이와 같이 고도로 직관적인 정신이 애매모호하다고 놀라서는 안 된다—다음에 친구에게 보내는 편지를 썼는데 여기에서 훌륭한 견해들을 급히 언급하면서 가장자리에는 “시간이 없다”라는 말을 남겨 놓았다. 사실 죽음이 기다리는 장소에 가기 전에 그에게 남은 것은 4시간 뿐이었다. (……) 갈루아가 친구에게 쓴 편지에서 적분의 주기를 언급하는 한 정리를 살펴보기로 하자. 우리에게는 분명한 이 정

20) Jacques Hadamard(정계섭 역). 같은 책. pp. 114-15.

> 리를 당시의 학자들은 이해하지 못했을 것이다. 이 '주기'는 당시 함수론의 몇 가지 원리의 도움으로만 의미를 지닌다. 이런 원리들은 오늘날에는 고전적인 것이지만 갈루아가 죽고 나서 약 4반세기가 지나서야 발견된 것들이다, 따라서 다음과 같은 사실을 인정해야 할 것이다. 첫째, 이러한 원리들은 그가 아무런 암시도 하지 않은 것으로 보아—이 원리들 자체가 중요한 발견임에도 불구하고—그의 정신 속에서 무의식 상태로 있었을 것이다.[21]

아다마르는 천재적 통찰이 미처 연역되지 못하는 이유를 이렇게 설명한다. "새로운 견해가 우리가 언급한 경우보다 더욱 깊은 무의식층에서 태동하고 결합될 수 있다면 이 새로온 견해를 발견한 사람 자신에게도 연역의 아주 중요한 고리가 알려지지 않을 수 있다. 과학사는 이러한 사례들을 제공한다."[22]

그런데, 이 아다마르의 언급은 몇 가지 중요한 본질적인 내용을 건드리고 있다. ❶ 무의식과 의식의 기능 관계, ❷ 통찰과 추론 사고의 성격, ❸ 통찰과 추론 사고의 기능 등이다. 이에 관한 자세한 언급들은 통찰과 추론에 관한 편에서 있을 것이므로, 여기서는 결론적 사실만 간략히 제시한다.

우리의 모든 사고는 비의식으로 수행되어 그 내용은 즉시 인지되지 않으며 그 결과만 의식에서 인지된다. 그러한 우리의 사고는 본질에서 모두 통찰적이다. 그리고, 사고의 목적이 창조냐 설명적이냐에 따라

21) 같은 책. pp. 115-16.
22) 같은 책. p. 113.

동일화 과정의 복잡성과 단순성이 결정된다. 이 책에서, 전자는 '통찰'이고 후자는 '추론'이다.

우리는 통찰의 복잡한 동일화 내용을 추론으로써 단순한 내용들로 분절하여 이해하고 설명한다. 그런데, 이해나 설명은 의식적 확인을 통해 이루어진다. 그리고 의식에서의 확인을 위해 우리는 심상기호나 문자 등의 외현기호를 사용한다. 정리하면, 우리는 복잡다단한 통찰의 내용을 이해하고 설명하기 위해 단순한 판단들로 분절하여 문자와 같은 외현기호와 그 체계인 문법 그리고 인과성의 논리규칙 등을 사용하여 의식에서 인지가능토록 제시한다.

그러한 까닭에 추론은 통찰의 내용을 모두 이해하고 설명하기까지 수시로 비의식 상태에서 의식 상태로, 다시 의식 상태에서 비의식 상태로 반복적으로 견지되어야 한다. 그러면서 통찰의 내용을 의식에서 직각 사고로써 인지 가능토록 분절해서 펼쳐 보여주어야 한다. 우리의 모든 사고는 비의식으로 수행된다. 다만, 그 내용을 이해 · 설명하기 위해 의식을 활용하는 것이다. 그리고, 이해나 설명은 동일화의 연결 과정을 빠뜨리지 않고 제시해내어야 직각 사고로써 인지할 수 있다.

아다마르는, 의식과의 거리 또는 무의식의 깊이를 사고의 유형과 결부시킨다. 이것은 결과면에서는 틀렸다고 할 수 없으나, 정확한 언급은 아니다. 사고가 의식 가까운 곳 또는 먼 곳에서 이루어지는 것이 아니라 설명과 이해를 위해서 우리가 사고를 분절시키고 또한 그럼으로 인해서 의식과 비의식을 빈번히 교차하는 것이다.

'무의식 깊은 곳'이라든가 '의식 가까운 곳'이라는 표현은 은유적 표현으로서는 이해할 수 있으나, 정확한 표현은 아니다. 비의식에서 사고된 통찰의 내용은 우리의 의식에서 표상되지 않으므로 복잡다단한 내용에 대한 추론은 그 과정이 만만치 않다. 뛰어난 통찰의 내용이 많은 부분 연역이 되지 않고 방치되는 것은 그러한 이유들에 기인한다. 창조적 발명의 사고론에 대한 결론을 아다마르는 이렇게 정리하고 있다.

> 이제 우리는 헬름홀츠와 푸앵카레가 구분한 대로 발명에 있어서 세 단계를 알게 되었다: 준비; 배태기; 영감. 여기서 푸엥카레는 마지막 단계인 네번째 단계의 필요성을 역설하는데, 이 단계는 다시 의식 속에서 일어난다. 무의식이 일을 하고 나서 의식의 새로운 개입이 필요한데, 이는 결과를 발표하기 위해서뿐만 아니라 다른 세 가지 이유에서도 그러하다. (…) 1. 결과의 '검증'을 위하여 (…) 2. 결과의 '마무리 작업'을 위하여[23]

아다마르 이전에 G. 왈라스(1858-1932) 역시 헬름홀츠(1821-1894)와 푸엥카레(1854-1912)의 일화 등을 바탕으로 문제해결 과정을 준비·부화·발현·검증의 4단계로 나누고, 잠시 문제를 떠나 있는 부화단계에서 의도치 않는 가운데 문제해결이 이루어진다고 하였다(『사고의 기술』, 1926). 아다마르가 왈라스와 다른 점은 부화단계에서 무의식이 작용하고 무의식에서 아이디어가 솟아난다며 무의식을 강조한 점이다. 창조적 발견의 과정에서 무엇보다도 무의식의 중요성을 인식한 아다마르는 두 수학 천재의 언명을 적어두고 있다.

---

23) 같은 책. p. 61.

가우스는 그가 수년에 걸쳐 증명하려고 시도한 수론의 한 정리에 대해 이와 같이 쓰고 있다: "결국 이틀 전에 이 일을 해냈는데 힘든 노력에 의해서가 아니라 신의 은총에 의해서였다. 그야말로 번개처럼 수수께끼가 풀렸다. 내가 이미 알고 있던 것을 성공이 가능한 그 무엇에로 연결한 길잡이가 어떤 성격의 것인지 나 자신 말할 수 없다."[24]

푸앵카레는 이렇게 말했다: "무엇보다도 여러분을 놀라게 한 것은 무의식의 오랜 작업에 대한 명백한 신호와 같은 갑작스런 영감의 흔적이다. 수학적 발명에 있어서 이 무의식적인 작업의 역할은 나에게는 이론의 여지가 없는 것으로 보인다."[25]

한편, 사르트르(1905-1980)는 K. 뷜러(1879-1963)가 "확언하건대, 원칙적으로 모든 대상은 이미지들의 도움 없이 충만하고 정확하게 사유될 수 있다."고 하였다고 한다.[26] 아울러, 이미지는 사고에 있어서 거추장스러운 것일 수밖에 없다고 하는 한편, 그래서 와트(Watt)가 모든 이미지는 관념화 과정의 방해물로 나타난다고 말할 수 있었다고 싸르트르는 말한다.[27]

그리고 1940년에 출간된 *L'imaginaire*(상상계)에서 싸르트르는 비네의 실험결과와 동일한 언급을 한다. "요컨대 이미지는 독서의 중단

---

24) 같은 책. p. 25
25) 같은 책. p. 24.
26) "사고과정 심리학의 실태와 문제. Ⅰ. 사유에 관하여"(Tatsachen und Probleme..., etc, Über Gedanken). 『심리학 대사전』(Arch f. ges, Psych). 1907. Ⅸ권. 321.(원주)
27) Jean-Paul Sartre(지영래 역). 같은 책. pp. 118-19.

과 실패의 순간에 나타난다. 그 나머지 시간, 즉 독자가 책에 사로잡혀 있을 때는 심적 이미지가 존재하지 않는다. 우리는 이러한 사실을 여러 차례 스스로 입증할 수 있으며 몇몇 사람들도 그 점을 확인해 주었다. 이미지가 몰려드는 것은 방심한 독서 그리고 흔히는 중단된 독서의 특징이다."[28] 그런 사르트르는 이미지와 사고의 관계를 기호(signe)와 의미작용(signification)의 관계로 이해한다.[29]

칼 융(1875-1961)은 "정신의 본질에 관한 이론적 고찰"(1946)에서 "새로운 생각과 창조적인 관념들이 무의식으로부터 그 모습을 드러낼 수 있다"고 말한다. 그리고, 『인간과 무의식의 상징』(1964)에서는, 확실치 않은 미지의 성질을 지닌 어떤 것이 무의식에 의해서 직관(필자의 통찰)적으로 파악되어 왔으며, 직관이 시인과 예술가에게만 사용되는 것이 아니라 과학에서도 똑 같이 필수적인 것으로 물리학조차도 무의식적 직관에 놀라울 정도로 의존한다고 하였다.

미국의 신경과학자 칼 래쉴리(1890-1958) 역시, 마음의 어떠한 생각도 결코 "의식되지 않는다."고 강조한다: "사고는 주어, 동사, 목적어, 수식어구들이 적소에 들어간 문법적 형태로 등장하지만, 우리는 그 문장 구조가 어떻게 생산되는지를 눈곱만큼도 지각하지 않는다(1956)."고 한다.[30]

한편, 푸앵카레와 아다마르가 창조적 수학의 사고과정에 관한 모델을 제시한 이후 통찰에 관한 2단계 또는 3단계의 모델들이 다수 제시

28) Jean-Paul Sartre. 『사르트르의 상상계』(윤정임 역). 기파랑. 2004. pp. 127-28.
29) 같은 책. p. 124.
30) Christof Koch(김미선 역). 같은 책. p. 324. 재인용.

되었다. 대표적 이론으로, Simon(1971)은 아다마르와 달리 무의식 개념을 거부하고 친숙화와 선택적 망각 개념을 부화단계에 도입했다. Ohlsson(1984a · b, 1992)은 문제를 다른 방식으로 봄으로써 (목표 단계를 축소하도록) 재구조화의 중요성을 강조했다. Langly와 Jones(1988)는 색인화 단계 · 유추의 인출 단계 · 검증단계를 주장하며, 무의식 작업을 부인하고 부화단계를 배제하였다. 그런데 이러한 이론들의 특징은 대개가 무의식을 배제한다는 점이다.

그런데, 최근들어 Csikszentmihalyi와 Sawyer(1995)는 여러 모델들을 통합하여, 무의식의 기능을 중시한 4단계 모델을 제안했다. 첫 단계의 준비과정은 자료의 연구 · 분석과 같은 집중적인 의식적 작업으로 하의식 기능이 작동하도록 한다. 두 번째의 부화단계는 우연적 조합의 사고과정들이 단기간 또는 수 년 간 지속되는 하의식 상태이다. 세 번째 단계인 통찰은 의식에 "아하!" 경험을 가져오는 것이다. 네 번째 단계는 다른 사람들에게 이해나 설명을 위한 평가와 정교화 과정이다.[31] 준비 및 부화단계는 통찰이 개입하고, 평가 및 정교화 단계는 추론 사고가 수행된다고 보는 것이다.

한편, 로저 펜로즈는 자신의 경험담을 『황제의 새마음』(2002)에서 소개하고 있다. 1964년 가을에 그는 블랙홀의 특이점 문제에 관하여 고민하고 있었다. 그는 미국에서 방문한 동료 아이보 로빈슨과 런던의 버크벡 대학에 있는 연구실로 가면서 전혀 다른 주제에 열중하여 얘기를 나누고 있었다. 그때, 길을 건너기 위해 잠시 대화가 중단되었는데

31) 온기찬.『竝列分散處理 모델에 기초한 直觀에 관한 實驗的 硏究』. 교육학 박사 학위논문. 전북대학교 대학원. 1997. pp. 19-23. 재인용.

분명히 그 잠깐 사이에 펜로즈는 아이디어 하나가 떠올랐으나 사라지고 말았다.

그것은 펜로즈가 찾던 기준이었는데 후일에 그는 사라진 아이디어를 다시 찾아내었다. 그리고 정리의 증명을 위한 윤곽을 잡는 데는 시간이 많이 걸리지 않았으나(Penrose, 1965). 증명을 완전한 수식으로 완성하는 데는 꽤 오랜 시간이 걸렸다고 한다. 결국, 길을 건널 때 떠올랐던 그 아이디어가 문제 해결의 열쇠였는데, 펜로즈는 이렇게 말한다.[32)]

> 영감적 사고(inspirational thought)에서 '무의식'의 역할에 대한 나의 견해는 무엇인가? 이에 관해서는 내가 원하는 만큼 명확한 답을 갖고 있지 못하다는 것을 인정한다. 그러나 일단 이 분야는 무의식이 실제로 매우 중대한 역할을 하는 부분이며 나 자신 무의식적 과정이 매우 중요하다는 관점에 동의할 수밖에 없다. 그리고 무의식적인 생각이 무작위로 아무렇게나 아이디어들을 띄우는 것은 아니라는 주장에도 동의한다. 의식적인 생각이 그들 중 '가능성이 보이는' 아이디어에 대해서만 구애를 받게끔 할 수 있는 강력한 선별 과정이 존재하는 것이 분명하다. 내 생각에는 이러한 선별 기준(주로 무언가 '미적'이라고 할 수 있는)도 이미 의식적인 요망에 의하여 많이 영향을 받고 있다고 여겨진다(마치 수학에 관한 어떤 생각이 이미 밝혀진 일반 원칙에 어긋날 때 추하게 느껴지는 것처럼).[33)]

---

32) Roger Penrose(박승수 역). 같은 책. p. 637.
33) 같은 책. pp. 639-40.

아다마르는 도누(Daunou)가 "가장 엄격한 학문에 있어서도 시적인 감동 없이는 아르키메데스나 뉴턴 같은 천재에게서 일지라도 아무런 진리도 부화하지 않는다."고 하였는데, 그 역시 꼭 같은 생각을 갖고 있다고 한다.[34] 그런 아다마르는 이렇게 말한다. "하나의 심미적 요소가 모든 발견과 발명의 핵심적 요소라는 사실은 너무나 자명한 사실로서 여러 학자들이 이 점에 대하여 강조하였다." 그리고 아마다르는 "첫째로 발명은 하나의 선택이며, 둘째로 이 선택은 심미감에 의해 절대적으로 지배된다"고 말한다.[35]

어떤 분야이든 그러하다. 참다운 것은 아름다운 것이다. 통일적 아름다움은 문채적 표현에 있지 않고 간결함에 있다. 텍스트의 미학성 다시 말해 시문의 조형적 완전성이 단순한 서정성을 우주적 리듬의 원형으로 인식하게 한다. 시인은 불완전한 작품을 추론적 이해로써 인식하기 이전에 통찰로써 안다. 심오한 것은 설명하지 않아도 누구든 알 수 있는 것이다. 왜냐하면 심오한 것은 미적인 것이기 때문이다.

영국의 신경생물학자 크리스토프 코흐는 이 책의 필자와 마찬가지로 '비의식'이라는 용어를 사용하는 몇 안 되는 연구자 중의 한 사람이다. 그가 '비의식'에 "unconsciousness"라는 표현을 사용하는 사실을 2006년도에 알게 된 필자는, 그와 상관없이 '비의식' 개념을 확립한 까닭에 영문 표기 시에 "nonconsciousness"라는 용어를 사용해왔다. 하지만, 용어의 혼란을 생각할 때 그러한 필자의 생각은 짧은 것이었다.

34) Jacques Hadamard(정계섭 역). 같은 책. p. 21.
35) 같은 책. pp. 39-40.

크리스토프 코흐는 "인지 과학자들의 경우 창의력이 보고할 수 없는 (즉, 비의식적인) 과정들과 관련된다는 가설을 지지해왔다(Schooler, Ohlsson, Brooks, 1993; Shooler와 Melcher, 1995)"고 말한다. 아울러, "창의력의 많은 부분은 의식되지 않는다고 오랫동안 주장되어 왔다" 며 영감에 인지적으로 접근할 수 없다는 사실은 문제 해결에 관한 더 근래의 연구에 의해서 확인되었다고 한다.[36)]

한편, 인지언어학자 레이코프와 분석철학자 존슨은 이성적 선험주의 철학을 전복코자 한 야심찬 그들의 저작 『몸의 철학: 신체화된 마음의 서구 사상에 대한 도전』(1998)에서, "신체화된 양식이 개념적 은유의 상상적 기제를 통해 추상적 사고에까지 이른다"고 말한다. 아울러, "우리는 체화된 은유의 무의식에 인지적 접근을 할 수 없으며 인지적 무의식을 통제할 수도 없다."고 한다.

그런 레이코프와 존슨은 "무엇보다도 인지과학은 대부분 우리의 사고가 무의식적이라는 사실을 발견"했다며, "의식적 사고는 거대한 빙산의 일각에 불과"하며 "무의식적 사고가 모든 사고의 95%라는 것이 인지과학자들 사이에서는 경험상의 일반원리로 통하는데, 그것은 심각할 정도로 과소평가한 것일지 모른다."고 한다.[37)] 사실로 그러하다. 이 책의 필자는 우리의 모든 사고는 비의식으로 수행된다고 생각한다. 일상적 생활의 현장에서 비의식(사고)과 의식(인지)의 교차가 매우 신속하고도 자동적으로 이루어지는 까닭에 우리는 사고가 의식 상태에서 수행되는 것으로 여길 뿐이다.

---

36) Christof Koch (김미선 역). 같은 책. pp. 325-26.

전통적으로 사고가 투명한 의식의 산물이라는 철학을 비롯한 제 인문학의 견해와 달리 오늘날 인지과학에서 사고가 의식되지 않는다는 사실은 하나의 상식이 되어가고 있다. 필자는 물론, 에델만이나 코흐가 '비의식'이라는 용어를 사용하는 것과 달리, 대부분의 연구자들이 '무의식'이라는 용어를 쓰지만, 아무튼 우리의 정신작용이 의식되지 않는 가운데 수행된다는 사실은 오늘날 신경생물학과 인지심리학 그리고 인지과학계의 공통된 견해라 할 수 있다.

우리의 뇌신경계는 액틴 단백질의 분해와 결합으로 축삭돌기와 수상돌기들이 수초(水草)처럼 끊임없이 움직여 동일화의 의미를 이룬다. 그러한 뇌신경세포들의 움직임은 1 · 2 · 3 같은 가장 단순한 수의 인식에서부터 문법 · 법리 · 물리법칙 같은 규칙과 원리의 이해에 이르기까지 동일화 정신작용을 수행하여 의미를 생성한다.

우리는 천문학적 양의 뉴런과 그 개개의 축삭돌기 그리고 수상돌기들 하나하나를 결코 의식적으로 움직이지 않는다. 그것들 하나하나를 정밀하게 움직이고 연결하여 의미화를 이루도록 하는 것은 우리의 명석판명한 의식이 아니라 결코 의식되지 않으며 의식할 수도 없는 비의식계 내부에서 작용하는 그 어떤 통일적 에너지의 생명 기관이다.

신경세포가 전달하는 정보의 실체는 전압펄스이다. 뇌가 만드는 감각, 지각, 생각은 모두 전압파의 생성과 전파 과정의 일이다.[38] 액틴 단백질 사슬의 분해와 결합으로 세포원형질막의 돌출 부위는 끊임없

37) George Lakoff, Mark Johnson. 『몸의 철학: 신체화된 마음의 서구 사상에 대한 도전』(임지룡 외 역). 박이정. 2002. pp. 13, 25, 40, 123.

이 유동적으로 움직인다.[39] 그러한 우리의 뇌신경세포들의 연결은 의식 상태에서 확인할 수 있는 기호적 형식들에 따라 움직이지 않는다. 그것은 본능적이고 자동적이며 습관화된 경로와 자율성에 따라 움직인다.

시각 처리는 일차시각피질에서 두정엽으로 향하는 무의식적 시각 처리와 측두엽으로 가는 의식적 시각 처리 과정으로 구분된나. 전진두피질에서 일차운동피질까지 신경전달은 의식화되지 않으며, 하측두엽의 일부와 전전두엽에서만 의식적으로 인식되고, 나머지 과정은 무의식상태이다. 이처럼 뇌 작용에서 의식 수준의 정보처리는 전전두엽과 관련되는데, 시각 처리에서 전전두엽의 의식화는 시상침과 두정엽이 관여한다.[40]

그와 같은 의식에서의 상의 표상이나 비의식에서의 사고의 수행은 뇌신경계에서 전기적이고 화학적 신호작용으로 매우 빠른 속도로 이루어진다는 사실을 우리는 이해해야 한다. 감각자극으로부터 인식에 이르기까지는 약 0.1초 정도이다. 한편, 1979년 영국의 리벳 박사의 실험에서, 우리의 행동 의지는 행동이 있고 나서 약 0.5-0.8초 (보다 정확히는 0.35-0.65초) 뒤에 인식되는 것으로 알려져 있다.

0.5-0.8초 동안은 '의지'가 비의식 속에서 진행되고 있는 것이다. 하지만 우리는 그러한 사실을 지각하지 못한다.[41] 특히 '지각'의 경우

---

38) 박문호.『그림으로 읽는 뇌과학의 모든 것』. 휴머니스트출판그룹. 2013. p 185.
39) 같은 책. pp. 212-13.
40) 같은 책. pp. 640-41.

는 대체로, 자극과 알아차림의 간격이 0.1초 정도로서, 알아차림의 과정이 '비의식'으로 진행된다는 사실을 우리가 눈치 채기는 더욱 쉽지 않을 것이다.

동일화 정신작용의 사고는 우리의 뇌신경계에서 전기 · 화학적 신호작용으로 이루어지며 '사고의 결과'는 '사고'의 수행 즉시 그리고 필요에 따라 의식에서 표상되어 인지된다. 그와 같이 우리의 동일화 정신작용과 의식의 표상은 매우 순간적이고 동시적으로 교차되는 까닭에 우리는 사고가 의식 상태에서 수행되고 사고의 진행과정 또한 인식하는 것으로 여기게 된다.

2.2. 비의식의 증례들

신경과학자 에릭 캔들은 『통찰의 시대』에서 이렇게 말한다. "감각정보는 먼저 예비 처리 과정을 거쳐야 하므로 우리의 의식에 출현하는 모든 사건들은 먼저 무의식에서 시작되는 것이 틀림없다. 리벳이 우리의 움직이려는 의지가 무의식에서 시작된다는 것을 발견했듯이, 시각을 비롯한 우리의 모든 감각 처리도 마찬가지이다."

그런데 의식은, 감각이든 사고이든 그 결과를 상상력을 통해 나타내는 정신기능이다. 따라서 감각과정이나 사고과정의 시간만큼 의식은 언제나 뒤늦게 형성된다. 인지기관의 의식은 감각이나 사고와는 성격이 다른 정신기능이다. 인지작용이 아닌 감각과정이나 사고과정들은

41) 이정모. 『인지과학: 학문 간 융합의 원리와 응용』. 성균관대학교 출판부. 2009. p. 300.

의식되지 않는다. 감각과정이나 사고과정은 비의식으로 이루어지며 그 결과는 의식에서 확인된다.

감각의 신경처리 과정이 의식되지 않듯이, 사고의 신경처리 과정 역시 의식되지 않는다. 감각이나 사고는 모두 그 신경처리 과정이 종료되고 난 뒤 우리의 의식에 표상된다. 사고와 감각은 의식 이전에 수행되는 정신작용이다. 그런 까닭에, 감각이나 사고가 수행되고 있지만 우리는 그 내용을 의식하지 못한다. 사고이든, 감각이든 그 수행이 완성되어야 비로소 우리의 의식에서 인지된다.

그런데, 사고가 비의식으로 이루어진다는 사실은 내성적 관찰을 통해서 충분히 알 수 있다. 우리가 "ⅴ, 3.1. 비의식에 대한 인식 상황" 편에서도 볼 수 있었듯이 많은 연구자들이 내성적 관찰에 의해 사고가 비의식으로 이루어짐을 인정하고 주장했다. 따라서, 여기서는 그러한 사실들을 뒷받침하는 몇 가지 실험 연구결과를 바탕으로 사고와 의식 · 비의식의 관계를 기술한다. 다음은 에릭 캔들의 시지각 인지의 역설적 상황에 대한 언급이다:

> 파리의 콜레주 드 프랑스의 인지신경과학자 스타니슬라스 데하네(Stanislas Dehaene)는 뇌 기능 자기공명영상을 이용하여, 이미지의 의식적 자각이 시각 처리 과정에서 상대적으로 늦게 출현한다는 것을 발견했다. 시각 처리가 시작된지 3분의 1초에서 2분의 1초가 흐른 뒤에 나타난다. 초기의 무의식적 활동은 일차 시각피질의 국소 영역(V1과 V2)만을 활성화하는 경향이 있다. 시각 처리 과정의 첫 200밀리 초 동안, 관람자는 자극을 보았다는 사실 자체를 부정할 것이다.[42]

감각과 마찬가지로 사고 역시 의식되지 않는 신경 처리작용의 과정을 거친다. 그리고 대상에 대한 통일적 의미작용이 이루어졌을 때 비로소 의식이라는 인지기관에서 표상된다. 물론, 이때 우리는 감각과 마찬가지로 사고의 결과를 뒤늦게 알아차린다. 우리가 사고의 결과를 알아차렸을 때는 사고의 수행이 끝난 상태이다.

우리는 사고를 하면서 우리가 행하는 사고의 내용을 즉시로 알아차리고 있다고 생각하지만 사실은 언제나 사고의 결과를 인식한 것이다. 사고에 대한 인식 이전에 우리의 뇌신경계는 이미 스스로 어떤 사고를 할 것인지 설계하고 수행해나가고 있는 것이다. 사고와 마찬가지로 감각이나 행동에서도 그러한 현상이 일어남을 우리는 여러 실험들에서 확인할 수 있다.

1968년에 캘리포니아 대학의료센터의 벤자민 리벳(Banjamin Libet)과 독일의 동물생리학자 한스 코른후버(Hans Kornhuber)의 실험에서, 피실험자는 자신의 의지에 따라 결정된 시간에 단추를 누르도록 했다. 그런데 놀랍게도, 피실험자가 결정을 했다고 생각하기 약 1초 전에 전기적 활동이 뚜렷이 나타났다.

1976년에 코른후버(H. H. Kornhuber)와 그의 동료들은 실험 대상자들의 머리 부위에 뇌파(EEG) 측정장치를 부착하여 오른쪽 인지 손가락을 자의로 구부리게 했다(Deecke, Grötzinger, & Kornhuber, 1976). 그런데 손가락이 실제로 굽혀지기까지 약 1초에서 1초 반 가량 포텐셜의 치수가 서서히 증가했다. 이것은 피실험자들이 손가락을 굽혀야겠

---

42) E. R. Kandel(이한음 역, 같은 책). p. 552.

다는 생각을 갖기 1초 전에 이미 뇌신경계는 손가락을 굽히고자 하고 있었다는 것을 의미한다.

1979년에도 벤자민 리벳은 우리가 무엇을 하려는 의도를 의식하기 약 1초 전에 뇌는 이미 움직이고 있었다는 것을 손목 움직임 실험을 통해 확인했다. 자신의 의지에 대한 자각이 있기 이전에 뇌는 벌써 행위를 시작했거나 적어도 시작할 것을 결정한 것이다. 우리가 무엇을 하려고 마음을 먹지도 않았지만, 전전두엽은 이미 모든 계획을 세우고 실행까지 하는 것이다.[43]

역시 1979년에 벤자민 리벳은 샌프란시스코에 있는 시온산신경연구소(Mount Zion Neurological Institute)의 파인슈타인(Bertram Fe-instein)의 도움으로, 뇌수술 환자 중에서 뇌의 체성 감각피질에 전극을 설치하는 것에 동의한 사람들을 대상으로 감각 지각 상황을 관찰했다(Libet, et al., 1979). 실험 결과에 따르면 환자들은 피부에 주어진 자극을 의식하는 데 약 0.5초가량 걸렸다. 하지만 뇌 자체는 그 자극 신호를 받는데 약 백분의 1초밖에 걸리지 않았다.[44]

이상의 실험 결과들은 모두 자신의 행위 의사를 의식하기 0.5초 내지 1초가량 전에 그들의 뇌신경계가 이미 행위 의사를 발현하여 행위를 시작하고 있었음을 보여준다. 그런데 이러한 사실은 지극히 당연하고도 정상적인 일이다. 인지작용은 의식과 추론 사고를 가능하게 하는 정신작용으로서, 감각은 물론 본능적 사고인 통찰 사고 이후에 나타난

43) 같은 책. p. 565.
44) Roger Penrose(박승수 역). 같은 책 Ⅱ. pp. 666-67.

정신기관으로 이해된다. (통찰은 자연적인 원사고이고, 추론은 문법이나 논리 규칙과 같은 인위적 형식을 활용하는 방법적 사고로서 문화의 발생과 더불어 나타난 사고라는 점을 상기하자.)

인지작용의 의식은 발생론적 측면만이 아니라, 수행의 측면에서도 감각과 사고가 있은 뒤 이루어지는 정신작용이다. 그런 인지작용의 의식이 감각이나 사고 작용보다 0.5초나 1초 정도 뒤늦게 이루어지는 것은 당연한 일이다. 그리고, 인지작용 이전에 일어나는 감각이나 사고 작용들이 비의식 상태에서 진행된다는 것 역시 당연한 일이다. 그렇듯이 우리는 감각이나 사고의 수행 중에는 그 내용을 알 수가 없다. 감각이나 사고의 신경처리 작용이 완료된 이후에 비로소 우리는 인지작용의 의식을 통해서 알 수 있다. 이러한즉, 사고가 비의식 상태로 수행된다는 건 자명한 일일 것이다.

신경생물학이나 인지과학에서 비의식에 관한 실험 · 연구는 아직은 지각이나 행동자각의 문제에 한정되어 있는 것 같다. 순수한 추상의 사고 즉 추론이나 통찰과 관련해서 생각해본다면 독일의 헤인즈(John-Dylan Haynes) 박사 팀의 연구 외에 다른 연구는 확인되고 있지 않다. 2008년에 독일의 막스플랑크 연구소의 인간 인지 및 뇌 연구팀에 있는 헤인즈 박사 팀과 싱가포르 인지신경연구팀은 우리가 자신의 결정을 스스로 인지하기까지 약 7초가 걸린다는 연구결과를 보고했다(Soon, Brass, Heinze, & Haynes, 2008)[45].

---

44) Roger Penrose(박승수 역). 같은 책 Ⅱ. pp. 666-67.
45) 이정모. 같은 책. pp. 266-68.

어떤 결정 사항이 우리의 내부에서 진행되지만, 그로부터 7초 후에야 우리는 의식의 상태에서 표상작용을 통해 비로소 그 결정을 인지할 수 있다는 말이다. 헤인즈 박사 팀은 협동 연구를 통해 사람들이 어떤 결정을 할 때 그 사람 자신이 그것을 인식하기도 전에, 즉 의식적으로 결정을 내리기 약 7초 전에 뇌의 활동을 보고 그 사람의 결정을 예측할 수 있다는 결론을 제공했다.[46)]

한편, 배빈 셰스(Bavin Sheth)와 시모네 잔트퀼러(Simone Sandküh-ler), 조이딥 바타차리야(Joydeep Bhattacharya)는 문제해결 실험에서 피험자가 까다로운 인지문제를 통찰하기 8초 전까지 우측 전두엽에서 빠른 감마파가 증가하는 것을 목격했다. 이에 관해 뇌과학자 에릭 호프만은 "통찰이 우측 전두엽에서 생겨나서 단지 몇 초 후 뇌량을 통해 좌반구로 전달되면 좌반구는 그것을 '아하! 경험'이자 문제의 해결책으로 해석하는 듯하다."고 말한다. 아울러, 호프만은 2011년에 시드니 대학의 리처드 치(Richard Chi)와 앨런 스나이더(Allan Snyder) 역시 동일하게 우측 측두엽이 통찰이나 획기적인 해결책과 관계가 있음을 발견했다고 한다.[47)]

이 실험들은 헤인즈 박사의 의사결정 인지실험과 같은 맥락에서 해석된다. 통찰은 비의식으로 수행되고 그 결과는 의식에서 확인된다. 그리고, 뇌과학은 일관되게, 통찰은 우뇌에서 이루어지고, 자각은 좌뇌에서 이루어지는 것으로 보고한다. 이것은 통찰이 우뇌에서 비의식으로 진행되고. 그 결과가 좌뇌에서 의식을 통해 확인된다는 말이다.

---

46) 같은 책. pp. 266-68.
47) Eric Hoffmann(장현갑 역). 『이타적 인간의 뇌』. 불광. 2012. p. 201.

그러한바, 배빈 셰스(Bavin Sheth) 등의 연구는, 8초 동안 우측 전두엽에서 감마파가 활성화되는 어떤 통찰 사고가 진행되었고, 그 이후에 좌반구에서 통찰 사고의 결과를 '아하! 경험'으로 자각하였다고 해석할 수 있다. 에릭 호프만 역시 이러한 맥락의 해석을 하고 있다.

아무튼, 이것은 1979년에 리벳 교수가 '자유의지의 작용 약 1초 전에 뇌가 이미 움직이고 있다'는 결과보다 7, 8배나 확장된 결과이다. 지연 시간 결과의 정확성과 일반성은 별론의 문제이겠으나, 아무튼 이 연구들은 의사결정을 의식하기 상당한 시간 전에 뇌는 이미 그와 관련한 통찰 사고를 비의식 상태로 수행하고 있음을 보여주는 일이라 하겠다.

윌리엄 제임스는 "잠들기 전에 풀지 못했던 문제가 아침에 일어나 풀렸다."거나 "간밤에 미리 정한 시각에 정확히 깨어난다"는 등의 사실들에서 무의식적 사고와 무의식적 의지가 작용한다고 생각했다. 사실 이러한 현상은 실제로 우리들이 흔히 경험하는 일이다. 한편, 톰린과 빌라(1994)는 기억 속의 정보가 활성화되는 현상을 무의식적 감지(detection)라고 정의하고 detecton은 당사자가 의식하거나 '주의'를 기울이지 않아도 활성화된다고 주장했다.

마르셀(Marcel, 1983)은 사전 의미제시(semantic priming) 실험연구를 하였다. 그는 피험자들에게 목표어를 화면에 보여주고 어휘결정 과업을 수행하게 했다. 그런데, 목표어를 보여주기 직전에 의미적으로 연관된 단어를 의식하지 못할 수준에서 짧은 시간(약 50mc) 보여준 결과, 보여주지 않은 경우 보다 어휘결정 과업을 더 정확하고 빠르게 수행했다. 이것은 의식하지 않는 가운데 제공된 정보들을 활성화시켰다는 증거이다. 톰린과 빌라는 이러한 무의식적인 감지가 존재할 뿐 아니라 나아가 습득되지 않은 새로운 언어형태도 무의식적인 감지를 통

해서 학습될 것이라고 주장했다.[48)]

자각만이 아니라 '추론'이나 '통찰' 역시 비의식 상태에서 수행됨은 말할 것이 없다 오히려, 추론이나 통찰은 지각이나 자각보다 더 확연히 비의식으로 진행됨이 내성적 관찰에서는 확인된다. 지각은 우리가 달려오는 자동차를 인식하거나 나무 둥치 아래의 다람쥐를 인식하는 극히 순간적으로 일어나는 사고이지만, 추론이나 통찰은 자동차의 엔진을 점검하거나, 고장의 원인을 찾는 등 꽤 시간을 요하는 사고이다.

어떤 가설적 결론 A=C의 성립과정을 이해하거나 설명하기 위한 추론의 경우 대 · 소전제를 연결하는 '매개적 사실'(B)을 먼저 찾아내고 그 매개체를 중심으로 대 · 소전제(B=C, A=B)를 세워야 한다. 그와 같이 추론에서 중요한 것은 매개체의 발견인데, 그것은 의식 상태에서의 비교나 무작위적 선택으로 얻어지는 것이 아니라 비의식의 통찰로써 얻는다.

특히, 추론과 달리 통찰은 완전한 비의식의 상태에서 수행된다. 시 창작에서 시어는 의식상태에서 원관념에 대응하는 보조관념을 비교를 통해 떠올리는 것이 아니라 '비의식'의 몰입 상태에서 통찰로 부지불식간에 얻어낸다. 시 · 예술 작품과 과학 등의 규칙과 원리의 창조를 위한 사고는 완전한 비의식 상태에서 이루어지는 관계로 자신이 사고하는지조차도 자각하지 못한다.

물론, 그와 같이 어떤 사고를 하는 동안에 일반적으로 우리는 사고의 대상 이외에 다른 대상을 지각하거나 사고할 수 없다. 지각은 0.1

---

48) 이혜문 "'주의'와 '의식': 언어습득의 인지심리학적 기제". 김광수 외. 『융합 인지과학의 프론티어』. 성균관대 출판부. 2010. pp. 142-43.

초 이내의 극히 짧은 순간이지만, 추론이나 통찰은 몇 십 분 또는 몇 시간이 이어질 수도 있다. 우리는 그러한 때 다른 대상을 동시에 사고하거나 주의를 기울일 수 없다. 실제로 우리는 한 가지 어떤 문제에 집중할 때 누군가 와서 이름을 불러도 알아차리지 못한 채 한 곳만을 응시하고 있어 질책이나 핀잔을 받은 경험이 있을 것이다.

지각의 순간 역시 마찬가지이다. 짧은 순간이지만 우리는 매 순간 자신이 주목하는 대상 이외의 다른 대상들에는 주의를 기울이지 못한다. 이것은 우리가 매 순간 실수나 위험한 상황에 처할 수 있음을 의미한다. 휴대폰 화면을 보면서 건널목을 건너거나, 운전 중에 전화를 하는 행위로 사고가 빈번하게 일어나는 것은 그러한 때문이다. 이러한 비의식의 현상은 지각보다는 추론, 그리고 추론보다는 통찰의 사고에서 보다 더 뚜렷하다.

믿기 힘들겠지만, 한 가지 일에 주의를 기울일 때 우리는 망아 상태에 있는 까닭에 순간적으로 눈을 감고 있는 것이나 마찬가지의 상황이라고 할 수 있다. 하지만, 그렇다고 크게 염려할 일은 아니다. 우리가 하루에 눈을 깜박이는 시간을 모두 합하면 90분이나 된다고 한다(박문호, 2013년, 634쪽). 하지만 그러한 깜박임이나 우리의 지각은 극히 짧은 순간에 이루어지는 까닭에 그러한 비의식의 상태에서도 우리는 다가오는 위험들을 피하며 생활할 수 있다.

실제로, 우리의 인지작용의 의식과 사고작용인 비의식은 동전의 앞뒷면처럼 연속적이고도 순간적으로 교차되어 나타난다. 그러한 까닭에 우리는 마치 의식과 비의식의 상태를 구분하지 못하고 언제나 의식상태에 있는 것으로 여기게 된다. 하지만, 사고의 생성 과정은 짧든 길든 결코 인식되지 않는다.

우리가 인식하는 것은 비의식의 상태에서 수행된 사고의 결과이다. 그것은 어떤 사물에 대한 지각이든, 복잡다단한 판단 과정들로 이루어진 통찰이든 마찬가지이다. 그것이 우리의 인식과 지능의 특별한 성질이자 능력이다. 사고의 과정들은 그에 대한 추론으로써 확인할 수 있을 뿐이다.

2.3. 불수의적 사고로서의 비의식

사고는 의도적으로 한 순간에 주의집중을 하여 수행되기도 하지만, 애써 주의를 기울이지 않는 가운데서도 진행된다. 다시 한 번 제임스의 말을 상기해보자. "취침 전에 풀지 못했던 문제가 아침에 일어나 풀렸다. 몽유환자들도 이치에 맞는 일을 한다. 간밤에 미리 정한 시간에 정확히 때어난다." "무의식적 사고, 무의식적 의식, 무의식적 시간 기록 등이 이런 행동을 주재하는 것이 틀림없다."[49]

Stemberg · Grigorenco · Singer 역시, "제임스(1890/1950)가 이미 잘 설명하고 있듯이 저장된 정보의 처리는 우리가 깨어 있는 동안 쉬지 않고 계속되며, 실험실 연구에서 분명하게 밝혀진 바와 같이 이러한 과정은 우리가 잠을 자는 동안에도 이루어진다(Antrobus, 1991, 1999; Domhoff, 1996; Hartmann, 1998)"[50]며 비의식과 사고의 관계를 언급한다.

비의식으로 수행되는 우리의 사고작용은 우리가 의도적으로 문제에

49) William James(정양은 역). 같은 책. p. 300.

서 벗어나 휴식을 취하거나 잠을 자는 동안에도 진행되는 속성을 갖고 있다. 우리는 잠들기 전에 읽은 수많은 정보들이 아침에 깨어나면 큰 줄기를 이루어 하나의 체계가 서 있는 것을 경험한다. 뿐만 아니라, 우리의 비의식의 사고는 잠들기 전에 읽은 자료와 이전의 기존 정보체계를 모순 없이 하나로 통일해낸다.

새로운 정보의 투입으로 야기된 정보체계의 혼란을 우리의 정신은 새로운 정보들과 동일화를 이룸으로써 안정을 찾는 것이다. 그러니까, 잠을 자는 동안에도 우리의 사고기관은 정보체계 형성을 위해 쉼 없이 비의식의 사고를 수행한다. 우리가 잠을 자는 동안에도 심장이나 폐와 같은 우리의 장기는 깨어 있어 쉬지 않고 일을 하듯 우리의 뇌 신경계 역시 조용하지만 심층 내부의 세계에서 어떤 일들을 하고 있다.

우리는 의식상태에서만이 아니라, 비의식의 세계에서 지속적으로 어떤 문제들에 관하여 사고하고 있다. 아다마르는 이렇게 말한다: "뉴턴에 의한 만유인력의 발견은 아주 전형적이다. 어떻게 그러한 법칙에 도달할 수 있었느냐고 하는 사람들의 질문을 받은 뉴턴은 '그 문제에 대해 계속적으로 생각하면서'라고 답변했다." "그의 가장 주요한 아이디어—달이 지구를 향해 실제로 떨어져야 한다는 것—는 모든 다른 물체에 대해서도 마찬가지라는 사실의 필요 불가결한 귀결"이다.[51]

아다마르의 말처럼 "주의력을 끈질기게 집중시키는 일, '문제에 대한 집착, 동의적이고 자발적인 집착'이 필요"하다. 게으른 뉴톤은 결

50) R. J. Stemberg, E. L. Grigorenco, J. L. Singer. 『창의성: 그 잠재력의 실현을 위하여』(임웅 역). 학지사. 2009. p. 308.
51) Jacques Hadamard(정계섭 역). 같은 책. pp. 49-50.

코 떨어지는 사과에서 행운을 집어 들지 못한다. 만유인력은 결코 우연에 의해 발견된 게 아니다. 잠을 자는 동안에도, 연구실을 벗어나 사과나무 아래 쉬고 있던 중에도 뉴톤의 뇌신경은 비의식의 세계에서 자연의 현상에 관한 생각의 끈을 놓치 않고 있었던 것이다.

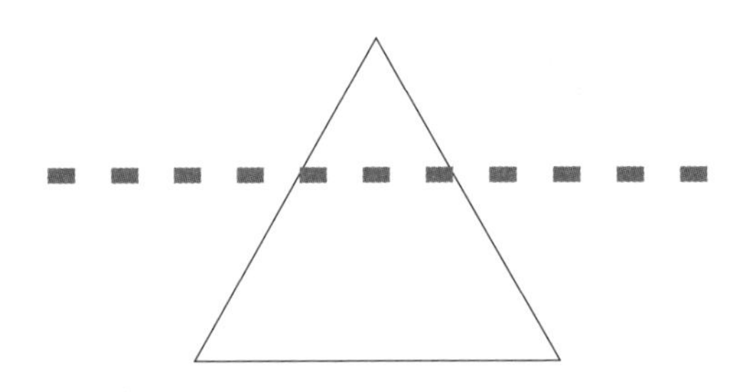

칼 융은 “의식은 여기에 있고 무의식은 저기에 있다는 식으로 그 한계가 분명한 것이 아니라는 생각에 익숙해져야 한다.”며 무의식이 의식의 토대임을 언급했다. 빙산은 햇빛 속에도 그리고 햇빛이 닿지 않는 수면 아래에도 존재한다. 물 속에 잠긴 부분과 물 밖에서 빛나는 부분은 동일한 하나의 빙산이다. 단지 물 밖은 의식이라는 햇빛을 받고 있을 뿐이다. 정신은 햇빛을 받아 밝게 빛나는 부분도 있고 햇빛이 들지 않아 의식화되지 않은 부분도 있다.

우리의 정신은 물밖의 햇빛과는 상관없이 통일적 동일화의 사고작용을 수행한다. 자각되지 않지만 우리의 정신[52]은, 정리되지 않은 문제들을 통일시켜 내며, 쉼 없이 많은 일들을 수행하고 있다. 뉴턴이 떨어지는 사과에서 만유인력을 발견한 것은 그가 힘의 성질에 관하여 끊임없이 생각한 결과이다. 평소 그에 관한 생각들이 비의식의 세계에서 작용하여 정리 되어나가고 있었으며 사과가 떨어지는 순간 그간의 결과물들이 의식이라는 햇빛 속에 출령여 얼굴을 내민 것이다. 어느 날 꿈속에서 꼬리를 물고 있는 뱀을 통해 벤젠 화학분자의 구조를 통찰한 케큘레 역시 그러한 결과이다.

2.4. 우리의 정신이 비의식을 사용하는 이유

지각은 감각 신호의 자료들을 기호로 의미화 함으로서 완성된다. 동일화(A=C)의 사고는 기호(A)에서 시작해서 또 다른 기호(C)에서 종결된다. 그와 같이 기호는 사고의 출발선이자 귀결지로서 필수불가결한 요소이다. 그런데, 이러한 기호가 실제 사고의 수행에 있어서는 의식에 표상되어서는 안 된다. 표상과 의식은 사고의 진행을 방해한다.

『두뇌 계발 비결』의 저자 레비톤(R. Leviton)은 "의식의 세계를 뛰어넘는 오른쪽 뇌의 속도는 의식적인 왼쪽 뇌보다 수십 배 이상 빠른 속도로 정보를 처리할 수 있다."[53]고 한다. 우리의 두뇌에는 소뇌라는 고속 추진의 엔진이 있지만 또한 우뇌라는 거대한 병렬체의 신경망 체계가 있다.

미치오 카쿠 교수에 의하면, 세계에서 가장 빠른 컴퓨터 블루진/Q 세쿼

---

52) 정확히는 정신과 육체의 통합적 의미로서의 몸 또는 정신. '생명체'는 통일적이고 연속적인 존재이다.

53) Richard Leviton. 『두뇌 계발 비결』(김종석 역). 학지사. 2007. pp. 466-67.

이아가 2012년 1월에 1초당 20조 1천억 회의 연산(1초당 20.1PELOPS)으로 세계기록을 갈아치웠다고 한다. 이 컴퓨터는 280m^{2}의 면적을 차지하고, 7.9MW의 전력을 소모한다. 이만한 양은 작은 도시 전체를 공급할 수 있는 양이다.

우리의 뇌를 완벽하게 시뮬레이션하려면 블루진 같은 컴퓨터 수천 대가 있어야 한다. 이 정도를 배치하려면 건물은 어림없으며, 도시 한 구획을 통째로 수용해야 한다. "에너지 소모량도 엄청나 수천 MWwKFL 핵발전소를 오직 컴퓨터에만 사용해야 한다. 이뿐만이 아니다. 초대형 컴퓨터에서 발생하는 열을 수시로 식혀주지 않으면 회로소자가 다 녹아버린다. 수천 대의 블루진에 냉각수를 끊임없이 공급하려면 강의 길을 통째로 바꿔야 한다."[54]

우리의 사고에 필요한 두뇌는 이러한 거대한 시스템을 갖추고 있다. 초대형 병렬 시스템의 우뇌는 정지 화면이라는 의식을 갖고 있지 않다. 의식의 거울은 좌뇌의 세계에 걸려 있다. 이것은 무제한의 정보를 전일적이고도 신속히 처리하기 위한 조치이다. 본질적으로 우리의 사고는 비의식으로 이루어진다. 그럼으로써 동일화 과정에서 발생하는 무한 용량의 정보들의 출현을 제어하고 의식적 지각의 번거로움과 시간적 낭비를 줄일 수 있다. 베르그송은 이러한 관점에서 우리의 뇌를 정보 회상의 억제기관으로 이해했다.

차가 달려오는 상태와 도로의 넓이 등의 지표만으로도 우리는 수학적 계산의 필요 없이 진행되어질 상황에 대한 예측과 결단을 할 수 있

---

54) Michio Kaku. 『마음의 미래』(박병철 역). 김영사. 2015. pp. 399-400.

다. 오히려 이런 때 수학적 계산은 장애가 된다. 의식이 개입하는 동일률에 기초한 형식논리적인 수학적 계산은 쉼 없이 변화하는 운동계의 현실에 대한 즉시적 환원이 불가하다. 그러나 모순율을 초월하는 동역학적 통찰 사고는 전체적 상황을 일시에 즉시적으로 처리한다. 이것은 의식에서의 외현적 기호의 사용으로 수행될 수 없으며, 전기 · 화학적 신호작용의 비의식기호에 의한 통찰로써 가능하다.

우리의 사고가 비의식으로 진행되는 것은 의식의 방해를 받지 않고 의미화 즉 '동일화' 작업을 신속하게 처리하기 위함이기도 하다. 우리가 사고의 정확성을 기한다는 이유로 의식에서 하나하나 동일화 과정들을 검증하듯 확인해나간다면 우리는, 앞선 거북을 결코 앞지를 수 없는 아킬레우스처럼 의식상의 동일화 작업으로 인해 결코 현실적 실제의 '동일화' 작업에 성공하지 못할 것이다.

자연은 분리되지 않는 하나라는 파르메니데스의 사상을 논증하기 위한 방편으로 그의 제자 제논이 화살과 아킬레스의 역설을 제시한 것은 익히 알려져 있는 사실이다. 날아가는 화살은 정지하고 있으며, 한 발 뒤진 아킬레스는 한 발 앞선 거북을 영원히 따라 잡지 못 한다는 것이다. 시인 발레리는 우리의 사고가 비의식(그가 말하는 무의식)으로 수행된다는 사실을 받아들이지 못했다. 발레리는 무의식으로써 휘광 같은 걸작을 써내기 보다, 명료한 의식으로 평범한 시를 쓰기를 원했다. 발레리는 시 작품을 세상에 내어놓기 위해 시를 쓰려했던 것이 아니라, 명료한 의식 상태를 유지하기 위한 방편으로 시를 쓰고자 했다. 그런 발레리는 영원을 응시하는 자신의 명료한 의식의 실패와 비애를 시편 「해변의 묘지」에서 토해내었다.

혼이여, 불후의 명성을 얻으려 하지 말라,
인간이 할 수 있는 일의 깊이를 생각하라!
- 핀다로스.「델포이의 무녀들」

비둘기 나는 저 고요한 지붕은
철썩인다, 소나무들 사이로, 무덤 사이에서.
지금은 0시의 정오, 불길이 바다를 수놓는다.
언제나 되살아나는 바다를!
신들의 정적에 깊은 시선을 보내는
오, 사유 다음에 찾아드는 시간이여!

(중략)

제논! 잔인한 제논이여! 엘레아의 제논이여!
그대는 날개 돋힌 화살로 나를 꿰뚫었도다
진동하며 날고, 날지 않는 화살로!
화살의 굉음은 나를 사로잡고, 나를 죽이는구나!
아! 태양이여……웬 거북의 그림자인가
영혼이여, 큰 걸음으로 내달리는 꼼짝 않는 아킬레우스여!

바람이 분다……살아야겠다!
위대한 대기는 내 책을 또 다시 펼쳤다 닫는다.
깨뜨려진 파도가 바위를 박찬다.

날아라, 눈부신 책장이여!
부숴라 파도여! 용솟음치는 물살로 부숴 버려라
돛단배들이 먹이를 찾아다니는 이 잠잠한 지붕을!

-「해변의 묘지」 일부

아킬레스가 거북이를 쫓아가면 거북이는 아킬레스가 달려오는 동안 조금 더 앞으로 나아간다. 그러한 상황이 영원히 계속됨을 지적하며 제논은 아킬레스가 결코 거북을 따라잡지 못한다고 주장한다. 그러나, 아킬레스와 거북이는 자신의 고유한 운동으로 달리는 자유 의지의 존재이다. 그들은 무한히 분절되는 시간의 무대 위로 초대하는 제논의 요청에 응할 이유가 없다.

실제의 상황에서 아킬레스와 거북이는 경주중에는 결코 멈춰 서지 않는다. 그러나, 제논은 아킬레스와 거북을 무한히 되풀이하여 세워놓는다. 만일, 두 경주자를 멈춰 세우지 않는다면 눈 깜짝 할 사이에 아킬레스가 거북을 앞지를 것은 명약관화한 사실이다. 그런 까닭에 제논은 시공간 분절의 행위를 무한히 반복해야만 하는 것이다. 그럼으로써 제논은 아킬레스가 여전히 거북의 뒤를 쫓게 할 수 있다.

그런데 기하급수적으로 그들의 간격이 좁혀지고, 숨 쉴 틈 없이 그들을 세워놓아야 하는 점점 더 곤란해지는 상황에서 제논은 어쩌면, 시공간 분절은 실재로는 행할 필요가 없으며 머릿속으로만 하여도 무방하다고 주장할지 모르겠다. 하지만, 그것은 '운동'을 개념으로 치환하는 일이다. 제논은 그러한 치환의 오류를 이용하여, 자연이 분리되지 않는 하나라는 스승의 교지를 변호했다.

하지만, 시공간 분절의 추론은 의식 세계의 일이다. 실재의 시공간의 통찰은 비의식의 세계이다. 이에 대해서는 일찍이 베르그송이 "정신의 직접적 투시"이자 본질로 뛰어드는 '직관'과, 기호로써 추론하는 '분석'이라는 두 가지 사고 용어로써 언급한 바 있기도 하다. 불시적이고도 전일적으로 이루어지는 우리의 사고가 의식이 아닌 비의식으로써 수행되는 이유는, 의식의 세계로 쏟아져 들어올 막대한 양의 정보들을 효과적으로 활용하고 신속한 통찰을 수행하기 위해서이다.

2.5. 언어와 사고

우리가 "컵에 물이 넘친다"라는 말을 할 때, 그 말이 처음 배우는 외국어라면, 모국어를 우리가 얼마나 순간적이고 즉각적으로 발화하는지 놀랄 것이다. 미묘한 차이의 음운들과 복잡한 구조의 문법규칙을 가진 그런 발화 문장들의 생성 과정은 우리에게 의식되지 않는다. 다시 말해, 현재 하는 말을 '하게 된 이유나 판단 등'은 전혀 의식되지 않는다. 단지, 발화 상황 즉, 우리가 어떤 말을 하고 있다는 것과 우리가 말한 내용을 의식할 수 있을 뿐이다.

우리가 만약 사고 과정에 대한 자각이 가능한 상태에서 사고를 수행한다면 우리는 통찰 사고를 수행한 즉시 언어나 이미지 등으로써 사고의 과정들을 머뭇거리거나 빠뜨림 없이 표현할 수 있을 것이다. 그러나 사실은 그렇지 못하다. 이것은 우리가 '동일화'라는 판단 즉 사고의 과정들이 의식되지 않는 비의식 상태에서 수행됨을 의미한다. 아울러, 사고가 그와 같이 비의식으로 이루어진다는 것은 동일화의 판단 과정들이 언어를 사용하지 않음을 시사한다.

“비의식기호” 편에서 언급한 바 있듯, 언어학자 “야콥슨은 내적인 사고는 언어보다 덜 규범화되고 보다 융통성 있는 체계를 사용함으로써 창조적 사고에 보다 많은 자유와 활력을 준다.”[55]고 하였다. 그리고, 인지과학자 포더 역시, 사고 시에 우리는 장기기억 속에 있는 의미정보들인 ‘사고언어’(language of thought)를 사용한다고 하였다.

또한, 언어심리학자이자 인지과학자인 핑커(Steven Pinker, 1954-)는 포더의 견해에 따라, 사람들은 영어나 중국어와 같은 자연언어로 생각하는 것이 아니라, 추상의 정신어로 사고한다고 하였다. 물론, 그러한 언어는 “한층 더 풍부하고 한층 더 단순하여 대화에 사용되는 특화된 단어(가령 a와 the)와 구문들 그리고, 단어의 배열에 관한 정보들이 불필요하다”고 했다. 뿐만 아니라, 뇌에는 어휘들의 개념사전인 정신사전과 개념 관계를 조율하는 어휘조합규칙의 정신문법이 있다고도 하였다.[56]

이 책의 필자는 그와 같은 이론들을 접하기 이전에, 비의식 상태로 수행되는 사고의 수행에 사용되는 기호에 대해 ‘비의식기호’라는 명칭을 사용했다. 내장된 정보로서 사고의 수행을 가능하게 한다는 점에서 심리학에서의 ‘의미 부호’나 포더 교수가 제기한 ‘사고언어’는 이 책의 필자가 말하는 ‘비의식기호’와 같은 맥락의 것이다.

이러한 비의식기호를 사용하는 우리의 사고는 정신의 시공간계에서 홀로그램을 생성하듯 구현된다. 이러한 사고의 세계에서는 외현기호

---

55) Jacques Hadamard(정계섭 역). 같은 책. pp. 94-95. 재인용.
56) Steven Pinker. 『언어 본능』(김한영 외 역). 동녘사이언스. 2007. 개정판. pp. 120-21.

의 표상체가 지닌 조사나, 접속사, 어미나 어간 등을 사용하지 않는다. 마치 보이지 않는 그림이나 홀로그램을 구성하듯 순수한 의미로써만 연결되고 결합한다.

Stemberg · Grigorenco · Singer는, "시인이 언어를 사용하여 상상하지 않는 것과 마찬가지로 과학자 역시 수학적인 공식으로 사고하지 않는다"고 한다.[57] 또한, 『신경과학의 철학』의 공동 저자 베넷과 해커는 "지금까지 알게 된 것은 사고가 언어에 앞선다는 사실"이라며, 그들은 사고가 언어로 수행되지 않음을 토로한 프랑스의 수학자 아다마르(1865-1963)의 언급을 제시한다:

> 명쾌하고 만족스러운 결과를 언어로 표현하려 할 때, 나는 전혀 다른 지적 수준에 두고 시작하지 않을 수 없다는 것을 느낄 때가 종종 있다. 나는 내 생각과 전혀 어울리지 않는 언어로 내 생각을 번역해야만 한다. 따라서 나는 적절한 단어나 구절을 찾는데 엄청난 시간을 낭비하지 않을 수 없다. 실제로 내가 생각할 때, 내 마음 속에는 단어가 하나도 없다.[58]

아다마르는 "골턴이 당구를 치거나 당구공의 궤적을 계산할 때 또는 보다 추상적이고 고차원의 문제를 연구할 때 그의 사고는 전혀 어휘를 동반하지 않았다."고 말한다. 아울러, "내가 숙고할 때 머리 속에는 전

---

57) R. J. Stemberg, E. L. Grigorenco, J. L. Singer(임웅 역). 같은 책. pp. 225-26.
58) M. R. Bennett, P. M. S. Hacker. 『신경과학의 철학』(이을상 외 역). 사이언스북스. 2013. pp. 567-68.

적으로 언어가 부재함을 강조해야겠다."[59]며 동료들에 대한 그의 설문 결과를 제시한다:

> 미국에서 알아본 수학자들의 대부분은 나의 경우에 언급한 현상과 비슷하였다. 거의 전부가 마음속에서 언어의 사용을 하지 않을 뿐만 아니라 나처럼 내심으로 구체적인 대수 기호도 사용하지 않는다. 아리스티드 브리앙(Aristide Briand)은 그의 측근에 의하면 연설을 준비할 때 언어로 사고하지 않았다고 한다. 말은 연설하는 순간에 가서야 나타났던 것이다.[60]

그런 아다마르는 언어가 사고와 감각을 지배한다는 막스 뮐러(Max Müller)나 헤르더(J. G. Herder) 등을 비판한다. 헤르더와 훔볼트는 18세기 말 이상적 낭만주의에 속하는 학자로서 세계의 언어와 문화의 다양성에 큰 의미를 부여하였다는 것이다. 그러한 전통이 미국의 사피어(E. Sapir)와 워프(B. L. Whorf)에게 계승되어 언어가 사고방식을 결정한다는 언어적 결정주의에 이르게 되었다고 한다. 그리고, "언어적 결정주의에 의하면, 문법의 범주와 언어의 구조가 우리의 경험과 시간의식 그리고 공간 지각을 형성한다. 따라서 각국의 국어는 그 나라 국민의 사고방식을 지배한다."는 것이 그들의 생각이라고 아다마르는 말한다.[61]

---

59) Jacques Hadamard(정계섭 역). 같은 책. pp. 71, 76.
60) 같은 책. pp. 83, 89.
61) 같은 책. pp. 69-70.

그런데, 사고가 언어로써 수행되느냐 그렇지 않느냐 하는 문제와 언어가 과연 사고방식이나 사고능력에 영향을 얼마나 미치느냐 아니면 무관하냐 하는 문제는 또 다른 성격의 문제이다. 후자의 문제는 여러 면에서 보다 논의가 필요한 문제로서 또 다른 기회에 다루기로 하고, 이 책에서는 다만 전자의 경우에 대해서만 언급할 것이다.

미시건 주립대 생리학과 교수 Root-Bemstein 역시 언어로 사고하지 않는다는 견해를 표명한다. "의사소통에서 사용하는 것과 동일한 것(term)을 사용하여 사고한다는 가정에는 강력하게 반대한다. 우리의 연구 결과는 사고하는 것과 의사소통하는 것이 매우 상이한 기술들을 요구하는 과정임을 보여 준다(Barlow, Blakemore, & Weston-Smith, 1990; Root-Bernstein & Root-Bernstein, 1999)."[62]

그리고, Root-Bemstein은 사고와 표현에 관한 다음과 같은 아인슈타인의 말을 인용한다: "일상에서 사용되는 언어를 사용하여 설명할 것인가, 아니면 (수학적인) 어떠한 기호를 사용하여 설명할 것인가는 이미지와 느낌에 관련된 모든 것들이 충분히 정립되고 난 뒤에 고민할 문제이다. 일단 그것이 확립되고 나면 그러한 이미지와 느낌들은 얼마든지 재생될 수 있기 때문이다."

그런데, 아인슈타인과 아다마르 공히 때때로 이미지를 사용하여 사고를 수행한다고 한다. 그들은 심상기호를 사고의 수행시에 사용한다는 말인데, 이것은 두 가지 경우가 있다. 하나는 의식과 비의식이 매우 순간적이고 동시적으로 교차 수행을 반복한다고 볼 수 있는 '영감적

62) R. J. Stemberg, E. L. Grigorenco, J. L. Singer(임웅 역). 같은 책. p. 232. 재인용.

사고(초의식비의식 사고)'이고, 또 하나는 추론 사고의 과정에서이다.

본질적으로 사고의 수행시에는 심상이 의식에 나타나지 않는다. 그리고, 나타나서도 안 된다. 다만, 그것이 가능한 것은 언급된 영감적 사고의 경우이다. 하지만, 이러한 사고는 (마치 영매나 예지자들처럼) 고도로 훈련되어 필요에 따라 자동적으로 수행될 수 있을 정도가 아니라면 초인적 정신통일이 요구되는 까닭에 힘이 들어서 자주 사용할 수 있는 사고가 아니다.

아마 아인슈타인이나 아다마르 같은 물리학자나 수학자들이 사고의 수행에 있어서 자의적 언어기호이든 이미지기호이든 심상기호를 사용하는 경우는, 일단 주요한 문제에 대한 통찰을 종료하고 그 결과물을 심상기호화 한 것으로 볼 수 있다. 일반적으로 통찰의 내용을 분명히 인식하기 위해서는 통찰의 결과를 토대로 추론을 수행해 들어간다.

하지만, 추론은 언어와 논리규칙을 사용해야 하는 불편이 있다. 그래서 밴다이아 그램이나 관련 이미지들로써 추론 이전에 먼저 통찰의 내용을 펼쳐보는 과정이라고 생각해볼 수 있다. 물론, 그러한 과정 이후에도 종국적으로는 추론 사고로써 언어를 사용해 논문으로 작성하는 과정을 거치게 된다. 그러한 우리의 통찰 세계는 비의식 상태로 형성되는 의미의 홀로그램이라 할 수 있다. 이러한 전일적인 정신언어의 세계를 표현함에 있어서 자의적 언어기호보다는 이미지의 심상기호가 훨씬 용이함은 물론이다.

발레리와 같은 프랑스 시인이나 우리 한국의 시인이나 사고는 모두 동일한 방식을 사용한다. 그것은 이 책의 필자가 말한바 있는 통찰이라는 원사고이다. 그런데 이러한 통찰의 내용을 이해하거나 설명하기 위해선 추론이라는 분석을 시도하는 사고를 수행한다. 이것 역시 프랑스인이나 한국인이나 다를 바가 없다.

그런데, 통찰의 결과나 그에 대한 추론의 결과를 심상기호나 외현기호로 표현할 때는 사용하는 언어에 따라 다르게 발음되거나 표기된다. 통찰의 내용인 의미의 덩어리들을 음성이나 문자로 풀어낼 때에는 특유의 자국어 음운이나 의미의 형태소들로 분절된 언어체계에 따라 모두 달리 표현된다.

그러나, 표현되기 이전의 원사고는 모두가 전기 · 화학적 신호작용으로 구성되는 비의식기호를 사용한다. 사고를 할 때 그러니까, 시를 쓰거나 수학 문제를 풀 때 등등 그때는 누구의 두뇌 속에나 모두 다 동일한 양태로서, 화학물질들에 의해 생성된 전기작용의 에너지들뿐이다. 다시 말해 비의식기호인 정신언어는 문화, 인종, 남녀노소를 막론하고 동일하다.

발레리나 김소월이나 그들이 사용하는 정신언어는 알파벳이나 한글이 아니라 형상도 형식도 지니지 않은 전기적이고 화학적인 신호작용들로서 포더 교수가 사고언어라고 한 비의식기호이다. 우리가 발레리나 말라르메의 시를 번역할 때 단순히 불어를 한국어로 변환하는 것이 아니다. 그러한 언어적 변환만을 하고자 한다면 그러한 일은 번역기에 맡기면 된다. 그러나 번역은 먼저 만국 공통의 언어인 비의식기호로 구현된 사고의 내용 즉 의미의 홀로그램을 이해해야 한다.

존 설 등이 중국어방 사고실험으로써 인간의 사고를 흉내내는 튜링기계를 비판한 것은 바로 이 정신언어의 사용에 기인한다. 중국어 낱말의 의미를 전혀 모르면서 다른 낱말이나 언어로의 변환규칙에만 따라 중국어가 지시하는 업무를 완벽히 수행해내었다고 해서 튜링기계가 인간의 사고를 수행한 것이 아니다.

튜링기계는 우리가 사용하는 정신언어를 전혀 사용할 줄 모른다. 랭보의 시를 한국어로 단순히 변환만 해내는 일이라면 그것은 우리 인간들보다도 튜링기계가 더 완벽하게 그리고 신속히 처리해낼 수 있다. 그러나, 번역가는 튜링기계가 아니며, 번역은 튜링기계가 할 수 있는 작업도 아니다.

번역은 정신언어로 구현된 의미의 홀로그램을 이해하고 이를 바탕으로 한국어로 변환시키고 다시 원작 시인의 정신언어로 구현된 의미의 홀로그램을 제대로 표현하고 있는지를 검토해야 한다. 원작 시인의 정신어 텍스트가 원 텍스트라면, 프랑스 언어기호로 표상된 텍스트는 제2차 텍스트로서 참조물에 불과하다. 다시 말하면, 번역은 불어와 한국어를 매개하는 공통의 언어인 정신언어의 홀로그램을 번역해내어야 하는 것이다.

이러한 작업을 현재의 연산처리나 학습형 로봇의 기계들은 수행할 수 없다. 튜링기계가 만약 공통언어로 구현된 원작자의 의미의 홀로그램을 이해하지 않은 채 불어에서 한국어로의 단순 변환만을 했다면, 그 결과물의 텍스트가 실로 어떤 형태를 띠고 있을지는 충분히 예상할 수 있는 일일 것이다.

우리의 사고는 비의식기호의 정신언어로 이루어진다. 우리는 모두 자국어의 기호와 기호체계들을 사용해서 사고를 시작하지만, 막상 그러한 외현기호들이 우리의 정신 즉 우리들 두뇌 속 사고의 현장으로 유입되면 그러한 기호들의 감각적 형태와 연결 조사들은 마치 블랙홀 속으로 빨려든 듯 우리의 비의식의 세계 속에서 흔적도 없이 분해되어 소멸한다.

우리의 사고는 전기 · 화학적 신호작용에 의한다. 물론, 그러한 신호작용에 의한 사고는 의미를 구성하는 일이지만 그러한 의미의 구성은 전기 · 화학적 신호작용들로써 이루어진다. 그러한 비의식의 신호작용들은 문자적이고 음운적인 감각적 구조와 형식의 외현기호가 아닌 전기적이고 화학적인 신경생리작용일 뿐이다. 그러한, 전기 · 화학적 신호작용의 비의식기호를 사용함으로써 우리의 통찰 사고는 가능하다.

한편, 비의식의 통찰 사고는 문자로 기술되기도 하고 음성으로 발화되기도 한다. 대체로 통찰의 내용은 복합 판단들로 구성되어 있는데, 문자화 하는 경우 추론에 의해 논리규칙에 따라 정리한다. 그와 달리, 발화의 경우는 사고 내용을 즉시적으로 표현해내어야 하므로 비교적 단순한 판단들을 사용한다. 그러지 않을 경우는 문법규칙을 벗어나기 쉽다.

발화시에 우리가 문어체의 복합문을 잘 사용하지 못하는 것은 우리의 통찰 사고가 문어체적인 문법규칙의 어순이나 삼단논법과 같은 논리규칙의 질서에 따라 수행되지 않기 때문이다. 우리는 원사고의 통찰을 외현기호를 활용하는 추론 사고로써 다시 변환해내어야 하는 것이다. 이러한 사실은 또한 우리의 통찰 사고가 언어 기호로써 수행되는 것이 아니라는 사실을 말해준다.

추론 사고의 내용을 담는 문법이나 논리규칙의 '형식'은, 물론 사고가 아니라 '기호'이다. 문법이나 논리규칙은 인과관계를 드러내는 형식이다. 그러한 규칙들은 사고에 의해 이미 규정된 도식의 '지식'으로서, 추론 사고의 과정에서 활용되는 방법론적 수단들이다. 사고에서 중요한 것은 그러한 형식들에 담을 내용의 매개어 · 대전제 · 소전제를 찾아내는 통찰력이다.

우리는 생각을 언어로 나타내지만 낱말의 선택이나 통사의 전개과정은 의식에 나타나지 않는다. 언어 기호는 비의식의 상태에서 순간적으로 표상력에 의해 인출된다. 언어는 추론 사고를 정치하고 일관되게 수행토록 하는 일련의 인과적 체계성을 갖춘 '기호'이다. 이러한 기호는 추론을 전개하는 방법적 수단일 뿐이다. 사고를 생성하는 건 화학적이고 전기적인 신호작용들이다.

기호는 비의식 속에서 전 기호의 상태로 있다가 표상력을 통해 나타난다. 사고는 동일화 정신작용이며, 말은 사고를 표현하는 또 다른 수단이다. 사고가 의식이 아닌 비의식에서 수행된다는 건 사고가 언어로 수행되지 않는다는 것을 의미한다. 우리의 사고는 음운적이고 감각적인 외현기호의 형태를 그대로 사용하지 않으며, 또한 문법구조와 논리규칙의 결합 방식을 원용하지도 않는다. 우리의 사고는 전기 · 화학적 신호작용들의 비의식기호로써 수행된다.

2.6. 비의식에 관한 회고

아다마르는 『수학분야에서의 발명의 심리학』에서 별 다른 설명 없이 인상적인 한 마디를 남겨두고 있다. "논리는 최초의 직관 다음에 개입한다"[63] 아다마르는 수학자로서 아마 다른 일로 바빴을 것이다. 아다마르의 용어를 필자의 용어로 대체하면, '직관'은 통찰이고 '논리'는

---

63) Jacques Hadamard(정계섭 역). 같은 책. p. 108.

추론이다. 통찰은 정신언어인 비의식기호를 사용하는 원사고이고, 추론은 통찰의 내용을 이해하거나 설명하는 방법적 사고이다.

언급했듯이 우리의 사고는 의식되지 않는 가운데 수행된다. 그런 까닭에 사고한 내용을 알기 위해선 사고의 결과를 토대로 그에 대한 해석을 수행해야 한다. 이때 행하는 사고가 추론이다. 그런데 일상적 사고는 그 생성 이유나 동일화 판단의 과정을 비교적 쉽게 추론할 수 있다. 하지만, 깊은 숙고의 통찰 그러니까, 수학적 깨달음이나 시적 통찰의 경우는 그 동일화 판단의 과정을 추론해내기가 쉽지 않다.

먼저, 결론을 말해서 "논리는 최초의 직관 다음에 개입한다"고 한 아다마르의 통찰은 정확하다. 아다마르는 더 이상 논의를 진행시키지 않았을 뿐이다. 아다마르는 그의 소책자『수학분야에서의 발명의 심리학』의 전개에 관해서 "내성에 의한 결과를 이용할" 것이라며, "이러한 결과들은 어느 정도 신뢰를 받을 가치가 있을 만큼 충분히 명료하다." 고 말한다.

데카르트의 학문적 방법론이나 훗설의 현상학적 이념을 언급할 것도 없이, 자신이 직접 체득한 지식만큼 강렬한 확신을 주는 지식은 없다. 객관적 실험에 의한 지식도 그러하다. 자신이 직접 행한 실험으로 얻은 결과와 타인의 실험결과를 통해 간접적으로 알게 된 지식의 힘과 효과는 다르다.

언급되었던 사례이지만, A. 비네의 실험에 응했던 한 소녀의 답변을 다시 한 번 가져와 보자: "내가 심상을 갖기 위해서는 아무것도 생각하지 않아야 한다. 하나의 단어가 수많은 상념을 나에게 암시할 때, 이런 때에는 결코 심상이 떠오르지 않는다. 이 단어에 대해 모든 사고가 고갈되었을 때에 비로소 심상이 떠오른다. 그리고 다시 사고가 시작되면 심상은 사라지고, 심상이 나타나기 시작하면 사고는 사라진다.”

13, 4세 정도의 어린 소녀의 답변이 필자에게 놀라운 것은, 소녀의 답변 내용은 필자가 내성적 관찰을 통해 직접 확인하고 인식한 문제였기 때문이다. 사고가 시작되면 심상은 사라진다. 그리고 사고가 종료되면 심상은 나타난다. 그것은 사고가 비의식으로 수행되고, 사고가 이루어지면 의식에 그 결과가 표상되기 때문이다.

A. 비네는 그러한 사실을 자신의 내성적 관찰로서가 아니라, 소녀의 답변을 통해서 알았다. 그런 까닭에 A. 비네는 “나중에 가서야 나는 아르망드(Armande)가 옳았다는 것을 확신할 수 있었다. 심상과 숙고 사이에는 특히 심상이 강렬할 때 일종의 대립이 있다는 것을 나는 인정한다.”고 말한 것이다. 실험자로서의 입장에서겠지만, A. 비네는 소녀의 답변에 차가울 정도로 객관적인 태도를 보였다. 하지만 필자에게, 프랑스 당대 최고의 심리학자 중 한 명이라는 A. 비네의 명성보다는 스스로 발언하는 소녀의 음성이 더 크게 울리는 것이 사실이다.

적어도 아다마르는 미처 설명 없이 “논리는 최초의 직관 다음에 개입한다”라는 말을 기록해둘 열정을 지닐 수 있었다. 그러나, 비네는 사고와 심상에 관한 연구를 뷔르츠부르크 대학의 심리학자들에게 맡겼다. 직접 인식과 간접적 이해의 효과는 다르다. 사고와 심상의 문제에 관해 A. 비네가 아다마르와 같이 ‘발명의 원리’와 같은 저술이나 연구로 나아가지 않은 것은 그러한 차이가 있다.

아다마르나 이 책의 필자가 내성적 자기관찰의 유의미성을 언급하는 것은 그러한 이유에서이다. 적어도 사고의 본성과 원리 그리고 그 작동 시스템에 관해선 현재까지도, 신경생물학 · 뇌과학 · 인지과학 같은 신호작용계의 연구 분야에선 특별히 유의미한 실험적 결과를 얻은

게 없다. 있다면 리벳 박사의 손목 움직임 실험이나 헤인즈 박사를 중심으로 한 자기 의지 지연 인식에 관한 실험 등이다.

리벳 박사의 연구는 '행위와 지각'에 관한 것이고, 헤인즈 박사의 연구는 '사고'에 관한 것이다. 그런데, 후자의 실험에 사고가 비의식으로 수행된다는 직접적이고도 전적인 증명이나 담보를 요구할 수는 없을 것이다. 이와 달리, 내성적 자기 관찰로서는 어린 소녀까지도 정확히 알고 있으며, 오늘날 많은 연구자들 또한 사고와 비의식(무의식)의 관계를 인정하고 있는 것이 사실이다.

자신이 직접 경험하지 않으면 자기관찰에 의한 내성법의 중요성에 관해 확신을 가질 수 없다. 내성에 의한 관찰과 확인은 타인의 책이나 간접 경험으로 얻은 것이 아니라 자신의 직접 경험에 의해 체득된 지식이다. 이 책의 필자는 사고가 비의식 상태로 수행된다는 사실을 다른 연구자들을 통해 간접적으로 알게 된 것이 아니라, 직접 체험을 통해 알았다.

1991년 첫 시집을 내기 몇 해 전부터 필자는 거의 매일 세 시간에서 네 시간 정도 정신을 집중하여 생각에 몰입했다. 생각에 들기 전에 잠깐 어떤 주제와 소재만을 스스로에게 암시나 주문을 걸 듯 제시하였다. 그리고, 사고에 집중하면 어떤 이미지나 관념도 나타나지 않았다. 집중하는 머릿속은 깜깜했다. 무엇인가 떠오른 듯 기운이 충천해서 고개를 들면 이마에서 밝은 빛이 반짝이는 듯했다.

법률 해석의 과정도 그랬다. 상황에 대한 해석과 법률의 적용 문제 등에 관해 숙고할 때면 어떤 법률적 개념도 판단 과정도 의식에 나타나지 않는다. 깜깜한 어둠 속에서 판단이 서면 머릿속이 밝아진다. 이러한 경험들을 통해 필자는 사고가 비의식 상태에서 수행되며 그 결과가 의식에 심상기호로 나타난다는 사실을 인식하게 되었다.

사고가 비의식 상태로 수행된다는 사실은 시인들에게는 매우 중요하고도 본질적인 것이다. 의식 상태에서는 시상이 떠오르지 않기 때문이다. 사고가 비의식 상태에서 수행된다는 사실은 앙드레 브르통의 쉬르레알리슴 제1차 선언문에서 언급된 자동기술을 수행하는 과정에서도 확인할 수 있다. 하지만, 창조적 사고가 의식되지 않는 가운데 수행된다는 생각은 받아들여지지 않았다. 그럼에도 불구하고 필자는 상징이 사고라는 생각과 함께 사고가 비의식에서 수행되며 의식에서 그 결과가 나타난다는 생각을 고집스레 유지했다.

한편, 시단 외부의 인문학과 예술이론계의 연구자들은 창조적 사고의 문제에 관해 '무의식'이라는 용어를 사용해왔다. 20세기 들어 프로이트나 칼 융 등이 '무의식'을 공언한 이후 '무의식'은 시 · 예술의 분야에 무반성적으로 도입되어 '무의식'이 시와 예술의 생성원리로 생각되어 온 것이 사실이다. 그들에게 '무의식'은 자연과 신화의 세계를 대신했다. 하지만 창조적 사고의 세계는 결코 망각된 세계의 것이 아니다.

프로이트의 무의식과 의식은 사고된 결과물에 대한 인식의 명료도에 따른 용어로서, 무의식은 명료히 인식되는 의식의 반대편의 것이다. 하지만, 융은 무의식을 창조성의 보고로 이해하였다. 그런데 문제는, 융의 경우 정신의학의 세계와 창조적 시 · 예술 · 학문의 세계에서 기능하는 무의식의 개념과 그 작용성을 분명히 구별하여 논하지 않았다는 점이다.

'무의식'은 사고를 '의식'의 기능으로 이해하는 서구 철학의 전통에 바탕한 용어이다. 프로이트의 무의식이란 용어와 개념 역시 그러한 전통의 인식에서 비롯한 것이다. 하지만 창조적 사고의 생성 과정은 비의식이며, 그 생성의 결과는 의식 세계의 것이다. 비의식은 의식화 작용에 의해 기호로 '표상'됨으로써 분명한 '인식'이 된다. 이러한 자각의 상태가 의식이다.

살펴보았듯이 학문적, 예술적 창조계의 정신작용은 정신의학의 무의식이나 또는, 불명료한 정신계를 지칭하는 설학에시의 무의식과는 그 성격을 완전히 달리한다. 다른 분야의 용어를 가져올 때는 학문의 성격에 맞추어 용어에 대한 재정의가 있어야 개념적 혼란을 방지한다. 정신의학이 아닌 철학이나 여타 학문에서 굳이 '무의식'이라는 용어를 사용코자 한다면, 용어에 대한 개념 정립을 따로 설정하는 것이 마땅할 것이다.

일례로, 레이코프와 존슨의 경우, "이 때의 무의식이란 억압되어 있음이라는 프로이트적 의미가 아니라, 의식이 접근할 수 없으며, 또 너무 빨리 작용하기 때문에 집중할 수 없는 방식으로 인지적 의식 층위 아래에서 작용한다는 의미"[64]라고 밝히고 있다. 그리고 에델만은 "비의식적이란 결코 의식 있는 상태로 되지 않는 것을 의미한다"며 무의식이란 용어를 사용하지 않고 '비의식'이란 용어를 사용한다.[65]

무의식이란 용어에 대한 무분별한 사용은 시문학과 예술일반 그리고 인문학계 연구자들 모두에 공통된 문제이다. 학문적 · 예술적 창조의 정신작용은 정신의학의 무의식이나, 불명료한 정신계를 지칭하는

---

64) Gorge. Lakoff, Mark Johnson. 『몸의 철학: 신체화된 마음의 서구 사상에 대한 도전』(임지룡 외 역). 박이정. 2002. p. 36.
65) Gerald Edelman. 『신경과학과 마음의 세계』(황희숙 역). 범양사. 1998. p. 214.

철학에서의 무의식과는 그 성격을 달리한다. '무의식'은 정신의학적으로 특화된 용어라는 점에서 그와 관련된 부수적 의미들이 침전되어 있어 사고 이론에 '무의식'의 사용은 바람직하지 않다는 것이 이 책의 필자의 생각이다.

한편, 인지심리학에서는 무의식적 정보처리 과정인 '인지적 무의식 개념'을 1987년 버클리에 있는 캘리포니아 대학교의 인지심리학자 J. F. 킬스트롬(Kihlstrom)이 처음 도입한 것으로 알고 있다. 그리고 시모어 엡스타인(Seymour Epstein)과 많은 인지심리학자가 정교하게 다듬은 것으로 알려진다.

하지만, 뇌신경생리학이나 인지과학 관련 자료를 접하기 이전까지 필자는 심리철학서나 정신의학서 등을 읽어나갔지만 '비의식' 개념을 사용하거나 다루는 연구자를 만날 수 없었다. 그런 가운데 필자는 2002년에 이만갑 교수의 『의식에 대한 사회과학자의 도전; 자연과학적 전망』(1996)과 『자기와 자기의식』(2002)이라는 저서를 접하게 되었다.

사회학자로서 이만갑(1921-2010) 교수는 사회 구성원 개인의 '의식'의 중요성을 인식하고 20여 년 간을 준비해오던 자료들을 75세의 노구에 『의식에 대한 사회학자의 도전』(1996년)으로 출간하였다. 그 책에서 필자는 크룩(J. H. Crook)이 의식을 ('사고'나 '자아'가 아닌) 하나의 스크린과 같은 것으로 인식하고 있음을 알게 되었다. 의식을 필자와 마찬가지로 인지작용으로 한정하여 연구하는 이가 있다는 사실을 알게 된 그때의 반가움은 이루 말할 수가 없었다. 이만갑 교수는 6년 후 81세의 고령에도 불구하고 다시 『자기와 자기 의식』을 출간하였다.[66]

그리고, 2006년 말 필자는 모 잡지사의 행사 차 부산에 갔다가 남은 시간을 보내기 위해 영광도서에 들러 책들을 구경하고 있었다. 그러던 중에 신간 하나가 눈에 들어왔다. 크리스토프 코흐(Christof Koch)의 『의식의 탐구: 신경생물학적 접근』(*The Quest for Consciousness: A Neurobiological Approch*)이었다. 이 책은 놀랍게도 사고가 '비의식'이라는 필자의 생각을 뇌신경과학의 입장에서 설명하고 있었다.

뿐만 아니라 그 책의 추천사에서 크릭(1916-2004)은 "나는 자각(awareness)과 의식(consciousness)을 동의어로 사용한다"[67]고 공표하고 있었다. 의식을 인지작용으로 한정하고, 사고작용이 비의식임을 주장하는 필자의 견해를 그 많은 제 학문의 연구자들 중 유일하게 크룩과 함께 크릭과 코흐가 갖고 있음을 알게 된 것이었다.

75세와 81세의 나이에도 불구하고 의식의 연구에 관한 수많은 외국의 주요 저서들을 정리하여 제시하고, 크룩을 알게 해준 이만갑 교수는 두 권의 책의 사사(謝辭)를 다음과 같이 쓰고 있었다.

> 이 책을 내면서 제일 먼저 감사를 드리고 싶은 분은 만일 그분이 계신다면 나에게 지금까지 생존을 가능케 해주신 神이다. 나는 아직 어떤 신을 믿고 있지는 않다. 그러나 거의 20년 간에 걸친 이 연구작업은 건

---

66) 의식과 양자물리학 관계 해외 연구자 개관(1990년대 초반까지)은 이만갑 교수의 『의식에 대한 사회과학자의 도전; 자연과학적 전망』. 소화. 1996; 『자기와 자기의식』. 2002. 참조 요. 이만갑 교수는 사회학과 자아의 함수관계 연구 차원에서 위 책들에서 뇌과학과 심리 · 철학적 관점의 자아 연구자들에 대한 해외 자료를 충실히 수집, 소개하고 있다.
67) Christof Koch(김미선 역). 같은 책. p. 2.

> 강과 물질적인 조건이 마련되지 않고는 불가능한 것이고, 그런 혜택을 입은 나로서는 누구에겐가 감사하다는 말씀을 드리지 않고 넘어갈 수는 없는 심정이다.[68]

> 6년 전『意識에 대한 社會科學者의 挑戰』이라는 책을 냈을 때 필자는 만일 신이 계시다면 누구보다도 먼저 신에게 감사를 드리고 싶었다. 그래서 책이 나오자마자 필자는 곧 하나님을 충직하게 섬기는 분이라고 믿고 평소부터 존경하던 어떤 신부님을 찾아가서 그 책 한 권을 바쳤다. 그분을 통해서 하나님에게 봉정하는 심정에서였다. 필자가 방문했을 때는 비가 억수같이 내리고 있었다. 아마도 신부님은 왜 하필 폭우를 무릎쓰고 찾아온 것일까 하고 필자의 의도를 의아하게 생각했을지 모른다. 지금 이 책을 내면서 필자가 갖는 심정은 그때와 다름이 없다. 아니 그때보다도 늙은 그만큼 신에게 감사드리고 싶은 마음은 조금 더 절실한 것이리라.[69]

그러한 간절한 마음으로 쓴 책에 의해서 필자는 정말 귀중한 만남을 할 수 있었던 것이다. 아쉽게도 이만갑 교수는 2010년에 세상을 뜨고 말았다. 그리고, 크릭 역시 2004년 여름에 영면했음을 뒤늦게 알았다. 하지만, 이러한 인연으로 해서 나는 지금도 이만갑 교수를 비롯한 몇몇 이름을 내 마음에 조각으로 새긴 듯 잊지 않고 있다 그리고, 크리

---

68) 이만갑.『의식에 대한 사회과학자의 도전; 자연과학적 전망』. 소화. 1996. p. 5("謝辭"에서).
69) 이만갑.『자기와 지기의식』. 소화. 2004. p. Ⅴ("謝辭"에서).

스토프 코흐의 비의식과 의식에 관한 신경생물학적 연구가 완전한 결실을 이루기를 기원해마지 않는다.

3. 상상력과 사고 · 기호

상상력은 사고의 결과물을 표상하는 능력이다. 사고는 동일화 정신작용이요, 동일화는 형식을 통해 의미를 구현하는 일이다. 그러한 의미체가 기호이다. 동일화 정신작용의 사고는 지식의 형태로 전환되어 신경망 구성의 흔적을 남김으로써 기호가 내장된다. 그리고 우리는 그러한 신경망 구성의 흔적들을 재구성함으로써 기호를 회상한다. 이러한 지식의 기호를 표상하는 능력이 상상력이다. 그러한즉, 상상력은 사고의 결과물인 기호를 표상하는 능력이라 할 수 있다.

기호는 도식 · 심상 · 비의식기호의 내현기호와 질료적 외현기호가 있다. 도식기호는 모호한 대상 지각 시에 대상의 각 부분을 인식하기 위해 맞추어보는 형상적 도식들이다. 심상기호는 완성된 대상의 인상이다. 비의식기호는 의식되지 않는 기호들로서 상상력과는 무관하다. 외현기호는 질료적 매체의 기호이다. 외현기호는 우리의 마음에 다시 심상기호로 재인식 된다. 그러한 기호들은 모두 사고 즉 동일화 정신 작용의 결과로 생성된 표상물들이다. 상상력은 그러한 사고의 결과물을 우리가 의식에서 기호로 인지할 수 있도록 표상하는 능력이다.

'상상력'이라는 용어의 사용에 관해선 아리스토텔레스 이래 오늘에 이르기까지 두 부류로 대립해왔다. 하나는 상상력이 사고의 한 유형이라는 견해이고, 다른 하나는 상상력을 단순한 표상력으로 여기는 견해이다. 그런데 서두에서 언급되었듯이, 상상력은 사고가 아니라 표상력에 관한 용어로 사용되어야 한다.

사고의 본성은 매개를 사용하여 어떤 것을 다른 것으로 표현하는 동일화이다. 사고의 유형은 사고의 본성인 '동일화'의 심도에 따라 구별된다. 동일화는 논리학적 용어를 사용하면 '판단'이다. 판단의 중층성에 따라 사고는 지각 · 추론 · 통찰 · 영감적 사고로 구별된다. 지각은 외견상으로 단순 판단의 사고이고 추론은 삼단논법으로 구성되는 사고이다. 그리고 통찰은 그 이상의 복잡한 판단들로 이루어지는 사고이다.

이러한 동일화의 심도는 의식 및 비의식과 관련이 있다. 우리의 사고는 비의식 상태에서 수행된다. 비의식 상태에서 우리는 심도 있는 사고를 전일적이고도 신속히 수행할 수 있다. 그리고 사고가 이루어지면 결과물인 의미체가 의식에 표상된다. (이 표상력이 상상력이다.) 그러한바, 사고의 수행 중에 의식 상태로 돌아오면 사고가 일단은 중단되었음을 의미한다. 동일화의 사고가 깊이 이루어지기 위해서는 의식이 개입되지 않아야 한다. 그래야 심도 있는 동일화의 통찰이 수행된다.

그리고 우리는 통찰 사고의 내용 즉 판단의 내용들을 알기 위해 통찰의 결과를 토대로 해서 추론을 수행한다. 그러한 추론은 과학자가 통찰로써 가설을 세우고 실험적 검증을 거쳐 논고를 쓰는 과정에서 수행되는 사고이다. 이와 같이 우리의 사고는 의식과 비의식의 정신 상태에서 수행되는 동일화의 깊이에 따라 사고의 유형들이 나타난다. 한편, 다른 이유들로 사고의 유형을 구별할 수도 있겠으나, 사고의 본성에 바탕하지 않는 경우 이론체계의 정합성이 보장되지 않는다.

감각적 이미지 기호를 구현하는 시 · 예술 창조의 사고에 상상력이라는 용어를 사용할 수 있지 않겠느냐는 생각을 할 수도 있겠으나, 시 · 예술이든 수학 · 과학이든 사고의 수행은 어떤 기호의 사용도 의식되지 않는 비의식의 상태로 수행된다. 이미지 기호로 구현되는 시 · 예술 창작의 통찰 사고라 해도 수행 시에는 이미지 기호는 사라지고 우리는 비의식 속에서 사고를 수행한다.

융은 우리가 말하는 비의식에 무의식이라는 용어를 사용하는 한편 우리가 말하는 통찰 대신 직관이라는 용어를 사용했다. 융에게 무의식은 직관이 작용하는 정신계이다. 그런 융 역시 비의식으로 수행되는 직관이 시인과 예술가만이 아니라 과학자에게도 중요하게 사용하는 사고의 방법임을 지적했다. 어떤 사고이든 사고는 모두 통찰적인 것으로서 비의식에서 수행된다. 따라서, 시 · 예술 창작의 사고라고 해서 수학이나 과학과 달리 상상력이라는 용어를 사용할 이유는 없다.

일반적으로 상상(想像)이란 상을 그려본다는 뜻으로, 동서양을 막론하고 상상력은 심상 즉 이미지와 같은 시각적인 형상과 관련된 용어이다. 그런데, 사고는 언급해오듯 본질적으로 심상과는 배척적 관계를 이룬다. 왜냐하면, 사고는 그 내용이 인지되지 않는 비의식 상태에서 생성되고 수행되는 까닭이다. 그러한바, 심상이 사용되지 않는 사고에 '상상력'이라는 용어를 사용한다는 건 억지스러운 일이다.

물론, 사람들이 그러하듯 재기 넘치는 사고를 상상력이라고 부를 수도 있을 것이다. 하지만 그것은 이론적 정합성을 떠나서 고려해볼 수 있는 일이다. 이론이란 탐구 대상에 대한 성질을 파악하고 그 성질이 작용하는 원리와 그에 대응하는 규칙들을 조직적이고 체계적으로 규명하는 일이다.

사고의 본성이 동일화라는 사실에 의할 때, 상상력을 사고나 사고의 별칭으로 간주하고자 한다면, 상상력이 사고의 본성과 그 어떤 인과성이 있어야 한다. 그리고 인과성이 있다면 동일화의 심도에 따라 나타나는 사고 현상인 지각 · 추론 · 통찰 · 영감적 사고와는 어떤 위계적 관계를 이루는지 얘기될 수 있어야 한다.

사고의 본성이나 본질적 원리를 벗어나 사고의 유형을 규정하는 경우, 사고 유형의 분류 기준이 설득력을 잃을 뿐 아니라 이론적 체계의 정합성을 잃는다. 상상력을 특별한 경우의 사고에 사용하는 것이 이론 작업의 외부에선 문제가 되지 않으나, 학적 체계의 세계에선 허용이 곤란한 일이다.

상징과 기호가 서로 혼용됨으로써, 또한 의식이라는 용어가 사고 · 자각 · 각성 등의 의미들과 혼재되어 사용됨으로써, 그리고 무의식이라는 용어가 정신병리학과 철학 · 예술 등의 창조적 분야에서 공용됨으로 인해 많은 혼란을 겪어 왔고 학문적, 이론적 위기를 겪어왔다. 그러한바, 올바른 용어의 사용과 개념의 정립에 관해 주의를 기울이는 건 너무 당연한 일일 것이다. 상상력에 관한 논의에 앞서 먼저 그간의 상상력에 관한 대표적인 두 가지 유형의 견해를 살펴본다.

3.1. 상상력을 사고로 보는 견해

상상력을 사고의 한 유형으로 간주해온 대표적 이론가로는 베이컨, 흄, 콜리지 등이 있으며, 오늘날 다수의 연구자들 역시 그러한 견해를 견지하고 있다. 베이컨(1561-1626)은, 인간 정신이 기억, 상상력, 추리라는 세 능력을 가지고 있다고 보았다. 역사는 기억, 시는 상상력, 철학은 추리 능력의 산물로서, "상상력이란 자연이 결합해 놓은 것을 분리시키고 분리시켜 놓은 것을 결합시키는 인간의 힘"(『대개혁』(*Instauratio Magna*). 제1부)이라고 하였다. 한편, 상상력이 결합과 분리의 정신능력이라는 베이컨의 견해는 후일에 콜리지에게서 보다 강력한 형태로 나타난다.

흄(1711-1776)은 상상력을 기억력의 관점에서는 다소 흐린 관념을 형성하는 능력으로, 이성의 관점에서는 논증적·개연적 추론에 못미치는 능력으로 이해하였다(『인간 오성의 탐구』, 118). 다시 말해 상상력은 주의집중이 결여된 상태에서 이루어지는 회상이나 사고 능력으로 흄은 이해하였다고 볼 수 있다. 그런 흄은 상상력을 합목적적 정신작용이 아닌 본능에 가까운 정신작용으로 이해하였다. 그런데, 이와 같이 상상력을 인간의 보편적이고도 근원적인 정신작용으로 이해하려는 인식은 칸트의 『순수이성비판』수기본에서도 볼 수 있다.

칸트는 "인간의 인식에는 두 개의 줄기가 있고, 이 두 줄기는 아마도 하나의 '공통적인', 그러나 '우리에게 알려지지 않은 뿌리'에서 발생하였을 것인데, 그 두 줄기는 감성과 오성"(B 29)이라고 하였다. 그런데 칸트가 그 알려지지 않은 뿌리를 '상상력'으로 이해하고자 하였던 것으로 추정케 하는 자료가 있다.

칸트는 "'종합 일반'은 상상력의 작용이다. 상상력은 '마음'의 불가결하고도 맹목적인 기능이다. 이런 기능 없이는 어떠한 인식도 가지지 못할 것"이라고 하였다(B 103). 그런데 『순수이성비판』의 한글판 역자 최재희 교수는 칸트의 수기본에는 "마음Seele"의 기능 대신에 "오성"의 기능으로 적혀 있다고 밝히고 있다.[1]

칸트 연구자 최재희가 밝힌 바와 같이 수본대로라면, '상상력은 '오성의 기능'에 속하거나 또는 오성이 상상력에 속하는 것이다. 더욱이 칸트는 그러한 상상력이 "맹목적"인 것이라 했는데 역자 최재희는 "무의식적"이라는 주석을 달고 있다. 만약 칸트가 오성이 상상력의 보다 발전된 형식의 합목적적인 정신작용으로 이해했다면 이는 흄의 견해에 근접하는 것이다, 하지만 『순수이성비판』에서의 칸트의 최종적인 견해는 상상력 곧 표상력으로 인쇄되었다.

한편 하이데거는, "칸트의 경우 감성을 지성에 기초짓지 않으면 안되었다. 그리고 매개를 위해서는 상상력 (Einbildungskraft)이라는 현상을 이끌어 들이지 않을 수 없었다. 칸트는 이 상상력을 현상학적으로 해명하지 않은 채 내버려 두고 있을 뿐만 아니라, 또한 무엇보다도 감성 및 지성에 대한 상상력의 본래적으로 기초적인 연관들을 어두운 채로 내버려두고 있다."[2]고 지적한다. 그러나, 하이데거 역시 상상력

---

1) I. Kant.『순수이성비판』(최재희 역). 개정중판. 박영사. 1986. p. 112,. 각주 제91번.
2) Martin Heidegger.『논리학: 진리란 무엇인가?』(이기상 역). 까치글방. 2001. p. 288.

에 관해서는 더 이상 다른 설명이 없다.

하이데거는 후설의 조교이자 제자로서 현상학의 세례를 받았다. 더욱이 후설이 현상학의 원리를 이념적으로 추구해나갔다면, 하이데거는 현상학의 수행 측면에 관심을 가졌다. 현상학의 기초적이고도 중요한 두 가지 규범은 역사적 지식에 대한 판단중지와 환원이다. 환원은 대상을 향한 형상적 환원과 자아를 향한 선험적 환원이 있다.

형상적 환원은 상상력으로써 대상의 모든 가능한 형상을 살펴보고 대상의 본질을 파악하기 위한 일이다. 여기서 문제는 상상력에 대한 후설이나 하이데거의 입장이다. 본질 파악을 위한 자유변경의 과정에서 사용되는 상상력은 단순한 표상력이 아니다. 후설은 본질직시는 "경험하지 않는 직관" "상상하는 직관"으로 충분하다고 말한다.[3)]

다시 말해 현상학의 상상력은 사고나 통찰 또는 직관의 결과로서 상을 표상하는 능력이 아니라, 상을 표상하기 위해서 수행되는 사고 행위를 아우른 개념이다. 하이데거는 칸트가 상상력을 현상학적으로 해명하지 않았다고 한다. 그러나, 이 책의 필자의 관점에서는 하이데거가 현상학적 상상력의 정체성에 대해 입장을 표명해야 한다고 생각한다. 하지만, 하이데거는 상상력에 관한 별 다른 입장이나 수정 견해를 제시한 바가 없는 것으로 안다.

한편, 칸트는 『순수이성비판』의 초판에서는 상상력과 감성 · 오성에 관해 확신해 차서 비교적 명쾌히 기술해 나간다. 하지만 재판에선 모호한 부분이 있다. 그러나 진술의 모호성에도 불구하고 재판에서 칸트

3) Edmund Husserl. 『시간의식』(이종훈 역). 한길사. 1996. p. 67.

가 분명히 하고자 하는 메시지는, 상상력은 형상 형성적 기능이요, 오성은 '개념화' 즉 '규칙의 능력'으로 분명히 하고 있다. 그리고, 칸트는 『판단력비판』(1790)에서도 "현시의 능력이 곧 상상력"(KU 14)이라며 그러한 사실을 명확히 하고 있다.

콜리지(1772-1834)는 『문학평전』 제12장의 제목을 "상상력 개념의 인식론적 근거: 직관 또는 초월의 인식"이라고 했듯 상상력을 직관(이 책의 필자의 통찰)의 기능으로 보았다. 그런 콜리지는 상상력을 단순한 표상작용이 아니라 표상과 사고가 결합된 정신기능으로 생각한다. 그런 콜리지는 상상력을 일차적 상상력과 이차적 상상력으로 구별한다.

『문학평전』 제13장에서 그는 "제1상상력은 모든 인간의 살아 있는 힘이고 또 인간 지각의 최초의 작동자"라고 주장한다. 아울러 "무한한 신(I AM) 안에서 영원한 창조 행위를 유한한 마음속에서 빈복하는 것"이라고 한다. 그리고 "제2상상력은 전자의 반향이고 의식적인 의지와 공존하고 있으나 그 작용의 종류에 있어서는 제1상상력과 동일하고 단지 그 활동의 정도와 양식에 있어서만 다르다고 생각한다. 그것은 재창조하기 위해 녹이고 퍼뜨리고 흐트러뜨리며 또는 그 과정이 불가능할 때에도 여하튼 간에 늘 이상화하고 통일하기 위해 노력한다"고 한다.[4)]

그런데, 콜리지에 앞서 흄 또한 "상상력이란 자연이 결합해 놓은 것

---

4) S. T. Coleridge. 『문학평전』(James Engell, Walter J. Bate 편. 김정근 역). 옴니북스. 2003. p. 453.

을 분리시키고 분리시켜 놓은 것을 결합시키는 인간의 힘"이라고 한바 있다. 그리고, 콜리지의 1808년 왕립협회에서 행한 강연(주 2회 총 18회) 노트에는 『리어왕』에 대한 다음과 같은 콜리지의 언급이 있다.

> 우리는 '세익스피어'의 정신에 하나의 이미지나 느낌을 다른 많은 것으로 변형시키는 힘, 그리고 수많은 이미지나 느낌을 하나로 혼융시키는 힘, 말하자면 상상력이 풍부하게 존재한다는 사실을 의문의 여지없이 입증할 수 있다.[5)]

우리는 여기서 콜리지의 제2차 상상력에 대한 콜리지 자신의 다음과 같은 설명을 환기하게 된다.

> 제2 상상력은 재창조를 위하여 용해하고, 확산하며, 분산한다. 또는 이와 같은 과정이 불가능한 곳에서라면 제2 상상력은 어떤 희생을 치르고라도 이상화하고 일체화하려고 애를 쓴다.

우리는 위 왕립협회 강연 노트의 표현과 『문학평전』 제13장에서의 표현을 비교해보면 결국, 콜리지의 제2상상력은 '이미지의 변형과 통일'로 요약할 수 있다. 한편, 콜리지는 "상상력, 그 조화시키고 중재하는 힘의 살아 있는 '추출물'"이라며 이 힘은 감각의 심상에 이성을 구체화함으로써 그 자체로 조화로우며 진리와 동일체인 상징의 체계를

---

5) 장경렬 외 편역. 『상상력이란 무엇인가』. 살림. 1997. p. 25.

낳는다고 한다. 그리고 "상징은 이 진리의 '안내자'"라고 말한다.[6)]

그런 코울리지에 대해 브레트(R. L. Brett)는 "콜리지 비평 이론의 열쇠는 상징에 대한 그의 생각을 규명하는 것"이며, 콜리지가 생각하고 있는 "예술작품이란 자연 세계와 사상의 세계를 중개하는 상징"이라 한다.[7)] 또한, 박우식 교수는 "상상력: Coleridge의 시학"(제5장)에서 이렇게 말한다.

> 콜리지는 상징적 표현으로 작품이 기록되어야 한다고 말한다. 콜리지에게 있어서 상상력은 상징적인 작품을 창작하는 작가의 내적 힘이다. 콜리지의 상징은 상상력이라는 추상적인 사유체계가 구체화되고 문자화된 것이다. 이런 이유에서 상징은 상상력의 산물이며. 상상력은 상징적 문학 작품을 쓰기 위한 작가의 예술적 창조력이다. 콜리지의 상상력은 문학의 특징인 상징을 도출하기 위한 철학적 사유의 틀이다.

박우식은 "상상력이라는 추상적인 사유체계", "상상력이란 결국 상징적 문학 작품을 쓰기 위한 작가의 예술적 창조력", "문학의 특징인 상징을 도출하기 위한 철학적 사유의 틀"이라고 한다. 이와 같이, 콜리지의 상상력은 곧 예술적 창조력으로서 철학적 사유의 틀이자 추상적 사유체계라는 다소 비약적인 표현들을 하고 있다. 하지만, 냉정하게 보아서도 콜리지의 상상력은 창조적 사고작용을 의미함은 부인할 수

---

6) S. T. Coleridge. 『정치가의 입문서』. R. L. Brett. 『공상과 상상력』(심명호 역). 서울대학교 출판부. 1987. p. 78. 재인용.
7) R. L. Brett(심명호 역). 같은 책. p. 76.

없다.

칸트를 숙독한 콜리지는 '현시의 능력'인 '생산적 기능'의 표상능력이라는 칸트의 상상력 개념을 "인간의 모든 인식을 지배하는 살아 있는 힘"으로서 제1상상력으로 간주한다. 나아가 "자각 상태의 의지와 공존"하는 합목적적 정신작용으로서 재창조를 위하여 이미지를 '변형'하고 '통일'하는 제2상상력으로 발전시킨다.

이것은 콜리지가 상상력을 단순한 '표상력'을 넘어 능동적 지성의 능력으로 이해하였음을 보여주는 일이다. 그런데, 이러한 '재창조'의 능동적 지성은 다름 아닌 '통찰' 사고이다. 그러한 콜리지 또한 '상징'의 본성과 실체를 살피지 않았다. 그러나 칸트의 경우, 상징의 본성에 기초하지는 않았으나, 형식(유비적 직관), 상징물(기호), 상징의 실체(판단력)를 구별하였다.

헤겔은 상상력을 재생적 상상력, 연상적 상상력, 상징 구성의 상상력으로 나누었다(『엔찌클로페디』). 그러하듯 헤겔 역시 상상력을 상징 구성의 능력으로 보기도 하는데, 헤겔은 상징을 명료한 인식의 기호와는 달리 개념적 인식에 이르지 못한 모호한 것으로 이해한다. 그러한 헤겔에게 상상력은 회상이나 연상의 표상력이자 비개념적인 모호한 인식을 생성하는 사고의 한 형식이다.

> 아무리 상징에 불과한 것을 통해서 개념을 표현하거나 인식하는 일에 진지하게 몰두하는 경우일지라도, 결코 상징의 '외면적인 본성'은 그러한 일을 해내는 데 부적합할뿐더러, 오히려 여기서는 지금의 이 상태가 역전된다고 봐야만 하겠으니, 왜냐하면 상징 속에서는 아무리 고차적인 규정인 듯이 풍겨대는 여운 같은 것도 실은 개념을 통해서 비로

소 인지될 수 있는 성질의 것이기 때문이다.[8)]

후설은 1905년에 뮌헨대학에서 립스 교수와 그의 제자들에게 「내적 시간의 현상학」을 강의하였다. 후설은 상상력을 "현전화(Vergegenärtigung)" 다시 말해 "재생산"된 의식일 뿐, 지각의 결과물이 아니라고 한다. 후설은 감각된 지각의 인상과 상상물을 구별했다.[9)] 그런 후설은 본질 직관을 위한 '형상적 환원' 작업에 '상상력'이 사용된다고 한다. 상상력은 대상의 다양한 면들을 드러내 보임으로써 대상의 본질을 통찰 가능하게 한다는 것이다. 물론, 후설은 통찰과 그 결과물로서 의식에 나타난 심상을 구별하지 않고 있다. 후설은 형상적 환원 과정에서 수행된 통찰과 그 결과물인 심상기호를 아울러서 상상력으로 이해했다.

바슐라르 연구자 키예(Pierre Quillet)는 바슐라르의 상상력을 베르그송의 직관과 같은 것으로 이해한 것으로 이 책의 필자는 알고 있다. 바슐라르는 상상력의 정체성에 관하여 직접적이고도 명시적인 언급을 하고 있지 않다. 하지만, 분명한 것은 바슐라르 역시 상상력을 단순한 표상력이 아니라 필자의 통찰과 같은 의미로 사용하고 있다는 사실이다. 물론, 베르그송의 직관은 필자의 통찰과 같은 성격의 사고이다. 그러한바, 키예가 그러했듯, 바슐라르의 상상력은 베르그송의 직관과 같은 성격의 것으로 이해할 수 있다.

카시러는 "어떤 정신 생물학자들은 동물에 있어서의 창조적 혹은 구

---

8) G. W. F. Hegel. 『대논리학』 I (임석진 역). 책세상. 2002. pp. 84-85.
9) Edmund Husserl. 『시간의식』(이종훈 역). 한길사. 1996. p. 116.

성적 상상력에 관하여 말하기를 주저하지 않는다"고 비판한다. 그리고 "동물은 실제적인 상상력과 지성을 가지고 있는 반면, 오직 인간만이 하나의 새로운 형태, 즉 '상징적인 상상력과 지성'을 발전시켰다."고 말한다.[10)]

그런 카시러는 상상력이 능동적 정신작용이라고 주장한다. "감성적 지각들 혹은 표상들의 결합이나, 또 하나의 대상에 대한 이것들의 관계는 결코 한갓 감성적 수용성의 문제가 아니라 거기에는 언제나 '자발성의 행위'(Aktus der Spontaneität)가 깔려 있다." "순수오성의 자발성, 논리적-과학적 사고와 구성의 자발성이 있는 것처럼 또한 순수 상상력의 자발성이 있다"고 한다. 그리고 카시러는 "상상력도 결코 그저 재생적이기만 한 것이 아니고, 근원적-생산적인 것"이라고 말한다.[11)]

그런 카시러에게 상상력은 지성의 한 유형이다. 상상력은 오성과 함께 직관을 이루어 예술을 창조하게 한다. 한편, 자발성 즉 능동적 구성능력의 측면에서만 본다면 상상력에 대한 카시러와 칸트의 인식은 동일하다. 그러한 '능동적 자발성'은 칸트의 상상력을 다수의 논자들이 '구상력'이라고 번역을 하는 이유이기도 하다.

그런데, 칸트와 달리 카시러는 감성과 오성의 기능을 형식론적이고 기계적으로 명확히 구별하기를 거부하고 감성과 오성이 유기적으로 관계된 통일체의 지성작용으로 이해하고자 한다. 아울러, 상상력 역시 단순한 '표상작용'의 기능으로만 보지 않고 감성이나 오성과 유기적으

---

10) Ernst Cassirer. 『인간이란 무엇인가』(최명관 역). 서광사. 1988. p. 61.
11) Ernst Cassirer. 『상징형식의 철학』Ⅲ. S. 12. 최명관. 『캇시러의 철학』. 법문사. 1985. p. 408. 재인용.

로 관계하여 지각 사고나 직관 사고를 이룬다고 생각한다.

부연하면, 감성과 상상력이 우세하면 표현적 형식의 신화를 생성하는 지각 사고가 나타나며, 상상력과 오성이 조화를 이루면 직관적 형식의 예술 세계를 구현하는 직관 사고가 수행된다는 것이다. 그러나, 상상력과 사고는 상호 배척적인 관계를 이룬다. 따라서 상상력과 사고는 동시에 발현되거나 융합하지 않는다.

물론, 후설이나 하이데거 등이 그러하듯 카시러는 상상력이 사고의 한 유형이라고 직접 말하고 있지는 않다. 그러나, 상상력이 직관 사고의 형성을 지원하는 특별한 '능동적 구성력‘을 지녔다고 생각하는 것은 사실이다. 이러한 카시러의 상상력은 감성과 오성 사이에 존재하는 제3의 사고작용과도 같은 것으로 볼 수 있다.

상상력에 대한 이러한 입장은 지성적 직관 개념을 제시한 피히테에게서 나타났다. 물론, 그 선구를 살펴보면 베이컨과 흄에게서 뚜렷이 나타난다. 아무튼, 상상력을 유사 사고의 일종으로 생각하는 건 감성과 오성을 하나의 지성 기관으로 이해하고자 하는 논자들의 공통된 견해라 할 수 있다.

비교적 근년에, 생리학자 M. R. · 베넷과 인지철학자 P. M. S. 해커는『신경과학의 철학』에서 “상상은 참, 거짓과 관련된 인지 능력이 아니고, 사고 능력”이라며 강조하듯 “상상은 사고 능력이지, 인지능력이 아니다. 상상을 실행한다는 것은 어떤 형태의 사고에 몰입하는 것, 즉 어떤 것을 가능하다고 생각하거나 그것의 있을 수 있는 특징을 생각하

12) M. R. Bennett, P. M. S. Hacker.『신경과학의 철학』(이을상 외 역). 사이언스북스. 2013. pp. 360-61.

는 것"이라고 한다.[12] 아울러, 상상력은 사고이고, 표상력은 심상을 불러내는 능력으로 구별된다고 말한다.

> 이미지화 능력은 상상의 사고능력과 단지 느슨하게만 연결되어 있다: 이와 같이 심상을 불러내는 것이 상상의 실행에 필수적인 것은 아니다. 실제로 인지적(및 창의적) 상상 능력과 심상을 불러내는 능력 사이의 연합은 대체로 우연적으로 일어난다. 전자는 (앞에서 생각한 것처럼) 상상이고, 후자는 판타지아다. 우리는 이 둘을 별개의 능력으로 보는 것이 유리할 것이다. 왜냐하면 상상력이 풍부한 사람이 아니라도 선명한 시각적 이미지와 청각적 이미지를 불러오고, '상상 속에서' 어떤 것을 시각화하며, 스스로에게 말을 걸거나 음조를 되뇌는 놀라운 생생한 능력을 가지고 있음에 틀림없기 때문이다.[13]

베넷과 해커는 '상상력'을 사고'의 한 유형으로 이해하고 있다. 하지만 그들은 사고로서의 상상력과 또 다른 사고를 구별하는 본질적 원리를 제시하지는 않는다. 뒤에서 다시 언급이 되겠지만, 화용론적 상황을 수용한 베넷과 해커의 이러한 자의적이고 편의적인 용어 사용은 사고의 본성과 작용의 원리를 고려하지 않음에 기인한다.

사고의 본성은 다른 두 기호를 동일화하는 일이고, 이러한 동일화 정신작용은 의식되지 않는 비의식의 상태에서 수행되며, 그 결과는 의식에서 표상된다. 아울러, 그 어떤 사고이든 모든 사고는 동일화가 그

13) 같은 책. p. 364.

본성이다, 그리고, 사고의 유형 또한 동일화의 심도에 따라 구별된다. 사고의 유형은 다음 장에서 보다 상술된다.

3.2. 상상력을 표상력으로 보는 견해

칸트에게 '상상력'이란, 직관 중에 '대상이 지금 없지만', 대상을 나타내는 능력이다(B 151). 각지의 종합 즉 지각은 상상력의 이름 아래서, 통각의 종합은 오성의 이름 아래서 행한다(B 162). 표상들의 종합은 상상력에 의한다(A 94). 상상력이 자발성인 한에서 '생산적 상상력'이고, '재생적 상상력'과 구별된다(B 152).

칸트는『판단력 비판』에서 역시 현시의 능력이 곧 상상력(KU 54)" 이라며, 상상력이 '표상력'임을 분명히 한정하고 있다. 이와 같이 칸트는 상상력을 표상 형성 능력으로, 오성은 인식을 완성하는 지성의 능력으로 이해한다. 한편, 칸트는 상상력과 오성의 이질성에 주목하여 상상력과 오성의 배타적 관계를 인식한 듯한 언급을『순수이성 비판』과『판단력비판』에서 '꿈을 통해' 하고 있다.

"신체의 모든 운동력이 이완된 상태인 꿈에서 상상력은 왕성한 활동을"하며, 상상력은 잠을 자면 더욱 더 활발하게 활동한다고 칸트는 말한다. 그리고 마치 융(1875-1961)이 말하듯, "우리는 이러한 내면적인 운동력과 피로를 주는 불안이 꿈 때문이라고 불평하지만 그러나 실제로는 꿈이 아마 치료수단일 것"(KU 303)이라고 한다. 아무튼, 그러한 칸트는 상상력을 "직관 중에 '대상이 지금 없지만' 대상을 나타내는 능력이라며 상상력이 표상력임을 효시적으로 명확하게 언급했다.

윌리엄 제임스 역시 상상력에 관한 생각은 칸트와 유사하다: "신경이 있는 생체에서는 한 번 경험된 감각이 변화를 일으켜 원래의 외부 자극이 없어진 후에도 그 감각의 복사물이 정신 속에 다시 나타난다." "'공상' 또는 '상상'이란 전에 느꼈던 원래 경험의 복사물을 재생하는 능력에 붙인 이름이다. 복사물이 원본에 있었던 그대로면 '재생적' 상상이라 부르고 여러 원본에 있는 요소들을 재결합하여 새로운 전체를 형성할 때에는 '창조적' 상상"이라고 한다.[14)]

그리고 윌리엄 제임스는 한 걸음 더 나아가 중요한 언급을 하는데, 사고와 상상력이 상호 부재하는 곳에서 작용함을 지적한다. "사고가 정지하는 곳에는 흔히 감각적 상상으로 채워지며"(같은 책 제9장 "사고의 5개 특성"), "뚜렷하게 의식되는 심상으로 가득 찬 곳에서는 사고가 중단된다. 대화 중의 대부분의 단어는 심상을 일으킬 정도의 시간을 갖고 있지 않으며, 단지 다음에 이어질 단어를 일깨우는 역할만을 할 뿐이다. 그러나 문장이 '끝날' 때에는 잠시 어떤 심상이 마음의 눈에 머물게 된다"고 하였다.[15)] "의식되는 심상으로 가득 찬 곳에서는 사고가 중단된다"고 간략히 말했지만, 윌리엄 제임스는 사고와 상상력의 배척적 관계를 효시적으로 언급했다고 할 수 있다.

프랑스의 A. 비네(1857-1911)는 『지능에 대한 실험 연구』(1903)에서, 사고는 정신의 "무의식적 행위"로서 "이것이 의식되기 위해서는 이미지들과 단어가 필요하다"[16)]며 사고 · 기호 · 의식 · 비의식의 관계를 정확히 이해하고 있음을 보여준다. 특히, 비네의 실험에 참여한 한

---

14) William James. 『심리학의 원리』 I (전양은 역). 아카넷. 2005. p. 440.
15) 같은 책. pp. 461-62.
16) Jean-Paul Sartre. 『상상력』(지영래 역). 기파랑. 2008. p. 122. 재인용.

소녀는 "심상을 갖기 위해서는 아무것도 생각하지 않아야 한다. (…) 사고가 고갈되었을 때 비로소 심상이 떠오른다. 그리고 다시 사고가 시작되면 심상은 사라지고, 심상이 나타나기 시작하면 사고는 사라진다."고 정확히 진술하였다.[17]

20세기 초에 뷔르츠부르크대학을 중심으로 O. 퀼페, N. 아흐, A. 메서, K. 아르베, K. 뷜러 등이 실험적 내관법으로써 무심상(無心像: 필자가 말하는 '비의식'에 해당)의 사고과정을 연구하였다. 한편, 뷔르츠부르크 학파의 심리학자들은 실험적 내관의 바탕 위에서 후설의 반심리주의를 검증하였다. 그런 가운데 그들은 이미지 없이 개념을 구성하는 사고'에 주목하고, 이미지란 관념 작용의 장애'일 뿐임을 언급하였다. 그와 같이 뷔르츠부르크학파는 이미지와 사고의 배척적 관계를 명확히 인식하였다.

그리고 사르트르 역시 사고와 상상력이 상호 부재하는 곳에서 작용함을 언급한다: "이미지는 독서의 중단과 실패의 순간에 나타난다. 그 나머지 시간, 즉 독자가 책에 사로잡혀 있을 때는 심적 이미지가 존재하지 않는다. 우리는 이러한 사실을 여러 차례 스스로 입증할 수 있으며 몇몇 사람들도 그 점을 확인해 주었다. 이미지가 몰려드는 것은 방심한 독서 그리고 흔히는 중단된 독서의 특징"[18]이라고 한다.

한편, 칸트는 종합적 판단이 감각 · 상상력 · 통각의 세 능력으로 이루어진다.(B 194)고 하였는데, 사르트르 역시 인간의 의식을 크게 세

---

17) Jacques Hadamard. 『수학분야에서의 발명의 심리학』(정계섭 역). 범양사. 1990. p. 74.
18) Jean-Paul Sartre. 『사르트르의 상상계』(윤정임 역). 기파랑. 2004. pp. 127-28.

가지 유형으로 나누고 있다. 그것은 '생각하기'와 '지각하기', '상상하기'이다. 사르트르는 "상상하는 의식은 그 스스로 자발성으로서 주어지는데, 자발성이란 (반성적 의식의 출현을 요구하는 의지적인 행위와는 반대로) 순수한 비반성적 의식의 속성을 말하는 것"이라고 한다.[19)]

사르트르에게 상상력은 이미지를 생성하는 의식작용이라고 말할 수 있으며 그가 언급하고 있듯이 상상력은 "비반성적 의식의 속성"으로서, 사고가 아니라 이미지를 생성하는 표상작용이다. 그런 사르트르는 이렇게 말한다: "의식 '속에는' 이미지가 없고, 있을 수도 없을 것이다. 오히려 이미지는 '의식의 어느 한 유형이다' 이미지는 하나의 행위이지 하나의 사물이 아니다. 이미지는 무엇인가'에 대한' 의식이다."[20)]

한편, 아리스토텔레스는 "영혼은 심상들(ψαντὰσμα)이 없이는 결코 생각(θεωρὴ)하지 않는다"고 하였다(『영혼에 관하여』, 431a 15). 사르트르 역시 "우리는, 상상력의 도움 없이는 지성 활동을 할 수 없으리라고 썼던 아리스토텔레스에게로 돌아온다."고 말한다.[21)]

그런데, '숙고'의 경우 상상력은 활동을 중지한다. 숙고 즉 통찰의 경우 우리는 비의식기호를 사용할 뿐, 상상력을 통해 심상을 의식에 표상하면서 동일화를 수행하는 것이 아니다. 물론, 사고를 시작함에 있어서는 당연히 어떤 하나의 기호 즉 심상을 출발점으로 삼는다. 그러나, 사고의 진행은 심상기호를 사용하지 않고 언급한바와 같이 의식되지 않는 비의식기호를 사용한다. 그러한바, "영혼은 심상들 없이 결

19) Jean-Paul Sartre(지영래 역). 같은 책. p. 251. 재인용.
20) 같은 책. p. 228.
21) 같은 책. p. 64.

코 생각하지 않는다."는 아리스토텔레스의 말은 '사고가 심상들로부터 비롯한다'라는 의미로 이해해야 한다.

윌리엄 제임스가 사고와 상상력의 배척적 관계를 효시적으로 언급하였다면, A. 비네와 뷔르츠부르크학파는 이미지 없이 개념적 사고가 이루어진다고 함으로써 이 책의 필자와 마찬가지로 사고가 비의식으로 이루어짐을 인식했다고 말할 수 있다. 그리고, 사르트르 역시 '이미지의 출현은 독서의 중단과 실패'라며 사고의 수행이 무심상 즉 의식되지 않는 비의식에서 수행된다는 이 책의 필자나 뷔르츠부르크학파의 견해와 같은 입장을 보였다고 할 수 있다.

3.3. 상상력과 사고는 상호 교대로 수행된다

상상력은 표상을 생성한다. 그리고 사고(A=C)는 상(A)에 대해서, 상을 목적으로(C) 수행된다. 기호 없이 상징은 생성되지 않으며, 상징 없이 기호 또한 생성되지 않는다. 그러한바, 사고는 표상력에서 시작해서 표상력으로 완성된다고 말할 수 있다. 그러나, 상을 형성하는 상상력은 사고가 진행되면 그림자처럼 몸을 숨긴다. 그것은 사고를 방해하지 않기 위해서이다. 사고가 이루어지면 그제서야 상들은 표상력을 통해 의식에서 다양한 형상의 기호로 나타난다.

우리가 사고를 시작하는 순간 우리 앞의 사물은 어디론가 사라지고 의식되지 않는다. 그리고 사고가 정지하는 순간마다 상상력이 사고의 결과를 의식에 나타낸다. 의식은 상상력의 무대이다. 사고와 상상력은 서로가 밀접한 관계지만 또한 서로는 배척한다. 역설적이지만, 그럼으로써 우리는 인식을 생성한다. 사고는 상상력의 부재이고, 상상력은 사고의 부재이다.

사고는 지각, 추론, 통찰, 영감적 사고가 있다. 지각은 직접경험의 상에 대한 동일화 정신작용이고, 다른 셋의 사고는 간접경험의 '회상'된 기호를 소재로 사용하는 사고이다. 우리는 인상이든, 회상 기호이든 상을 접촉함으로써 사고를 시작한다. 하지만 상은 사고의 전제일 뿐, 실제의 수행에서 사고는 비의식으로 진행되고 사고가 종료되면 상은 의식에서 표상된다.

고도의 주의집중을 요하는 시 · 예술의 창조나 과학적 통찰의 경우 상상력이 작용하면 동일화 정신작용의 사고에 침잠할 수 없다. 사고 중에는 사고 내용을 지각하고자 하는 마음도 어떤 지각작용도 있어서는 안 된다. 창조적 사고의 수행 시에 상상력이 활동한다는 건 사고에 주의집중이 되지 않았음을 의미한다. 시인이 창조의 순간에 망아의 상태에서 자동기술에 몰입한다든가, 운동선수가 경기 중에는 기술적 문제를 의식하지 않고 무아지경에서 움직여야 하는 이유이다. 고도의 주의집중을 요하는 순간에 무언가 표상된다는 건 상상력에 의해 사고가 방해받고 있음을 의미한다.

'상상력'은 사고 이후에 뒤따르는 표상작용일 뿐, 상상력은 결코 사고와 함께 작용하거나, 사고를 대신하는 정신기능이 아니다. 상상력이 활동하면 사고는 심도가 떨어진다. 카시러는 사고를 지각 · 직관 · 개념적 사고로 분류하여 언급했다. 카시러에 의하면 지각이나 직관은 감성이나 오성에 상상력이 관여하는 사고이다. 그와 달리, 개념적 사고는 상상력이 개입하지 않는 순수한 오성으로만 이루어지는 사고이다.

그와 같이 상이 개입하지 않고서도 사고가 수행됨을 카시러 또한 인식하였다. 이러한 카시러의 개념적 사고는 칸트의 추론 사고인 '이성'

과 같은 성질의 것이다. 칸트는 사고를, 오성과 감성의 두 원소로 구성된 지각과 순수한 개념으로만 이루어진 오성작용의 추론으로 구별했다. 하지만, 카시러는 지각과 개념직 사고 사이에 '직관'이라는 '오성과 상상력이 결합된' 사고의 한 유형을 상정했다. 그러나 사고는 상상력과 같은 시간과 장소에서 활동하지 않는다.

카시러는 오성과 상상력이 조화를 이룬 직관은 시와 예술을 창조하는 사고라고 했다. 하지만 언급이 있었듯이, 시 · 예술을 창조하는 사고 역시 수학이나 과학적 이론 창조의 사고와 마찬가지로 사고의 수행 시에는 상이 개입하지 않는다. 사고의 종료 후 상상력에 의해 이미지나 도식의 상이 나타난다. 다시 말해, 상상력은 사고와 역관계에 있다.

상상력은 기호를 표상하는 능력이다. 그리고, 기호는 상징 즉 사고에 의해 생성된다. 그러니까, 사고의 수행으로 기호가 생성되고, 그러한 기호는 상상력에 의해 의식에 표상된다. 이와 같이 상상력은 사고의 결과물을 전달하고 확인시켜 주는 배송자이다. 우리가 알고 있는 모든 지식이나 일화기억 등에 대한 상기는 창의성이 요구되지 않으며, 단지 상상력에 의한 재현으로 이루어진다.

주의집중을 하여 사고를 지속하면 심상의 내용들, 즉 상상은 사라지고, 주의집중이 흐려지면 상상력은 활동하기 시작한다. 그리고 우리의 생각들 즉 사고하는 내용들이 언어나 이미지로 나타난다. 오늘의 뇌과학은 주의집중 · 사고 · 표상활동의 기능적 특성과 관계를 신경전달물질의 작용들과 관련해서 보고한다. 주의집중은 흥분성 신경전달물질인 글루탐산의 지속적 분비가 요구되며, 표상 작용은 아세틸콜린이라는 신경전달물질의 활동 영향임을 분명히 하고 있다.

뇌과학자 박문호는 "꿈속에서 우리는 제대로 사고할 수도, 기억할 수도, 주의를 집중할 수도 없다. 렘수면 중의 꿈은 노르아드레날린과 세로토닌의 온도가 아주 낮은 상태에서 아세틸콜린에 의해 조절된다고 할 수 있다"며 "이러한 화학 시스템의 부재는 깨어 있을 때의 주의·기억·반성적 사고의 기능이 꿈을 꾸는 동안 사라지는 현상과 정확히 일치"함을 보고한다.

꿈을 꾸는 동안에는 배외측전전두엽에 세로토닌과 노르아드레날린이 거의 활성화되지 않는다. 세로토닌은 체험과 상상을 구분하게 하고 노르아드레날린은 외부자극에 집중하게 한다. 이 두 신경조절물질의 작용이 약해져 꿈속에서 우리는 꿈과 현실을 구별하지 못한다. 꿈은 연상작용을 일으키는 아세틸콜린이 강하게 활동하는 감정적, 비논리적 상태이다. 각성 상태를 조절하는 세로토닌과 노르아드레날린을 만드는 세포들은 비-램수면 동안 생산량을 절반으로 줄이고 렘수면 동안에는 완전히 생산을 중단한다.[22]

우리의 주의집중이 약할수록 시각연합영역은 활성화되어 동일화 정신작용의 결과가 이미지로 의식에서 표상된다. 공상과 꿈이 이미지의 활동으로 가득찬 것은 이러한 까닭이다. 그러나 우리가 깊은 문제에 몰두할 경우에는 이미지의 활동은 사라지고 심지어는 누가 다가오거나 이름을 불러도 모른다. 말하자면, 시각·청각·후각 같은 모든 지각 활동이 억제되는 것이다. 표상력은 아세틸콜린의 활성화와 관계하고, 주의집중은 각성 상태를 유지하는 세로토닌의 분비와 관련이 있음은 뇌과학 연구결과로 밝혀진 사실이다.

---

22) 박문호,『그림으로 읽는 뇌과학의 모든 것』. 휴머니스트출판그룹. 2013. p. 622.

또한 각성 상태나 집중적 뇌 활동에 나타나는 베타파(13-30Hz)와 달리, 세타파(3.5-7Hz)는 기억을 회상하거나 명상 등의 조용한 집중 상태에서 관찰된다. 이때 전뇌기저부에서 아세틸콜린이 대뇌피질 전체로 확산되는 현상을 보인다.[23] 주의집중력이 약할수록 표상력(상상력)은 활발하다. 그러나 심층 통찰이 수행되면 상상력은 완전히 자취를 감춘다. 반대로 주의 · 집중력을 거두어 일상적 사고로 돌아오면 표상 활동은 다시 시작된다. 주의집중력이 결여된 상태에서의 상상력은 전적으로 본능적 원망에 따라 수행된다. 꿈이 체계적 도식 기호가 아닌 이미지로 이루어지는 이유는 그러한 까닭이다.

3.4. 상상력과 기억 · 회상의 관계

언급했듯, 상상력은 기호를 표상하는 능력이다. 기호는 도식 · 심상 · 비의식기호의 내현기호와 질료적 외현기호가 있다. 도식기호는 모호한 대상 지각 시에 대상의 부분들을 인식하기 위해 맞추어보는 원형적 도상들이다. 우리는 그러한 도식에 의해 대상의 부분 인상들을 의미롭게 인식한다. 그렇게 인식된 부분 인상이 도식기호이다. 심상기호는 그러한 도식기호들에 의해 완성된 대상의 인상이다.

비의식기호는 우리의 사고 시에 파지되는 의식되지 않는 기호들로서 상상력과는 무관하다. 외현기호는 문자, 도상, 음향 등의 질료적 매체로 이루어진 기호로서, 외현기호들은 바위나 나무와 같은 자연 대상

---

23) 같은 책. p. 591.

과 마찬가지로 우리의 마음에 심상기호로 다시 인식된다. 상상력은 그러한 기호들을 우리가 의식에서 인지할 수 있도록 표상하는 능력이다.

기호 편에서 언급되었듯이, 기억은 곧 사고이다. '기억' 즉 우리의 정보체에 지식의 기호를 '내장'하는 일은 사고로써 이루어진다. 기억은 기억할 기호를 우리의 정보체에 있는 기존의 기호와 결합함으로써 이루어진다. 기존의 지식과 결합하지 않는 경우, 어떤 기억도 이루어지지 않는다. 사고는 매개를 이용해 다른 두 기호를 결합하는 일이다. 그러한바, 기억은 사고로써만이 이루어진다. 매개를 사용하여 어떤 기호를 다른 기호로 동일화하는 우리의 사고는 기억의 가장 본질적인 형식이자 수단이다.

감각은 지각이 되고, 지각은 통찰을 이루며, 통찰은 추론에 의해 의식화 된다. 이러한 사고는 곧 바로 의미체 즉 기호가 되어서 내장된다. 한편 우리의 지각 · 통찰 · 추론 등의 사고는 기억된 기호를 참조하여 또 다른 기호를 생산한다. 기호란 다름 아닌 우리의 정보체에 내장된 지식이다. 그러한 '기억의 내용'을 토대로 학습은 수행된다.

단순한 이미지나 지식은 물론, 고차 방정식과 같은 복잡한 수학문제라도 그것이 해결되었다면, 그 '풀이의 과정들'은 '사고'가 아니라 하나의 지식이다. 다시 말해 그러한 풀이 과정을 재현하는 일은 사고가 아니라 상상력에 의한 회상일 뿐이다. 그러한 순수 상기의 과정은 '동일화(A=C)' 정신작용이 요구되지 않는다. 따라서 그러한 회상 시에는 일반적 사고 수행 시에 나타나는 베타파(13-30Hz) 대신 이완된 정신상태에서 볼 수 있는 세타파(3.5-7Hz) 현상이 나타난다. 회상은 지식을 재인하는 뇌신경회로를 다시 연결하는 일로서 상상력의 한 유형이다. 물론, 이때는 아세틸콜린의 활성화가 일어난다.

우리들 인간은 정보를 내장하는 측두엽과 사고를 지배하는 전두연합령이 발달하였다. "내측두엽과 대뇌피질의 상호작용으로 공고화된 기억은 두정엽과 측두엽의 연합피질에서 저장되어 장기기억이"된다.[24] 계속적으로 변하는 외부환경의 패턴을 감지하는 곳이 바로 배외측전전두엽이며, 또한 작업기억을 처리하는 영역이다.[25]

오늘날 연구자들은 해마가 장기기억의 영구 저장고라기보다는 응고화 과정에 일시적으로 관여하는 것이라는 관점이 더 우세하다.[26] 그런데, 베르그송(1859-1941)은 『의식에 직접 주어진 것들에 관한 시론』(1889)에서 기억에 대한 뇌기능 저장설을 부인한 최초의 철학자이다. 베르그송은 두뇌가 기억의 저장소가 아니라 지속계의 자아로부터 기억을 불러내는 기관으로 이해했다:

베르그송은 『사유와 운동』에서도 같은 언급을 한다. "두뇌가 하는 일은 매순간마다 여러 기억들 중에서, 시작된 행위를 조명해줄 수 있는 기억들을 선택하고 그 나머지는 배제시켜버리는 일이다. 그때 부단히 변화는 하지만 언제나 준비된 상태에 있는 원동기적인 틀 속에 삽입될 수 있는 기억들은 다시 의식적이 된다. 그리고 그 나머지 기억들은 무의식 안에 머물러 있게 된다."[27]

그러나, 이것은 두뇌의 저장기능을 부인하고 효율적 선택적 회상기

24) 같은 책. p. 648.
25) 같은 책. p. 719.
26) 이정모. 『인지과학: 학문 간 융합의 원리와 응용』. 성균관대학교 출판부. 2009. p. 467.
27) Henri Bergson. 『사유와 운동』(이광래 역). 문예. 2012. p. 89.

능을 주장하기 위한 역설적인 표현이라 할 것이다. 물론, 그로 인해 단순한 지각의 경우에서조차도 파노라마처럼 펼쳐지는 무의식계의 회상 자료들과 그에 대한 검토로 인하여 우리는 일상생활을 제대로 영위하지 못할 것이다.

그러하다면 또한, 우리의 정신은 사고에 필요한 기호(지식)들을 합목적적으로 선택할 필요가 있다. 따라서 우리는 그러한 제한적 선택 기능의 역할을 우리의 뇌가 수행한다고 생각해볼 수도 있을 것이다. 그러나, 뇌가 뒤늦게 나타난 진화의 산물임을 생각한다면, 뇌가 단순히 기억물에 대한 회상 제어 기관이라는 견해는 단지 역설적 표현에 다름 아니라는 것을 알 수 있을 것이다.

신경 · 생리학자이기도 한 프로이트(1856-1939)는 논문 "자아와 이드"(1923)에서 "자아는 궁극적으로 육체적 감각에서 유래하는데, 이 감각은 주로 육체의 피부에서 오는 감각이다. 따라서 자아는 육체 표면의 정신적 투사체로 간주될 수 있으며 정신적 기관의 표면을 표상한다."고 한바 있다.

우리의 뇌는 단세포와 원형동물을 거쳐 그러한 표피적 활동을 벗어나기 위한 수십억 년 간의 진화의 산물이다. 인간은 카시러의 말처럼 "동물과는 전혀 다른 차원의 상징의 우주에서 살고 있다." 그러한 우리의 상징 즉 사고는 여느 동물과는 비교할 수 없을 정도로 발달된 뉴런의 덩어리인 대뇌피질을 중심으로 수행된다.

만약, 베르그송의 표현을 직접적으로 받아들여, 회상의 선택적 배척 작용이 곧 진화의 산물로서 목적한 결과라면, 그의 전 생애의 기억을 간직하고 있을 지렁이의 피부는 회상을 억제하기 위해 발달된 해부학적 구조의 뇌를 사용하는 우리보다 훨씬 자유롭게 내장 정보들을 사용할 수 있을지도 모를 일이다.

그러나 우리 인간들 역시 그러하지만 지렁이나 포유동물이 그들의 기억과 회상 능력을 스스로 제한하는 방향으로 진화를 해왔을 이유는 없어 보인다. 우리는 뇌를 통해 기억의 표출을 억제하는 것이 아니라, 단지 필요한 기억의 내용을 회상할 수 있을 뿐이다. 우리는 감각에서 지각 → 통찰 → 추론으로, 그리고 상상을 통해 의식하는 '상징기관'을 발달시켜 왔다.

소설가 박상륭은 『신을 죽인 자의 행로는 쓸쓸했도다』(2003)에서 크리슈나 신에 관한 알레고리를 들려준다: "어린 크리슈나kṛṡna가 흙밭에 놀며, 흙을 집어먹어싸므로, 그의 어머니가, 애의 입을 열고 들여다보았드라지요. 그리고 애의 어머니가 놀란 것은, 애의 입의 안쪽에는, 흙덩이가 아니라, 밖에 있는 것과 꼭 같은, 한 벌의 우주가 고스란히 차려져 있더라."

그리고 박상륭은 "자기의 안을 들여다보기에 의해, '위에 있는 것은 아래에도 있다'든가, '여기에 있는 것은 저쪽에도 있으며, 여기에 없는 것은 아무 데도 없다'라는 데까지, 시야를 넓혔던 듯"하다고 한다.[28] 그런데, "자기의 안을 들여다보기"란 '상징기능'의 다른 표현이다. 이 상징의 기능이 또 한 벌의 자기 속의 우주 즉 사고의 우주를 이루는 것이다.

우리의 뇌는 기억된 정보를 선택하고 배제하는 방식으로 작동하는 것이 아니라, 비의식 상태에서 최대한 정보를 탐색하는 방식으로 작동

---

28) 박상륭. 『신을 죽인 자의 행로는 쓸쓸했도다』. 문학동네. 2003. p. 94.

한다. 베르그송의 기억 이론은 '의식' 작용을 전제로 한 것으로 볼 수 있다. 의식의 상태에서는 불필요한 정보들의 회상을 차단해야 한다. 그러나, 우리는 비의식 상태로 정보를 탐색한다. 그러한 까닭에 과다한 정보의 회상으로 인한 문제는 조금도 발생하지 않는다.

배들리와 히치는 전화를 걸기 위해 전화번호를 마음에 담아두고 있는 것과 같이 어떤 판단을 수행하기 위해 주의를 기울여 상기하는 일을 '작업기억'이라 한다(Baddeley &Hitch, 1974). 작업기억은 의식 상태에서 지각된 내용의 회상을 유지하는 일로서, 배외측전전두엽에서 수행되는 것으로 알려져 있다. 그런데, 작업기억은 의식에서만 수행되는 것이 아니라, 통찰이나 추론을 위해서 비의식 상태에서도 수행된다.

회상은 단순한 판단을 위해 요구되기도 하고 통찰을 위해 요구되기도 하는데, 전자의 회상 기호(지식)는 상상력에 의해 의식에서 표상되며, 후자는 상상력에 의해서가 아니라 비의식의 상태에서 파지된다. 통찰 사고는 내장된 지식(기호)들에 대한 회상을 통해 이루어지는데, 통찰 시에 그러한 회상은 의식이 아닌 비의식의 상태에서 이루어진다. 우리가 의식하지는 못해도 통찰 시에 목표대상을 찾기 위해 우리는 비의식 상태에서 모든 기억의 내용을 전일적으로 개관하고 있다.

윌리엄 제임스는 "'함께 경험된 대상들은 상상 속에서 연합되기 쉽고, 따라서 그 중 어느 하나를 사고하면 다른 것도 또한 이전과 동일한 연속 순서 또는 공존 순서에 따라 사고되는 경향이 있다.' 이 명제를 우리는 '접촉에 의한 정신연합'의 법칙이라 부를 것"이라고 한다. 그리고, "사고에서나 경험에서 이전 접촉을 통하여 사고된 대상들에 관한 '심리적 연합 법칙은 정신 속에 있는 이미 가장 많이 사용된 전도 통로를 통하여 신경 흥분이 가장 쉽게 전파된다는 물리적 사실의 결과일

것"이라고 한다.[29)]

한번 지식화 과정에 참여했던 뇌신경세포들의 움직임을 우리의 뇌신경세포와 부속기관들은 놀랍도록 잘 인지하고 있어 필요한 자극이나 의지가 작용할 경우 다시 연결을 이루어낸다. 그와 같이 상기는 지식화를 이루었던 뇌신경세포들의 연결을 재현하는 표상작용이다. 필자는 마트에 소금을 사러 갔다가 그만 깜박 잊은 적이 있다. 그때 문득 필자는 연상법칙이 떠올라 일단 조미료 코너에 가보기로 했다. 그런데 조미료 코너로 다가가자 먼저 흰 설탕이 눈에 들어왔고 그때 머릿속에서 거짓말처럼 소금이 떠올랐다. 설탕의 '흰색'이 소금을 떠올리게 한 것이었다.

이러한 일은 우리의 사소한 일상생활에서도 기억은 맥락적 관계에 따른 이해가 필요함을 보여준다. 이마트에 가던 필자는 다른 잡념들로 인해 소금을 사야한다는 생각을 이룬 뇌신경세포 연결망의 흔적들이 상당 부분 지워져 버렸을 것이다. 이해에 의하지 않고 암기된 대상은 좀처럼 회상이 되기 어렵다. 하지만 인과적 맥락에 따라 이해된 대상은 쉽게 회상을 할 수 있다. '기억'은, 단순 연결에 의한 각인으로도 이루어지지만 그것은 비활동성의 쓸모없는 기억일 뿐이다. 그것은 결국 사고의 혈류를 막는 혈석으로 작용한다. 각인된 기억은 새로운 가능성의 창조적 사고를 결정적으로 저해하고 종내는 사고의 흐름을 멈추게 한다.

---

29) William James(정양은 역). 같은 책 Ⅱ. p. 1018.

3.5. 상상력과 기호의 관계

질베르 뒤랑은 "예술 작품을 노이로제와 같은 방식으로 설명한다면, 예술 작품이 노이로제이거나 노이로제가 예술 작품일 것"[30]이라는 융의 말을 빌려, 프로이트의 경우 이미지를 고태적 현상으로 폄훼하였다고 비판한다. 그런 뒤랑은 프로이트와 달리 오늘날 몇몇 정신병 의사나 심리학자들 중에는 이미지의 본원적인 역할 다시 말해 심리 사회학적인 조정이라는 역동적 기능을 충분히 인식하고 있다고 한다.[31]

질베르 뒤랑은 데주와이으(Robert Desoille)의 '깨어 있는 꿈(le rêve évellé)' 개념은, 결과면에서 바슐라르의 '몽상'과 매우 흡사하다고 한다. 뒤랑은 데주와이으가 바슐라르의 멋진 표현처럼 "현실과의 접촉을 끊으려는 노이로제 환자를 바로 잡아주기 위해 더 이상 상승을 꿈꾸기보다, 지하나 바다 속으로의 하강을 꿈꾸게 하여 '공포를 잊게 한다." 고 말한다. 그리고, 세쉬에(Dresse Secheaye)의 치료학은, 이미지의 체계와 다른 것들과의 관계에서 상징적 울림이 갖고 있는 조정 역할이 그보다 훨씬 명확하게 드러난다고 한다:

그는 정신분열적 양상을 띤 심각한 강박관념 환자들에게 몰두한다.

---

30) C. G. Jung, "분석 심리학과 시의 관계에 관하여". 장경렬 외 편역. 『상상력이란 무엇인가』. 살림. 1997. p. 106.
31) Gilbert Durnang. *Imagination symbolique*. 1976(장경렬 외 편역). 같은 책. pp. 249-251.

> 그가 연구한 환자는 이미지의 '낫체제'에 의해 시선이 흐려져 있다. 그는 '밝은 지역'에 내던져져 있는 듯이 느끼며, 그곳에서 대상들, 소리들, 존재들은 '분리되어' 있고, 인물들은 '조상(彫像)'이나 '꼭두각시'에 불과한 것처럼 보이고 얼굴들은 '마분지 조각처럼 잘리워져' 있다. '모든 것이 분리되고, 금속화되고, 광물적이 되는', 이 메마르고 황량한 세계 내에서 환자는 '청동의 벽', '얼음벽' 앞에 있는 것처럼 공포에 질리고 찢기운다. 정신과 의사는 그 환자에게 '상징적 실현'이라는 방법을 사용한다. 즉 한쪽으로 치우친 제국주의를 진정시키고, 점차적으로 환자를, 매우 구체적이자 체계적으로 '풀밭에 나아가게' 함으로써, 무시무시한 '밝은 지역'으로부터 빼내려고 힘쓴다. 이와 같이 이러한 치료학들에서는 체계의 변화가, 처음에는 상상력의 국면에서, 이윽고는 행위의 국면에서 상징적 균형잡기를 확립시켜주는 것이다.[32]

뒤랑은, 이미지 없이 개념을 구성하는 사고를 언급하며 "이미지란 관념 작용의 장애일 뿐"이라고 한 뷔르츠부르크 학파의 심리학자들에 대해 "그들은 이미지를 경험론적으로 편협하게 이해하며, 순수한 논리적 사고를 분리해내기 위해 이미지를 폄하"하여 "상상력을 극소화"했다고 비판한다.

아울러, "상상의 대상을 왜곡하여 그것을 기억의 잔류물로 귀결시키는 베르그송"과 "이미지를 평범한 감각 모상 정도로 폄하함으로써 상상계를 심리학적 허무주의로 이끄는 사르트르" 역시 상상력을 극소

32) 같은 책. pp. 250-51.

화하였다고 한다. 그런데, 질베르 뒤랑이 사르트르를 비판하는 이유는, 사르트르가 이미지의 '본질적 빈곤성(pauvreté essentielle)' 또는 '준(準)관찰현상(phénomène de quasi-observation)'이라고 한 개념 즉 "이미지는 지각의 다양한 관찰 가능성과는 달리 지각된 것에 한정된다"고 한 데 있다.[33]

그런데, "이미지란 관념 작용의 '장애'일 뿐"이라고 한 뷔르츠부르크학파나, 이미지의 출현은 독서의 중단과 실패라고 한 사르트르, 그리고 심상으로 가득 찬 곳에서는 사고가 중단된다고 한 윌리엄 제임스를 비롯하여, 상상력은 '대상이 지금 없지만', 대상을 나타내는 능력(B 151)으로서 "현시의 능력"(KU 54)이라고 한 칸트 등은 모두가 사고와 상상력을 구별하였거나, 사고와 이미지가 배척적 관계에 있다는 사실을 말하였을 뿐이다. 따라서, 결코 비판받을 일이 아니다.

상상력은 사고의 결과를 기호로 표현하는 정신작용이다. 기호는 내현기호와 외현기호로 구별되며, 상상력에 의해 표현되는 기호는 내현기호의 도식기호와 심상기호 그리고 외현기호이다. 그런데 이들 기호 중에서 도식기호는 지각의 과정에서 사용되는 기호일 뿐, 완성된 상의 기호가 아니므로 이곳에서는 제외된다.

지금 우리가 다룰 상상력과 관계된 기호는 내현기호의 심상기호와 외현기호이다. 이 기호들은 크게 도식기호와 이미지기호로 구별되는데, 전자는 개념적이고 후자는 도상(형상)적인 것이다. 전자의 도식기

33) Gilbert Durnang. 『상상계의 인류학적 구조들』(진형준 역). 문학동네. 2007. pp. 19-28.

호는 주로 과학 · 학술에서 사용되고, 후자의 이미지기호는 시 · 예술 등에 사용된다.

상상력은 사고 즉 상징과 기호의 매개기관인바, 상상력이 사고로 이해되어서는 안 됨은 앞에서 언급한바와 같다. 상상력이 표상한 기호엔 사고 즉 동일한 정신작용이 투사되어 있다. 다시 말하면 기호 즉 도식이나 이미지에는 사고의 내용들이 고스란히 투영되어 내재해 있다는 말이다.

기호의 조작자들, 그러니까 시인 · 예술가와 과학자들은 그들의 숙고 다시 말해 그들의 통찰 내용을 간결하게 정리하여 상상력으로써 작품이나 보고서를 만들어낸다. 물론, 작품이나 논문을 비롯한 보고서 등에는 상상력과 함께 논리규칙과 기호체계들도 사용된다. 그것은 언어기호와 문법규칙 그리고 수미일관한 논리규칙을 사용하지 않으면 내용이 전달되기 어렵기 때문이다.

시인과 과학자는 창조를 위해 통찰 사고를 수행하지만, 통찰의 내용들을 머릿속에 넣어두는 것에 그치지 않고 텍스트로 제작해내어야 한다. 그러한 텍스트 제작과정에서 불가피하게 추론이 사용된다. 물론, 이때의 추론 사고도 본질에서는 통찰적이다. 다만, 창조적 통찰의 결과를 토대로 하여 그 내용을 정리해낸다는 점에서, 그리고 각종 기호체계와 규칙들의 사용 하에서 수행된다는 점에서 추론 사고 또는 '방법적 사고'라고 우리가 말하는 것이다. 그러니까, 추론 과정에서 수행되는 사고 역시 통찰 사고임에도 우리가 그러한 사고를 '추론'이라고 하는 것은 그러한 사고의 목적이 인과적 설명이나 이해를 위한 것이고 또한 그에 따라 논리규칙을 사용하는 까닭이다.

하지만, 본질적으로 은유적 통찰이나 만유인력의 발견에 관한 통찰 등은 논리규칙을 사용한 설명과 이해를 통해 도달할 수 있는 일이 아니다. 하나의 은유나 과학적 원리에 대한 '이해'는 그와 같은 형식의 절차적 사고에 의해서 가능하지만, '은유나 과학적 원리에 대한 발견'은 논리규칙을 초월하여, 의식되지 않는 비의식 상태에서의 숙고 끝에 불현듯 깨닫게 된다. 그것이 통찰의 속성이다. 언급했듯이 창조자들은 통찰을 수행한다. 그와 달리, 학습 · 비평 · 감상은 대체로 추론이 수행된다.

또 한 가지 통찰과 추론의 본질적 차이를 언급하면, 통찰은 단서 없이 막연한 가운데 창조를 수행하나 추론은 문제 해결의 단서가 주어진 사고이다. 다시 말해, 통찰은 단서 없는 사고이고, 추론은 단서에 의한 사고이다. 그러한바 추론은 단서에 의해서 통찰의 내용을 드러낸다. 추론의 단서는 작가들의 통찰의 결과로서, 상상력에 의해 표상된 기호와 텍스트이다. 우리는 작가의 텍스트와 그 기호들을 단서로 삼아 기호체에 투사된 통찰의 내용들을 추적하여 드러낼 수 있다.

한편, 텍스트 제작자들 특히 시인 · 예술가는 그들이 숙고한 통찰의 내용들을 텍스트에서 일일이 열거하지 않는다. 그들은 통찰의 내용들 중 극히 일부만을 구성하여 은유적으로 드러낸다. 사실은 이러한 방법론이 시 · 예술의 특별하고도 비밀스런 규칙이다. 아니, 이것은 시 · 예술의 본질적 방법론이라고 해도 좋다. 아무튼, 은유는 비 설명적인 방법론이다. 추론에 의한 텍스트의 이해나 감상은 독자와 비평가들의 통찰과 상상력에 맡겨진다.

그런데, 시인이나 과학자는 비평가들이 제시하는 그 많은 내용들을 어떻게 머릿속에서 다 통찰할 수 있는 것일까? 물론, 그들은 완성된 텍스트에 나타난 내용들을 모두 머릿속에서만 정리하는 것은 아니다. 완전한 텍스트가 나오기까지 그들은 많은 시간을 두고 원고들에 대한 수정을 거듭한다. 하지만 그럼에도 불구하고 시인이나 과학자는 많은 내용들을 심상기호나 외현적 기호의 표상에 의하지 않고 골똘히 머릿속에서만 몰입하여 통찰해낸다. 그런데, 이것이 가능한 것은 우리의 사고가 의식이 아닌 비의식 상태에서 수행되기 때문이다.

윌리엄 제임스 · A. 비네 · 뷔르츠부르크학파 · 사르트르 등은 바로 이러한 '비의식'의 사고를 인지했었다. 문제는 이들이 그러한 인식에서 나아가 사고의 본성이 무엇보다도 복합판단에 의한 통찰적이라는 사실과 그러한 통찰은 축적된 정보들을 비의식기호로 사용함으로써 가능하다는 사실과 함께, 통찰의 내용들이 상상력에 의해 이미지나 도식의 형식으로 심상기호나 외현기호로 표상된다는 사실을 언급하지 않은 점이다.

뒤랑은 이러한 점들에 대해 그들을 비판할 수는 있다. 하지만, 사고와 상상력의 상호 배척성에 관해 언급한 것은 조금도 비판 받을 일이 아니다. 통찰은 비의식기호들을 창조하고 상상력은 창조된 비의식기호들을 우리의 의식이나 외부 매체에 심상기호나 외현기호로 표상해낸다. 상상력은 통찰 사고의 전령사이다. 기호의 심오함은 상상력 이전의 통찰에서 비롯한다. 감동적인 문학작품이나 위대한 과학적 연구물들은 기호를 전달하는 상상력의 배면에서 숙고된 통찰 사고의 산물이다.

한편, 윌리엄 제임스는 "우리 신경 계통은 훈련 양상에 따라 성장한

---

34) William James(정양은 역). 같은 책 Ⅰ. p. 203.

다"는 카펜터 박사의 말을 인용하며, "뇌 회로에 습관이 형성되지 않아 에너지를 효과적으로 사용하지 않으면 곤란할 것"이라고 한다. 그리고 "습관은 '일정한 결과를 성취하는데 요구되는 신체 운동을 단순화하고 더 정확하게 만들어 피로를 줄인다'"고 하였다.[34] 우리는 수많은 정보들을 비의식기호 즉 전기화학적 '신호작용'으로 처리함으로써 우리는 매순간 접하는 사물과 사태의 정보들을 힘들이지 않고 인지할 수 있다. (앞서 보았듯이 비의식의 기능을 살펴보지 않은 베르그송은 우리의 뇌가 '선택과 배제'로써 정보를 취한다고 생각했다.)

'이미지란 관념작용의 장애물일 뿐'이라는 말은, 뷔르츠부르크학파의 심리학자들이 확인한 '무심상 사고' 즉 '사고의 비의식 수행'을 의미한다. 물론, 사고가 비의식 상태에서 수행된다고 하여서 뒤랑이 비판하였던 바와 같은 "상상력의 극소화"로 이어지는 것이 아니다. 사고의 비의식 수행은 오히려 상상력의 극대화를 가능하게 한다.

우리의 통찰 사고는 전기 · 화학적 신호작용에 의한 (뷔르츠부르크 학파의 표현으로 말하자면 무심상의) 비의식기호를 사용한다. 이것이 복잡다단한 판단과정들의 통찰이 순간적이고도 전일적으로 수행될 수 있는 이유이다. 그럼으로써, 통찰이 심오할 수 있으며, 상상력의 역할 또한 커지는 것이다. 상상력은 통찰의 내용을 의식에 나타낸다. 통찰이 심오하면 할수록 상상력의 제시물도 풍요로운 것이다.

융은 우리가 사용하는 '비의식'이란 개념과 유사한 용어로 '무의식'이란 용어를 사용했다. 융은 "무의식이 단지 과거의 창고에 불과한 것만이 아니고, 미래의 정신적 상황과 생각들의 가능성으로 꽉 차 있다는 발견이 나로 하여금 심리학에 대한 나 자신의 새로운 접근을 하도록 하였다"고 말한다.

아울러, 융은 전적으로 새로운 생각과 창조적인 관념들은 마음의 어둡고 깊은 무의식으로부터 연꽃처럼 자라나 잠재적 정신의 가장 중요한 부분을 형성한다고 말한다("정신의 본질에 관한 이론적 고찰"). 그런 융은 '무의식'에 관하여 이 책의 '통찰' 개념과 유사한 인식을 갖고 있음을 보여주기도 한다.

> 실제로 무의식은 의식이 하는 것과 똑 같이 여러 가지 사상을 검토하고 거기서부터 결론을 유도할 능력이 있는 것같기도 하다. 무의식은 심지어 어떤 사실들을 이용하여 그 가능한 결과를 예견할 수도 있다. (…) 우리가 꿈에서 알고 있듯이, 무의식은 그의 깊은 생각들을 본능적으로 만들어내고 있다. 이 구별은 중요하다. 논리적인 분석은 의식의 특권이며, 우리는 이성과 지식으로 선별한다. 그러나 무의식은 주로 본능적인 경향에 의하여 인도되는 것 같다. (…) 확실치 않은 미지의 성질을 지닌 어떤 것이 무의식에 의해서 직관적으로 파악되어 왔고, 원형적 처리를 받아왔다. 이것은 의식적인 사고가 적용되어야 할 추론의 과정 대신에, 원형적인 심성이 개입하여 예견의 임무를 맡게 되었음을 암시하고 있다.[35]

융은 우리가 보았듯이 무의식을 "직관"(이 책의 필자의 통찰)과, 의식을 "논리적 분석"(추론)과 관계 짓는다. 그러한 융은 우리가 말하는 통

35) C. G. Jung.『인간과 무의식의 상징』(이부영 역). 집문당. 1983. pp. 78-79.

찰의 내용을 무의식에서 생성되는 “꿈 혹은 환상”으로, 추론을 “목표 지향적 사고”로써 표현하기도 한다. 논문 "사고의 두 가지 양식에 관하여"에서 말한 그의 예지적 통찰을 옮긴다.

> 우리에게는 사고의 두 가지 형태가 있다고 할 수 있는데, 목표지향적 사고와 꿈 혹은 환상이 그것이다. 앞의 것은 전달을 위한 것이고 언어적 요소를 지니며 사람을 힘들고 지치게 한다. 반대로 뒤의 것은 힘들지 않게, 이미 존재하는 내용을 가지고 무의식적 동기에 이끌려, 말하자면 저절로 작업한다.[36]

융은 자신의 숙고를 쉽게 이론화하려 하지 않는다. 정신의학자이자 심리치료사로서 그는 인술 우선의 정신에 바탕하여 언제나 경험적이고도 현상학적 태도를 견지할 뿐, 학적 이론화에 필요 이상의 관심을 갖지 않았다. 하지만, 그의 짧은 텍스트의 통찰은 체계를 위한 주요 개념과 그 성질들을 놓치지 않고 담고 있다.

앞서 제시된 융의 텍스트엔 이 책의 주요 주제인 통찰과 추론 사고의 일부 핵심적 요소들이 언급되어 있다. 통찰은 꿈 · 환상 등으로 표현되는 시 · 예술은 물론 과학의 세계를 창조한다. 추론은 그러한 통찰 세계의 내용에 대한 이해나 설명 즉 “전달”을 위한 사고이다. 그러한 추론은 문자 · 문법질서 · 논리규칙과 같은 “언어적 요소”를 이용한다.

---

36) C. G. Jung. "사고의 두 가지 양식에 관하여". 한국융연구원C.G.융저작번역위원회. 『융기본저작집』 Ⅶ. 솔. 2005. p. 41.

이와 같은 추론은 인위적 형식의 규칙들을 사용하고 그러한 세계의 질서들을 따라야 하는 까닭에 우리를 "힘들고 지치게 한다." 반대로 통찰은 인위적 형식이 불필요한, 문명의 형식이 개입되지 않은 자연 그대로의 정신작용이다. 그래서 "힘이 들지 않고" 자신 내면의 "무의식적 동기에 이끌려, 말하자면 저절로 작업"하는 본능적인 사고이다. 이러한 까닭에 통찰을 이 책에서는 '원사고'라 하고 있다. 이런 내용을 융은 상세한 언급 없이 창조적 사고에 관하여 몇 줄만으로 표기해 놓았다.

또한 융은 예술의 창조 과정에 관하여 원형 심상이 무의식적으로 활동한 결과라고 말한다: 예술가는 그 원형 심상을 공들여 다듬고 형상화하여 작품을 완성한다. 예술가는 심상을 가장 깊은 무의식으로부터 끌어올려 의식 세계의 가치와 결부시킨다.[37] 그러한 "무의식적(이 책의 필자의 통찰) 예술 작품은 형식과 내용이 낯설다." 직관으로만 포착할 수 있는 생각, 의미로 충만한 언어, 알려지지 않은 어떤 것에 대한 가장 적절한 표현, 즉 보이지 않는 기슭을 향하여 던져진 다리이다. 그래서 진정한 상징이라고 할 수 있는 심상들을 우리는 생성할 수 있다.[38]

그리고 아다마르가 그러했듯, 융은 "상상과 직관(이 책의 필자의 통찰)"이 시인과 예술가에게만 사용되는 것이 아님을 정확히 지적하고 있다: 이런 능력은 실제로 모든 고도의 과학에서도 똑 같이 필수적인 것이다. 무의식적 사고는 '합리적' 지성(이 책의 필자의 추론)이 원활히 수행되

37) C. G. Jung. "분석 심리학과 시의 관계에 관하여". 장경렬 외 편역. 같은 책. p. 113.
38) 같은 책. pp. 114-18.

도록 하는데 매우 중요한 역할을 한다. 모든 응용과학 중에서도 가장 엄격한 물리학조차 무의식적으로 작용하는 직관(이 책의 필자의 통찰)에 놀라울 정도로 의존하고 있다.[39)]

그런 융은 이렇게 말한다: 무의식은 미지의 성질을 지닌 것을 직관적으로 파악하고 원형적으로 처리한다. 예언적인 꿈은 의식적인 사고에 의한 추론의 과정 대신 무의식에 의한 원형적인 심성이 파고들어 왔음을 의미한다.[40)] "예술가, 철학자, 그리고 과학자들조차도 그들의 최고의 업적 중 어떤 것들은 무의식으로부터 갑자기 떠오른 영감의 덕분"이다.

"철학, 문학, 음악 또는 과학적 진리로 번역하는 능력은 그 사람이 천재임을 입증하는 증거 중의 하나"이다. 푸앵카레와 케큘레의 과학적 발견은 그들 역시 인정하고 있듯이 "무의식에서 문득 솟아난 '계시' 덕분"이라고 융은 말한다.[41)] 다음은 케큘레의 벤젠 원자 구조식의 발견 과정에 대한 얘기이다. (융의 논문에서도 인용되고 있으나, 조금 더 구체적으로 언급되고 있는 『마음과 두뇌』의 저자 송준만의 글을 인용한다.)

> 1865년경에 유기화학에 있어서 가장 시급하고 풀기 어려웠던 문제는 벤젠분자의 성질(구조식)이었다. 몇 개의 간단한 유기분자의 구조식은 여러 속성(properties)에서 끄집어낼 수 있었는데, 모두 직선적인 것으로 구성되어 있는 원자가 다른 것에 직선적으로 붙어 있는 것이었

39) C. G. Jung(이부영 역). 같은 책. pp. 92-93.
40) C. G. Jung 외. 『인간과 상징』(이윤기 역). 열린책들. 1996. p. 78.
41) 같은 책. p. 38.

> 다. 케큘레의 설명에 따르면 그는 마차가 끄는 전차 속에서 졸면서 꿈을 꾸었는데 그 꿈 속에서 한줄로 나열된 원자가 춤을 추는 것이었다. 갑자기 원자의 사슬의 꼬리가 그 머리에 붙어서는 천천히 회전하는 원을 그렸다. 꿈에서 깨어나서 이 꿈의 조각을 기억하면서, 케큘레는 순간적으로 "벤젠 문제의 해결은 직선적인 사슬이라기보다는 탄소원자가 여섯 개 모인 원"이라는 것을 깨달았다.[42]

융은 무의식을 직관이 작용하는 세계로 인식하였고, 또한 무의식세계에서의 직관은 시나 과학 분야 모두 필수적인 것으로 인식했다. 물론, 그러한 직관은 우리가 말하는 '통찰'의 다른 표현이다. 그리고 통찰은 비의식기호로 수행되는 전일적 복합판단의 사고이다. 아울러, 시·예술이나 과학적 창조에서 수행되는 고도의 통찰은 세계에 대한 '유비적 사고'를 특징으로 한다. 조금 더 부연하면, 시·예술은 형상을 초월하고 과학은 형상을 해체함으로써 세계에 대한 유비적 동일화의 통찰을 수행한다.

한편, 질베르 뒤랑은 융의 직관이나 우리가 말하는 통찰을 "양가해석적 사고"로 이해하는데, "도식화하면 A=A+B, Ā+B=Ā 식으로 표현될 수 있을 것"이라고 한다. 그런 뒤랑은 상상계의 "복수적 성격"은 "제3의 여건 원칙"에 근거하며, A와 Ā에 B의 참여가 보장된다고 한다. 다시 말해 소(Ā)와 쟁기(A)가 경작(B)이라는 제3의 여건에 의해 하나의 질(qualité)이 된다는 것이다.

---

42) 송준만. 『마음과 두뇌』. 수정판. 교문사. 1992. pp. 77-78.

그런 뒤랑은 “상상적 대상 전체는 그 구성에 있어 양가 해석적일 뿐만 아니라—현대물리학 자체도, 상보성(닐 보어), 길항 관계, 모순성의 개념을 통해, 과학의 위상에 애매모호성을 도입했다”고 말한다.[43] 뒤랑의 “양가해석적 사고”는 칸트의 선험적 논리학, 헤겔의 정신현상학의 논리학, 하이데거의 존재론적 논리학의 배면에 공통적으로 작용하는 유비적 사고의 원리와 본질을 같이 한다.

이러한 비동질성의 동일화는 ‘A=Ā’에 기초하는바, 또 달리 ‘A=C’로 표현된다. 동일화는 다름 아닌 사고의 본성이다. 그러한 우리의 모든 사고는 본질에서 통찰적이다. 그런 우리의 사고는 매개를 사용해서 사물이나 기호를 또 다른 사물이나 기호로 이동하게 한다. 뒤랑은 이러한 동일화의 원리를 “양가해석적 사고”로 이해한다. 물론, 양가해석적 사고는 ‘A=Ā’로 표현되는, 모순율을 초월한 ‘유비적 사고’의 ‘통찰’이나 융의 ‘직관’과 본질에서 같은 맥락의 것이다.

언급하듯이 사고의 본성은 ‘동일화’이다. 이러한 사고는 동일화의 심도에 따라 지각과 통찰, 추론, 영감적 사고로 구별된다. 지각이나 일상생활에서 요구되는 사고는 대체로 단일판단으로 이루어지는데 비해서 시 · 예술 창작이나 학술적 사고는 복합판단으로 이루어진다. 물론, 단일판단이든, 복합판단의 통찰이든 우리의 사고는 모두 비의식 상태로 수행된다.

그런 후 표상력인 상상력을 통해서 심상이나 도식 형태의 기호로 의

43) Gilbert Durnang. 『상상력의 과학과 철학』(진형준 역). 살림. 1997. p. 92.

식된다. 그런데 지각 등의 직각은 '꽃이 예쁘다.', '창문이 열려 있다.' 등과 같은 단일판단으로서 즉시적으로 사고가 이루어지고 또한 그 사고의 결과가 즉시적으로 우리에게 표상되어 의식된다. 그런 까닭에 우리는 사고가 비의식 상태로 수행되는지를 알아차리지 못한다.

한편, 통찰은 다중의 판단과정들로 이루어진 복합판단의 사고인 까닭에 단일판단의 직각과는 달리 사고의 시간이 길어 '비의식의 상태' 또한 길다. 그러한 까닭에 우리는 직각 사고와는 달리 통찰 사고의 수행 경우 의식 상태에서가 아닌 비의식 상태에서 수행됨을 체험적으로 보다 쉽게 알 수 있다.

우리가 어떤 일에 몰입해서 생각에 잠겨 있을 때는 주위에서 이름을 불러도 들리지 않는다. 그것은 우리가 주변의 모든 감각 자극을 차단하고 자신 내면의 감각인 관념의 표상마저도 차단한 때문이다. 전쟁 중에 로마병사가 다가오는 것을 모른 채 모래 바닥에서 수학문제를 풀었다는 아르키메데스는 관심 대상의 사고 외엔 어떤 감각도 차단하였던 것이다.

통찰이 복합판단으로 이루어진 것임을 알 수 있는 건, 추론에 의해서이다. 우리가 '마음은 호수'라는 시구를 떠올렸다고 할 때, 이러한 시구를 떠올리는 과정이 '통찰'이다. 그런데, '마음은 호수'라는 시구를 두고 보면 'A=B'라는 하나의 단일판단으로 보이나, 사실은 그 심층구조를 살펴보면, '마음이 고요하다, 호수도 고요하다. 그러하므로 마음은 호수이다'라는 두 개의 전제와 하나의 결론적 판단으로 이루어진 복합판단(A=C)이라는 사실을 알 수 있다.

우리는 여기서 한 가지 사실을 발견할 수 있다. ① '마음은 호수'라는 은유나, 운동량과 에너지가 서로 교환됨을 의미하는 'E=mc²'과 같은 '결론에 이르게 된 통찰'과 ② 그러한 '통찰 내용에 대한 이해나 설명을 위한 추론의 과정' 그 둘을 비교해 보면 통찰 사고에 대한 표상은 매우 간결하고 짧은 반면에 추론적 설명은 매우 길다.

우리가 그 어떤 통찰에 이르렀을 때 머릿속에서는 한 마디로 표현할 수 있을 것처럼 환하지만, 막상 설명을 하고자 하면 중언부언하고 길어진다. 시 · 예술의 평론이나 이론에 관한 글을 쓸 때 우리는 이미 마음속에서 그 작품에 대한 모든 것을 알고 있고, 대상이 되는 과학이론에 대해 완전히 이해하고 있음을 자신하고 확신하기도 한다. 하지만, 막상 논리적 체계에 따라 써내려가는 우리는 실수와 수정을 거듭하게 된다. 이것은 우리의 통찰 사고가 생각 이상으로 많은 판단들을 내포하고 있음을 의미한다.

그런데, 한 권의 책으로 써져야 할 수많은 판단들로 이루어진 내용들을 우리는 어떻게 머릿속에서 통찰로써 정리할 수 있는 것일까? 앞에서도 언급이 있었듯, 이것이 '비의식'의 놀랍고도 비밀스런 기능이다. 논리규칙이나 문자 · 이미지 등의 기호와 언어규칙들을 사용하지 않고서도 방대한 내용들을 집약하고 구성하여 하나의 명료한 깨달음의 결론에 이를 수 있는 것은 우리가 사고를 '의식'이 아닌 '비의식'으로 진행하기 때문이다. '비의식'이라는 방법은 '논리규칙과 기호체계의 사용'이 필요 없는 매우 효율적인 수단이다.

융 또한 '무의식은 본능에 의해 인도되는 것 같다'고 하였듯, '비의식'의 사고는 매우 자연스럽고도 본능적인 신경생리작용의 현상이다. 이와 달리, 논리규칙과 기호체계는 인류가 창조해낸 인위적 산물이다. 그러한 수단들 속에서 수행되는 추론은 규칙이나 체계라는 장애물을 살피기 위해 부단히 주의를 기울여야 하는 까다롭고도 불편하고 힘든 사고이다. 그래서 우리는 통찰의 수행은 상념에 잠겨 먼 여행을 떠나듯 편안히 여기지만, 추론의 수행은 귀찮고 번거롭게 여긴다.

한편, 그러한 까닭에 창조적인 일에 관심이 있는 전문가들로서는 창조된 결과물에 대한 설명을 하는 일이 마치 자신에게는 부당하게 부여된 일처럼 매우 못마땅하게 여겨 마지못해 수행한다. 그런 까닭에 우리는 수학이나 철학에서 뛰어난 천재들이 별다른 설명 없이 결론적 명제나 수식만을 제시한 채 다른 일에 몰두하고 있는 것을 흔히 볼 수 있다. 추론 사고의 불편함에 관해 수학자 아다마르는 골턴(Sir Francis Galton, 1822-1911)에게서 자신의 경우를 본다며 우생학의 창시자 골턴의 말을 인용한다.

> 어려운 연구 끝에 만족스럽고 분명한 결론에 도달하고서도 그것을 말로 표현하려면 나는 완전히 다른 지적 경계에서 시작해야 함을 느끼게 된다. 나는 나의 사고를 잘 떠오르지 않는 어휘로 번역해야 하는 것이다. 그래서 적당한 문장과 단어를 찾는 데 많은 시간을 버린다. 사람들이 말을 좀 해달라고 즉흥적으로 요청할 때에 나로서는 개념이 불명료해서가 아니라 순전히 언어적 서투름 때문에 막연하게 됨을 알고 있다. 이런 일은 내 인생의 거추장스런 일 중의 하나다.[44]

시인과 예술가들 역시 그러한데, 알 수 없는 문장이나 추상의 도상들을 제시하고는 아무런 설명도 하지 않는 것을 당연시 한다. 어쩌면,

---

44) Jacques Hadamard(정계섭 역). 같은 책. pp. 74-75.

그것이 예술 세계의 비밀스런 규칙이요, 천재들의 특권일지도 모르지만. 그런데, 추론이 아니면 우리는 통찰의 내용을 하나의 분명한 지식들로 확립하여 활용할 수도, 타인에게 명료히 전달할 수도 없다. 우리는 추론을 통해서 통찰의 내용을 객관적으로 이해할 수 있다. 이것은 '마음은 호수'와 같은 단순한 '은유'적 사고만이 아니라 하나의 시편, 또는 뉴톤의 만유인력과 같은 과학적 원리에 대한 깨달음의 심도 있는 통찰에 대해서도 마찬가지이다.

3.6. 예술가의 통찰 사고에 관한 추론적 분석

이제 사례적으로, 예술 작품에 대한 분석을 통해 통찰의 내용이 작가의 상상력에 의한 기호로 텍스트에 어떻게 투영되어 자리하는지 살펴보자. 이를 통해 우리는 작가의 예술작품과 그 이미지들이 어떤 복잡다단하고도 풍부한 통찰들로써 이루어진 것인지를 이해할 수 있을 것이다. 다루어지는 텍스트는 박상륭(1940-) 작가의 소설『죽음의 한 연구』중에서 시적 은유로 구성된 한 단락이다.

> 아집에 따르는 두 병독은, 비계와 외눈이 아니겠느냐? (……) 비계는 탐욕의 은유이며, 외눈이란 편견의 비유가 아니겠는가? (……) 짐승이나 보살은 그 일로 괴로워하지는 않는 것이다. 글쎄 그것이 육신적 살육이든 구도적 살육이든, 그것은 같은 것이다.[45]

45) 박상륭.『죽음의 한 연구』I. 문학과지성사. 1997. p. 97.

인용된 텍스트는 아집을 두 개의 병독으로 환치해두고, 그 두 병독을 다시 비계와 외눈으로 치환해두고 있다. 비계는 탐욕, 외눈은 편견의 은유이다. 화자인 전지적 시점의 작가는 짐승과 보살을 동일한 존재자로 간주한다. 그것은 짐승과 보살 모두 살육을 괴로워하지 않는다는 점에서이다.

그런데, 생존을 위한 동물적 살육과 창조적 재탄생의 구도적 살육은 어째서 같은 것인가? 단지 고통과 죄의식, 괴로움이 없다는 이유만으로 어떻게 동물의 살육과 구도적 살육이 같을 수 있는가? 여기서 이 텍스트의 비유는 심오한 촌철살인의 공안(公案)을 제시하고 있음을 알 수 있다.

작가는 자연세계의 동물도, 창조적 계승을 잇는 구도자도 살육에 아무런 괴로움을 느끼지 않는다는 섬뜩하도록 놀라운 역설적 통찰을 보여주고 있다. '죽음과 고통'을 '죽임과 괴로움의 초월'로 전치시켜 두고 짐승과 보살을 동일시함으로써 '죽음과 죽임', '고통과 괴로움'이 모두 자연의 섭리적 현상에 불과함을 작가는 인식한다. 그러한 작가의 선적 화두의 은유적 통찰은 우리로 하여금 순간적으로 초월적 무아(無我) 사상을 들여다보게 한다.

죽음과 죽임, 고통과 괴로움은 허상의 '자아'에 대한 집착이 만든 환영이라는 것. 그런데, 이러한 우리의 추론적 해석을 있게 하는 박상륭 작가의 통찰은 우리가 행하듯 그러한 추론에 의해서 이른 것이 아니다. 추론은 인과적 이유에 따라 언어와 문법, 논리규칙, 관습, 종교 등의 지식과 그러한 지식의 기호체계들을 활용하여 수행된다. 하지만, 작가의 통찰은 이러한 지식 기호들을 고려하기는 하나 막상 사고를 수행하는 순간에는 그러한 도식이나 이미지의 기호들을 모두 버리고 캄

캄한 심연의 비의식 세계로 발길을 옮긴다.

박상륭은 『잠의 열매』의 〈混紡(혼방)된 상상력의 한 형태〉에서 "패관 문학의 상상력이나 수사학에 있어, 비유 · 은유 · 상징 등이 주요한 역할을 담당해온 것은 부인치 못할 것이다. 그러나 이 패관의 생각엔, 패관들의 상상력의 지하층에, 아직도 그 문이 활짝 열려본 적이 없는 방이 하나 있어 오는 듯 하다"[46]고 하였는데, 박상륭은 『소설법』에서 이렇게 말한다.

> 詩나, 音樂, 美術 등, 宗教 밖에서 창작행위를 하는 이들의 작업들에서, 패관은 간혹, 그런 상태에 처한 정신을 얼핏얼핏 감지하기는 하지만 (…) 산문꾼은, 말(言語)의 의식적 국면뿐만 아니라, 무의식적 국면도 잘 어거하기로써 (…) 산문꾼도 포함한, 모든 창조적 정신은, 이 비밀의 방문을 열고 들여다 볼 수 있는 능력을 계발해 갖출 때, 그 제작된 것의 뿌리 밑에, 깊이의 무저갱을 열어놓을 수 있기는 할 테다.[47]

박상륭 작가는 2005년 가을의 언젠가 이 책의 필자에게 한 작품을 열 번을 고쳐서 쓴다며 자신의 작품은 무의식으로부터 나온다고 말했다. 그러한 집필 방식은 그의 전 지식의 정보들이 심층 비의식 속에서 상호 교융하여 완전한 하나의 연금술적 작업이 되게 할 것임을 우리는 미루어 짐작할 수 있다. 그의 작품은 자각 상태에서의 기술이 아니라,

---

46) 박상륭. 『잠의 열매를 매단 나무는 뿌리로 꿈을 꾼다』. 문학동네. 2002. p. 179.
47) 박상륭. 『소설법』. 현대문학사. 2005. p. 143.

비의식 속에서의 전일적이고 연금술적인 주술의 표상이다. 앙드레 브르통의 표현법으로는 '자동기술'이다.

서상환, 마른 늪의 낚시, 목판

위 도상은 박상륭 작가의 소설 『죽음의 한 연구』의 도입부를 도상화한 서상환 화백(1940-)의 목판화이다. 박상륭의 소설 작품과 서상환의 목판화 작품은 말할 것도 없이 비의식 상태에서의 통찰의 산물이고 필자의 평설은 두 작가의 통찰 내용을 설명하는 추론적 사고의 텍스트이다. 서상환 화백의 목판화 판각의 소재가 된 박상륭 작가의 『죽음의 한 연구』의 도입부는 이러하다.

> 촌장을 낚아내는 낚시터라 하는데입지. 누구든지 말입지. 그 못에서 펄펄 뛰는 고기를 낚아내기만 한다면입지, 촌장이 된다는 것인데 말씀입지. 사실에 있어 그건 한 형벌의 장소라고 합지. (……) 마른 늪에서의 고기 낚기는, 분명히 공양미 삼백 석에 해당하는 도 닦기의 의미라고 보는 모양입지.[48]

소설『죽음의 한 연구』의 주인공은 서른셋이 되던 해 스승을 죽이고 '유리'라는 가상의 땅으로 수도의 길을 떠난다. 유리는 주나라의 문왕이 귀양살이를 하던 중에 주역의 64괘를 완성한 곳이다. 유리라는 지명을 통해, 박상륭은 원환적 '생과 사'의 인식 아래 구도(求道)가 이루어진다는 깨달음을 시작과 끝이 하나로 이어져 있음에 바탕하는 주역의 원리와 등치시켜 놓았다.

유리는 마른 늪과 황야만이 펼쳐진 불모의 땅이다. 주인공은 이곳에서 고난의 수행 40일 째 날, '촛불중'이라 불리는 자에 의해 처형된다. 죄목은 주인공이 유리로 들어서면서 유리의 제5조 촌장을 살해했다는 것. 하지만, 그러한 죽임으로써 깨달음을 얻은 주인공은 유리의 제6조 촌장이 되고 또한 죽음을 맞는다. 그리고 촛불중 역시 깨달음에 이르러 박상륭의 후일의 작품『칠조어록』(1974-1994)에서 제7조 촌장이 되어 고행의 모래밭을 걷는다.

'40'이란 수는 예수가 광야에서 금식 수도한 날의 수이다. '제6조'는 '중국 선종의 제6조 혜능'(慧能, 638-713)을 떠올리게 하는 설정이

48) 박상륭.『죽음의 한 연구』Ⅰ. p. 121.

다. 이러한 은유적 장치들로써 박상륭은 불교 · 기독교 · 자이나교 등을 비롯하여 동서양의 사상과 신화 · 설화 · 주역 · 연금술이 혼재된 일원론적 사상에 바탕하여 소설을 이끌어 나간다.

인드라의 그물처럼 그러한 동서고금의 정신세계를 일원적으로 꿴 그의 사상을 박상륭은 '몲론'이라 한다. 몸 · 말 · 마음을 하나의 우주로 엮어내었다는 뜻이다. 박상륭은 그러한 형이상학적 경전 철학의 소설에 은유적 시의 수사학을 사용함으로써 시공간을 초월한 신화의 성격으로 그의 소설을 승화시켜낸다.

제시된 〈마른 늪의 낚시〉는 제6조 촌장이 될 운명의 수도사가 이제 막 구도자들의 세계 '유리'로 들어선 풍경이다. 박상륭 작가는 촌장을 물고기로, 유리라는 지명의 구도적 장소를 '낚시터'로 환치하였다. 그리고 유리라는 지명의 낚시터는 마른 늪으로 환치되어 있다. 이 몇 가지 짤막한 환치의 비유는 심오한 구도적 과정의 수행을 떠올리게 한다.

마른 늪으로 비유되는 '유리'는 살아 있는 물고기 즉 깨달음을 낚아 올리는 수도자의 고행과 또한 물고기로 낚아 올려지는 죽음의 통과제의를 동시에 의미하는 형벌의 장소이자 완성의 장소로 의미화 되었다. 작가는 짐승과 보살, 물고기와 도 닦기라는 두 극단적 거리에 있는 미물과 정신세계의 존재 또는 존재계를 섬광처럼 하나로 연결하는 은유의 세계를 제시한다.

서상환은 그러한 박상륭 작가의 은유세계인 '유리'를 대형 물고기와 물고기의 등에 세워진 사원의 탑, 그 탑의 꼭대기에 내려와 앉은 두 마리의 새, 그리고 점으로 찍어놓은 태양으로 묘사하고 있다. 물고기는 언제나 눈을 뜨고 있어 구도의 세계에서는 '수도자'로 묘사된다. 그 물고기는 서상환 화백 특유의 판각법으로 거칠게 파여 있어 구도자의 고

난과 의지가 물과 불의 뒤섞임처럼 요동치듯 강렬하게 표현되고 있다.

물고기의 몸은 구도의 궁극의 지향점인 절대의 정신을 표상하는 '신의 눈'을 지니고 있다. 그 눈동자는 '해탈'의 길로 인도하는 '법륜'이다. 물고기의 벌어진 입과 날카로운 이빨들은 죽음을 마주한 듯한 수도자의 격렬한 고통과 구도의 의지를 보여준다.

그러한 수도승의 역경과 험난한 고행을 통해 구원을 기원하는 사원이 물고기의 등에 탑으로 세워져 있다. 지붕 위엔 상서로운 기운을 물어오는 구원의 전령사들이 새의 형상으로 조각되어 있다. 탑 위에서 상보적 대응의 조화를 이루는 새는 이마를 마주하여 배치되었다. 탑과 물고기의 입 가까이에는 서쪽을 향해 비스듬히 떨어지는 해가 구도와 고해의 장소 유리를 비춘다. 태양은 서상환 화백의 독특한 이미지 조형법에 의해 이글이글 타올라 꿈틀거리고 있다.

서쪽으로 비스듬히 기울고 있으나 그 태양은 언제나 안개로 뒤덮인 '유리'의 세계를 깡그리 말려서 태우기라도 하듯 그 어떤 알 수 없는 열기를 뿜어내고 있다. 그것은 화백이 물고기와 탑 같은 주제적 도상 기호 외는 화면에 아무것도 남겨두지 않아 무척이나 적막하게 보이도록 했기 때문이다.

물론, 이러한 추론적 해석의 언어기호와 형이상학적 도식체계의 기호들을 비롯한 심상들은 서상환 화백의 머릿속에서 간단없이 떠올라 교차하였을 것이다. 그러나, 막상 칼끝을 나무판자에 갖다 대는 순간엔 모든 상들이 사라진다. 장인의 손은 마치 신들린 영매처럼 일도지하(一刀之下)의 칼춤으로 비의식의 세계를 조각해낸다.

그리고 조각칼을 내려놓는 순간 판각의 이미지 기호들을 눈과 마음으로 바라보게 된다. 서상환 화백 역시 구상이나 판각의 순간에는 모든 지식과 형상들이 '비의식기호'로 무화되어 영감적 깨달음이라는 형식의 전일적 사고의 통찰을 수행한다. 이러한 능력은 오직 '비의식'과 '비의식기호'라는 수단으로써 가능하다.

3.7. 맺음

상상은 사고가 아니라 표상하는 일이다. 상상력은 비의식의 사고 내용을 의식에서 확인토록 하는 표상 능력이다. 일반적으로 가정적 사고(가언적 · 선언적 판단도 포함)에 '상상'이라는 표현을 쓰고, '상상력'을 창의성'이나 '창의적 능력'으로 여기거나 그 대용어로 사용하기도 하지만 이는 사고(창조성)의 본질이 동일화 정신작용이라는 사실을 간과한 것이다.

앞서 보았듯이 저명한 생리학자 베넷과 분석철학자 해커조차도 "상상은 사고 능력이지, 인지능력이 아니다. 상상을 실행한다는 것은 어떤 형태의 사고에 몰입하는 것, 즉 어떤 것을 가능하다고 생각하거나 그것의 있을 수 있는 특징을 생각하는 것"이라고 말한다. 아울러, 그들은 "우리가 '만일 ~라면, 무엇과 같을지'를 상상하는 그 풍요로움에 따라, 상상의 힘이 독창성, 창조성, 창의성과 연합한다는 사실은 놀라울 것이 못된다."[49]고 말한다. 그러나, "만일 ~라면, 무엇과 같을지"는 가정적 사고이다. 그러나 언급했듯 가정적 사고에 '상상력'이라는 용어를 사용하는 건 이론적 체계의 정합성을 고려하지 않은 것이다.

---

49) M. R. Bennett, P. M. S. Hacker. (이을상 외 역). 같은 책. pp. 360-62.

사고의 형식은 다양할 수 있다. 그러나 사고의 본성은 유일하다. 모든 사고는 '동일화'를 본성으로 한다. 그러나, 상상력은 어떤 것을 다른 것으로 대리하는 '동일화' 정신작용이 아니라, 사고된 지식이나 앎으로서의 관념적 기호를 표상하거나 회상하는 정신작용이다. 모든 사고의 본성은 동일화로서 불변이다. 사고의 형식에 관한 '분류의 원리'는 사고의 본성인 '동일화'의 심도와 형식에 따라야 이론적 정합성을 유지할 수 있다.

상상력은, '사고가 생성한 기호에 관한 표상력'으로 이해하는 것이 사고의 원리론에 부합하는 용어법이다. 시어 · 이미지 · 수식 등의 기호는 모두 비의식에서 수행되는 상징 즉 사고의 결과물들이다. 상상력은 그러한 비의식의 통찰로써 구한 시어나 상징물들을 우리가 의식에서 확인할 수 있도록 한다.

결론적으로 말해, 상상력은 창조적 사고가 아니라, 창조적 사고의 결과물을 드러내 보여주는 정신기능이다. 비의식으로 수행되는 통찰은 상상력의 내용을 극대화하는 방편이다. 비의식에 침잠하면 할수록 표상되는 도식이나 이미지 기호의 내용은 심오하고 풍부하다. 그러한 통찰의 결과로서 표상되는 이미지나 도식 등은 수많은 판단들로 이루어진 내용들을 담고 있다. 사고가 표상력을 배제하고 비의식에서 수행된다는 사실에 대한 언표는 결코 상상계의 이미지를 폄훼하지 않음을 알 수 있을 것이다.

4. 사고의 유형: 지각 · 추론 · 통찰 · 영감적 사고

상징 즉 사고는 매개를 사용하여 어떤 것을 다른 것으로 표현하는 일이다. 우리는 사고의 본성을 'A=C'라는 도식으로 표현한다. 그것은 우리의 사고가 'A=B, B=C'라는 이유를 내포함을 의미한다. 우리는 자연현상을 원인과 결과라는 패턴으로 형식화하며, 모든 현상에는 원인이 있다고 생각한다. 그러한 우리의 사고 즉 상징의 본성은 '동일화'이다. '동일화'는 형식과 의미로 구현되며, 의미는 형식을 통해 구현된다. 그러한 '동일화'를 구현하는 우리의 정신작용이 곧 상징이요, 사고이다.

이러한 우리의 사고는 본질적으로 'A=Ā'라는 '비 동일성의 동질성'의 유비적 원리에 의한다. 그러한 우리의 사고는 ① 동일화의 심도에 따라 지각 · 추론 · 통찰 · 영감적 사고로 구별되며, ② 동일화의 유형에 따라 동질성의 동일화와 동일성의 동일화 사고로 구별된다. 전자는 지각 · 통찰 · 영감적 사고이고, 후자는 추론 사고이다.

동질성의 동일화 사고는 창조적 사고이고, 동일성의 동일화 사고는 이해나 설명을 위한 사고이다. 시 · 예술의 경우는 착상부터 텍스트 제작의 표상까지 동질성의 동일화 사고에 의한다. 과학의 경우 가설 단계는 동질성의 동일화 사고에 의하고, 텍스트 작성은 동일성의 동일화 즉 추론 사고에 의한다. 물론, 추론 사고의 수행 중에 수시로 직각(개념과 판단에 대한 지각) 사고가 뒤따른다.

시 · 예술의 텍스트 제작은 자연적 기호를 사용하고, 과학의 텍스트 작성은 자의적 기호를 사용한다. 대표적인 자연적 기호는 은유나 도상이고, 자의적 기호는 단어나 수학적 기호의 약속된 기호이다. 그런데, 이미지의 도상기호들로 제작되는 시 · 예술의 창조이든 자의적 기호로서 작성되는 수학 · 과학에서의 이론 창조이든 통찰 시에는 기호의 사용이 인지되지 않고 '비의식' 상태에서 수행된다. 따라서, 우리는 사고의 내용을 의식에 명료히 드러낼 필요가 있다. 이때 추론 사고를 행한다.

통찰은 의식의 개입 없이 시종일관 비의식 상태로 수행된다. 추론은 비의식 상태에서 얕은 통찰을 수행하면서 수시로 의식의 상태에서 사고의 진행 상황을 직각 사고로써 확인한다. 이와 같이, 우리의 동일화 정신작용의 사고는 '의식'과 '비의식'의 바탕 위에서 수행된다. 그러한 바, 사고와 의식의 관계에 따라서 우리는 또한 사고를 일상비의식 · 심층비의식 · 의식비의식 · 초의식비의식의 사고로 구별할 수 있다.

우리의 사고는 본질적으로 인위적 규칙을 사용하지 않는 전일적 판단의 통찰작용으로서, 비의식 상태에서 수행된다. 그리고 통찰의 내용을 객관적으로 명료히 드러내기 위해 다시 추론 사고를 수행한다. 이때 우리는 언어기호와 논리체계 등의 규칙을 활용한다. 그러한 까닭에, 우리는 전자의 '통찰'을 '원사고'라고 하고, 후자의 '추론'을 '방법적 사고'라 한다.

고대인들은 추론 사고보다는 원사고를 주로 사용했다. 원사고의 통찰은 우뇌를 중심으로 이루어진다. 오늘날 우리는 원사고와 함께 추론 사고를 사용한다. 하지만, 현대는 모든 분야에서 규칙이나 알고리듬 같은 형식들이 많이 개발되어 원사고의 통찰과 함께 추론 사고를 많이 사용한다.

역설적이지만, 이러한 상황은 창조적 사고의 기회를 빼앗고, 오늘날 교육을 황폐화하게 하는 원인으로 작용한다. 학생들은 원리를 통찰하기보다 공식 · 계산법칙 · 암기법 같은 주어진 규칙들을 이용해 손쉽게 문제를 해결하려 한다. 더욱이 서열 중심의 교육제도와 경쟁구조의 사회 시스템은 다양한 창의성 계발의 교육을 가로막고 학생들을 단세포적인 추론 사고의 학습으로 내몬다. 이러한 까닭에 오늘날 교육현장에서는 단세포적 추론 사고를 지양하고 본질을 규명하는 통찰 사고의 필요성에 주목하고 있다.

하지만, 추론 역시 요긴한 사고이다. 통찰 사고의 훈련을 위해선 먼저 추론 사고로써 기본적인 지식 또한 학습해야 한다, 처음부터 통찰 사고를 잘 수행할 수는 없다. 추론 사고의 단계에서부터 기본 지식을 습득하며, 얕은 통찰 사고인 추론 사고를 연마해 나가야 한다. 그런 가운데 통찰력이 향상된다.

한편, 점차 전문화 되어가는 현대사회에서는 추론 사고의 필요성이

증대된다. 일례로, 법원의 판결 경우, 판사가 깊은 통찰로써 날카롭고도 감동적인 판결을 끌어내었다고 하더라도 판결문을 통해 소송 당사자를 모두 납득시키 위해선 그의 깊은 통찰이 정치한 추론 사고로써 객관적 판결을 통해 전달될 수 있어야 한다.

오늘날 전문화된 사회에서는 이러한 이해와 설득은 학계, 정치계, 경제계 등 모든 분야에서 요구되고 있다. 아무리 좋은 아이디어라도 훌륭한 추론 사고로써 명료하게 전달되지 않으면 쓰레기통으로 던져지고 만다. 물론, 그러한 추론 사고가 사람들의 마음을 움직이려면 깊이 있는 내용의 통찰이 전제되어야 함은 물론이다. 이와 같이 우리의 두뇌에서 뫼비우스의 양면과도 같이 작용하는 통찰과 추론은 사고력 함양이나 의사전달에 있어서 없어서는 안 될 정신작용들이다.

한편, 시인 · 예술가 · 과학자 · 예지자 · 운동선수들은 어떤 경우 자신의 몸을 태우는 노력으로 의식과 비의식을 순간적으로 오가는 영감적 사고를 수행한다. 영감적 사고는 우리가 인지하지 못할 정도로 의식과 비의식이 순간적이고도 지속적으로 교차되어 마치 어떤 빛 속에서 망아의 상태로 있는 듯한 느낌을 갖게 한다. 이러한 상태는 평소와 달리 좌뇌와 우뇌의 정보교환이 거의 동시적으로 이루어지는 상태이다. 이러한 영감적 사고는 통찰과 추론이 동시적으로 이루어진다고 볼 수 있다.

지각 사고는 사물에 대한 지각이나 말하기와 같은 즉시적 정신작용으로서, 우리의 일상생활에서 간단없이 이루어지는 사고이다. 그런데, 지각은 사고의 근원적 원리가 작용하는 세계의 정신기능으로서, 인공지능의 기초 원리로 이용된다. 그러한바, 지각의 원리는 사고의 근본원리에 대한 이해를 위해 연구해야 하는 주요한 분야이다. 관념론과 경험론의 대립, 칸트의 선험적 논리학, 윌리엄 제임스의 지각 연구 그리고 오늘날 신경생물학과 심리철학 등에서 논의되는 의식과 감각질에 관한 연구는 모두 사고의 근본적이고도 본질적인 작용원리를 이해하기 위함이다.

그리고, 이러한 지각 · 추론 · 통찰 · 영감적 사고는 모두 사고의 근본 원리로부터 나타난다. 그러한바, 사고의 본성과 유형은 동전의 양면과 같은 것이다. 또한 그런 까닭에 이 장에서 사고의 유형은 언제나 사고의 본성과 함께 다루어진다.

4.1. 동일화의 심도에 따라

사고는 '동일화'의 심도에 따라, 일상생활 사고인 지각, 창조적 사고인 통찰, 방법적 사고인 추론 그리고 영감적 사고로 구별한다. 지각은 일상생활에서 수행되는 단순 판단의 대상을 인식하는 사고이다. 통찰은 시 · 예술 · 과학 등에서의 창의적 사고이고, 영감적 사고는 시 · 예술 창작과 주술행위 등과 같은 고도로 집중된 통찰 사고이다. 한편, 추론 사고는 기호 · 문법 · 논리 등의 형식체계의 도움에 따라 수행되는 상대적으로 얕은 통찰과 직각이 교차하여 수행되는 사고이다.

우리의 사고는 '감각 → 지각 → 통찰 → 영감적 사고 → 추론'의 순으로 나타난다. 그러나, 동일화의 심도는 추론보다는 통찰과 영감적 사고가 깊다. 지각 · 통찰 · 영감적 사고는 창조적이고 추론은 창조적 사고에 대한 설명이나 이해를 위한 사고로서, 언어 · 문법 · 논리 등의 인위적 규칙을 사용한다. 한편, 우리의 사고는 본질에서 모두 통찰적인 것으로서, 지각 역시 본질적으로는 통찰 사고이다. 물론, 추론 역시 통찰 사고임은 말할 것이 없다.

지각은 외견상으로는 단일 판단이나, 내용적으로는 복합 판단이다. '기억의 내용' 즉 과거에 경험된 많은 사고의 내용들은 우리의 지각 시에 비의식 상태에서 파지되어 현재의 지각 판단에 참조된다. 하지만 그러한 과정은 비의식 상태에서 처리되는 까닭에 우리는 현재의 경험 상황에 대해서만 판단을 내리는 것으로 생각한다. 또한 그로 인해 우리는 지각과 같은 사고를 단일 판단의 사고로 여기게 된다.

한편, 시 · 예술 · 과학 등의 창조적 작업에 있어서는 언급된 즉각적 동일화의 인식 이상의 검토를 요하는데 그러한 사고가 통찰, 추론, 영감적 사고이다. 우리가 어떤 문제 앞에서 그 어떤 정보나 해결의 단서가 없어 막연한 상태에서 광범한 대상을 검토해야 하는 경우 의식의 개입이 배제되는데 이때의 몰입된 숙고의 사고가 통찰이다. 그러한 통찰은 많은 판단들로 이루어진 사고로서, 우리는 머릿속에서 이루어진 그러한 숙고의 내용에 대해 명확히 정리해낼 필요가 있다.

이때 추론 사고를 수행하는데, 언어, 문법, 논리규칙과 같은 인과적 설명의 규칙들을 사용하게 된다. 추론 사고의 작업은 사고의 단계적 과정과 방향이 지정되어 있다. 따라서 사고의 단계마다 그와 같은 규칙들이 지켜졌는지 확인이 요구된다. 여기서 우리는 비의식 상태의 사고를 멈추고 인지작용의 의식 상태로 돌아오게 된다.

영감적 사고는 비의식과 의식이 찰나적으로 교차하는 사고로서 고도의 주의집중 상태에서 학자 · 예술가 · 예지자 · 운동 선수 등이 행하는 특별한 사고이다. 이 경우 기력이 떨어지면 장기간의 통찰로써 영감적 사고를 대신하게 된다. 영감적 사고는 문체에 힘이 있으며 동일화의 전개가 거침이 없고 물 흐르듯 하다. 그와 달리 통찰은 영감적 사고에 비해 상대적으로 주의집중에 힘을 덜 들이지만 시간을 두고 충분한 맥락화를 통해 동일화의 심도를 더함으로써 영감적 사고보다도 깊이와 울림을 더하는 이점이 있다.

한편, 사고의 수행 중에 감각적 상들이 의식에 나타난다는 건 상상력이 발현된다는 것으로, 의식에서의 인지작용은 사고의 흐름을 방해한다. 그런 까닭에 사고의 수행 중에는 가급적 진행 상황에 대한 확인을 하려해서는 안 된다. 앙드레 브르통이 쉬르레알리슴의 특징적 기법으로서 즉시적 속기의 '자동기술'을 제시한 것은 그러한 까닭에서이다.

그런데, 우리는 심층비의식의 통찰 사고가 합목적성을 유지하도록 비의식 상태에서도 의식을 유지하기 위해 전력을 기울인다. 우리는 심층비의식의 통찰 수행 중에서도 의식을 불러내고자 하는데, 이러한 사고가 영감적 사고인 초의식비의식 사고이다.

4.2. 기호체계의 활용 여부에 따라

언급해왔듯, 동일화 정신작용의 사고는 의식되지 않는 '비의식' 상태에서 수행된다. '비의식의 사고'는 자연적인 본능적 사고로서 '원사고(原思考)'라 한다. 원사고는 단일 판단의 '직각'과 복합적 판단의 '통찰'로 구별된다. 통찰의 경우 우리는 의식에 그 내용을 다시 나타낼 필요가 있다. 이때 추론이 수행된다. 그러한 추론은 언어기호, 문법, 논리규칙 등을 활용하는 까닭에 '방법적 사고'라고 한다.

원사고가 순수하게 머릿속에서 행하기만 하는 사고라면, 추론의 방법적 사고는 언어와 같은 기호와 기호체계를 활용하는 사고이다. 우리가 말을 하거나, 글을 쓸 때는 언어기호와 문법은 물론 삼단논법과 같은 조리 있는 논리규칙을 사용한다. 그러한 추론의 방법적 사고는 '기호'의 출현과 발전에 따라 진화해온 사고이다.

4.3. 의식의 개입 여부에 따라

고고는 비의식으로 수행되는 까닭에 우리는 사고의 내용이나 결과를 의식 상태에서 확인할 필요가 있다. 따라서 사고가 있은 뒤에 우리는 언제나 다시 의식 상태가 되는데, 그러한 의식의 출현 빈도나 영향에 따라 사고는, 일상생활에서 순간적이고도 수시로 수행되는 지각의 일상비의식 사고, 오직 비의식 상태에서 상대적으로 긴 시간 동안 수행되는 통찰의 심층비의식 사고, 논리적 규칙의 단계별로 의식에 나타나는 추론의 의식비의식 사고, 그리고 정신을 집중하여 단시간에 심층통찰을 수행하는 초의식비의식 사고가 있다.

덧붙이면, 지각은 우리의 일상생활 속에서 끊임없이 수행됨으로써 의식과 비의식이 간단없이 교차하는 까닭에 일상비의식 사고라 한다. 방법적 사고인 추론은 통찰이 있은 뒤 그 내용에 대한 확인을 위해 의식이 수시로 개입되는 까닭에 '의식비의식' 사고라 한다. 그와 달리 통찰 사고는 문제가 해결되기까지는 몰입하여 '동일화'의 사고를 수행하므로 심층비의식 사고라 한다.

이상과 같이 의식의 개입 여부에 따라, 의식이 상시 개입되는 일상비의식(지각), 숙고를 요하지만 의식의 확인이 개입되는 의식비의식(추론), 의식의 개입을 불허하는 심층비의식(통찰), 의식의 개입 아래 수행되는 초의식비의식(영감적 사고)으로 구별된다.

4.4. 논자들의 사고 유형 분류에 관하여

사고가 상징적 기능에 의존한다고 생각하는 카시러는 사고가 감성·상상력·오성의 조화나 영향에 따라 지각·직관·개념적 사고로 구별된다고 하였다. 지각은 감성과 상상력의 지배적 영향으로 이루어지며, 직관은 상상력과 오성의 조화로, 개념적 사고는 순수한 오성에 의한다고 카시러는 생각했다. 그리고, 지각은 신화적 사고, 직관은 언어와 예술적 사고, 개념적 사고는 과학적 사고라고 하였다.

이와 같이 카시러는 오성과 상상력이 조화를 이룬 직관은 시와 예술을 창조한다고 생각했다. 하지만 수학이나 과학적 이론 창조의 사고와 마찬가지로 시·예술의 창조를 위한 사고 수행 시에도 우리는 기호나 이미지를 사용하지 않는다. 우리는 의식을 떠나 비의식 상태에서 사고를 수행한 뒤에 상상력에 의해 이미지이든 도식이든 상을 표상한다.

카시러의 이러한 '직관' 개념은 감성·오성·상상력이 하나로 통합된 기능의 지성이다. 하지만 상상력은 사고 즉 상징기능과는 언제나 배척적 관계에 있다. 그런 까닭에, 상상력과 오성이 결합하여 하나의 사고기능으로서 작용한다는 카시러의 견해는 사실에 부합하지 않는다. 카시러의 그와 같은 '직관' 개념은 인식론적 술어일 뿐, 우리의 인식과정에서 실제로 일어나는 사고작용이 아니다.

한편, 칸트는 사고의 기능소를 오성·이성·판단력으로 구별했다. 아울러, 오성의 일반적 성격은 판단하는 능력이며, 그것은 오성이 사고하는 능력이기 때문이라고 한다(B 94). 그러한 칸트에게 오성은 '지각'하는 사고능력이며, 이성은 순수한 추상의 사고능력이다(B 386). 하지만, '지각'하는 사고능력이나 '순수 추상'의 사고능력이나 모두가 본질에서 '동일화 정신작용'이라는 점에서 오성과 이성은 동일한 사고 기관이다.

칸트는 감성이 개입되는지 여부에 따라, 감성이 개입되는 지각과 순수한 지성의 추론으로 구별하여 전자에 오성, 후자에 이성이라는 용어를 사용했다. 그런데, 여기서 헤겔은 한 걸음 더 나아가 오성을 자기인식의 사고로, 이성을 현실인식의 사고로 변용한다. 헤겔은 칸트 비판철학의 핵심 용어인 오성을 개념적 자연과학 세계의 지성으로, 이성을 현실 생활세계 인식의 존재론적 지성의 개념으로 치환했다.

한편, 판단은 일반적으로, 특수(현상)를 보편(규칙 · 원리)에 귀속시키는 일이다. 그러나, 지각 인식의 경우와 같이 보편(범주라는 규칙)이 이미 주어져 있어 그 범주에 인상이 포섭되는지 여부를 비교 · 확인하는 경우의 판단을 칸트는 규정적 판단이라 한다. 그와 달리 매개항을 중심으로 보편적 원리인 대전제와 특수한 현상인 소전제를 구성하여 연결하는 사고는 반성적 판단이다. 칸트에게 추론은 이와 같은 반성적 판단력이 사용된다.

칸트의 지각 인식은 '인상 · 범주 · 개념'의 3항적 구조를 갖지만, 그것은 추론(이성 추리)이 아닌 규정적 판단력에 의한 '직접 인식(오성 추리)'이다. 칸트에게 추론은 이성의 기능이 수행하며, 지각은 오성의 기능이 수행한다. 또한 이성에 의한 추론은 반성적 판단력에 의하며, 오성에 의한 지각은 규정적 판단력에 의한다. 그러나, 이러한 칸트의 논지 다시 말해 3항적 '직접 인식'의 지각론은 윌리엄 제임스의 2항적 직접 추정론과 마찬가지로 우리의 동일화 사고의 과정에 대한 충분한 설명이 되지 못한다.

칸트는 지각을 3항적 구조의 '직접 인식'이라고 하는 한편, 판단력을 규정적 판단력과 반성적 판단력으로 나누어 지각이 규정적 판단력의 작용이라고 한다. 그러나, 사고의 본성은 '동일화이다. 규정적 판단력과 반성적 판단력의 본질은 모두 매개를 사용하여 다른 두 기호를 동일화하는 일이다.

규정적 판단력의 오성과 반성적 판단력의 이성 역시 그 본성은 다른 두 기호를 동일화하는 일이다. 그러한바, 규정적 판단력, 반성적 판단력, 오성, 이성의 본질은 모두 동일화이다. 이와 달리 동일화 다시 말해 매개를 사용하여 다른 두 기호를 하나로 연결하는 정신작용 그것이, 보다 근원적 측면에서 규정적 판단이나 반성적 판단 그리고 오성이나 이성으로 세분될 수 있는 것이 아니다.

그와 달리, '동일화'가 지각에 사용되는 경우 오성이자 규정적 판단력으로 명명되고, 추론에 사용되는 경우 반성적 판단력이자 이성으로 명명된 것이다. 이와 같이 규정적 판단력, 반성적 판단력, 오성, 이성은 동일화의 변용으로, 그 네 가지 개념의 본질에 '동일화'가 그 원리로서 작용하고 있다.

우리의 사고의 본성에는 규정적 · 반성적 · 오성 · 이성으로 구별되는 본질적 이유가 내재하고 있지 않다. 칸트의 그러한 사고 유형의 구분은 오성에 의한 경험인식과 이성에 의한 개념적 추론의 영역을 분명히 하기 위한 그의 선험적 논리학 체계의 정합성과 형식적 균형을 위한 조치이다. 실제 우리의 사고는 그와 같은 본질적 변별성을 지니고 있지 않다. 우리의 사고작용은 동일화라는 오직 유일한 하나의 방법만을 지닌다. 칸트는 그의 선험적 논리학 체계의 정합성을 위해 사고에 관한 용어를 화용론적으로 달리 사용하였을 뿐이다. 본질에서, 모든 사고는 '동일화'이다.

실제 우리의 사고는 그 수행에 있어서 동일화의 심도에 따라 구별된다. 달리 말하면, 규정적 판단력은 외견상 하나의 단순 판단으로 보이는 지각의 동일화 정신작용의 사고이다. 반성적 판단력은 통찰의 동일화 사고이다. 지각은 동일화 과정이 통찰에 비해 상대적으로 단순하며, 통찰은 지각과는 달리 중첩적이다.

칸트는 반성적 판단력, 달리 말해 이성이 사용되는 사고를 '추론'으로만 규정했다. 그러나, 추론은 인위적 기호와 규칙들의 안내에 따라 수행되는 방법적 사고이다. 언급했듯이 추론 사고는 인간이 언어와 삼단논법과 같은 기호와 체계를 사용하면서 발달해온 사고이다.

그러한 방법적 사고 이전에 우리는 인간이라는 종의 지성체로서 공통의 정신언어를 사용하는 사고가 있다. 그것은 원사고인 통찰이다. 사실은 우리의 모든 사고는 본질에서 통찰적이다. 오대양 육대주, 종교 · 인종 · 지식 정도 등과는 전혀 상관없이 누구나 동일한 방식으로 동일한 정신언어를 사용해서 사고한다. 그것은 비의식이라는 방식으로, 비의식기호라는 정신언어에 의해 수행되는 사고로서, 많은 판단의 과정과 내용들을 전일적이고도 즉시적으로 수행한다.

그런 까닭에 원사고를 통찰 사고라 한다. 이러한 통찰 사고를 우리는 각자의 모국어로, 그리고, 자신의 지식체계에 따라 분절하여 추론 사고로 변환해 낸다. 이러한 추론 사고 이전의 통찰 사고는 아무리 많은 양의 판단과정들도 펜이나 종이 없이 수행하고 초소형 용량으로 내장하여 지니고 있을 수가 있다.

칸트는 분절적 사고인 추론과는 비교가 되지 않는 양의 정보들을 손쉽게 처리하는, 다시 말해 복잡다단한 동일화 과정의 반성적 판단들을 수행하는 통찰 사고를 그의 선험적 논리학의 체계에서 배제하였다. 당시만 하여도, 더욱이 명석판명을 전제로 하는, 철학의 입장에서, 사고가 비의식에서 수행된다는 사실을 언급하기가 어려웠을 것이다.

더욱이, 문자로 표현될 수 있는 추론 사고 이전에, 의식에 전혀 나타나지 않는 어떤 제3의 언어기호를 사용해서 우리가 사고를 행한다는 사실을 가정하기가, 또한 그런 비의식계의 사고 수행을 설명하는데 당시의 학문적 상황으로는 한계가 있었을 것이다. 아무튼, 칸트는 감성 · 지성 · 상상력이라는 인간 심성에 기초한 그의 사고에 관한 분석론에서 통찰이나 영감적 사고를 배제하고 지각과 추론만을 언급하였다. 물론, 다른 연구자들과 마찬가지로, 사고의 본성에 관한 규명도 '판단'이라는 논리학의 공리로 대체하는 것으로 만족했다.

베르그송은 사고를 직관과 분석으로 대별했다. 베르그송은 "어떤 사물을 인식하는 데는 근본적으로 다른 두 가지 방식"이 있으며, 하나는 기호에 의존하는 '분석' 사고이고, 다른 하나는 관점을 갖지 않는 '직관' 사고라고 했다. 그리고, "한편에는 과학과 역학적 기술이, 다른 한편에는 형이상학이 있다며 전자는 순수 지성과 관계하고, 후자는 직관에 호소한다고 하였다. 베르그송은 칸트가 배제한 통찰 사고를 '직관'이라는 용어를 사용해서 그의 철학에 정식으로 배치하여 기술했다:

"직관이란 대상 안에 있는 유일하고, 표현될 수 없는 것과 합치하는 '공감'이다. 이와는 반대로 분석은 대상을 다른 대상의 공통적인 요소로 환원시키는 일이다. 그러므로 일체의 분석은 번역이요 부호에 의한 전개이며, 또 연속적인 여러 관점에서 본 표상이다"[1)]

물론, 베르그송 역시 그 자신이 말하듯 “엄격한 논리와는 반대”되는 ‘직관’ 사고의 개념을 공표하는데 자신 내면의 망설임을 억누르는 용기가 필요했다. 앞에서도 살펴보았듯이 베르그송은 1903년에 “형이상학 입문”이라는 논문을 통해 ‘직관’ 개념을 제시했다. 그러나, 저서로서 세상에 널리 공표하기는 그로부터 30여 년이 지난 1934년 (『사유와 운동』)에 이루어졌다.

베르그송은 그러한 이유로서, 셸링이나 쇼펜하우어 등이 직관을 지각과 같은 감성적 사고로 사용한 까닭에 ‘직관’이라는 용어의 사용을 오랫동안 망설였다고 한다. 하지만, 결국 베르그송이 통찰 사고를 공식적으로 언명할 수 있었던 것은, ‘지각되지 않는 무의식의 정신 세계’ (『물질과 기억』, 1896)를 언표했기 때문일 것이다.

그런 베르그송은 『물질과 기억』에서 이렇게 주장한다. “모든 사람들은 우리 지각에 현실적으로 나타나는 이미지들이 물질의 전부는 아니라는 것을 인정한다. 그러나 다른 한편 지각되지 않은 어떤 물질적 대상, 상상되지 않은 어떤 이미지는 일종의 무의식적인 정신 상태가 아니라면 무엇인가?” “널리 퍼져 있는 편견에도 불구하고 ‘무의식적 표상’이라는 관념은 명백한 것이다.”[2] “우리는 그것을 항시 사용하며 그보다 더 상식에 친밀한 개념규정은 없다.”[3].

이와 같이 베르그송은 직관(이 책의 필자의 ‘통찰’)을 과학적 사고와 대별하고 과학적 사고를 ‘분석’ 사고라고 하였다. 그런데, 이러한 베르그

---

1) Henri Bergson. 『사유와 운동』(이광래 역). 문예. 1993. p. 195.
2) Henri Bergson. 『물질과 기억』(박종원 역). 아카넷. 2005. pp. 157-58.
3) 같은 책. pp. 244-45.

송의 직관과 분석은 칸트와 마찬가지로 사고작용 자체의 내재적이고 구조적인 원리에 의한 개념이 아니다. 베르그송의 이러한 직관은 헤겔이 그러했듯 과학적 개념주의 사고의 한계를 지적하고, 나아가 '지속'으로서의 세계를 파악하는 지성 개념으로 설정한 용어이다.

그러한 베르그송(1859-1941)의 '직관'은 그가 "순수 직관은 불가분적 연속성에 대한 직관 (『물질과 기억』, 1896)"이라고 하였듯, '지속' 개념의 지배를 받는다. 한편, 후설(1859-1938) 역시 과학적 이성주의를 비판하여 본질 '직관'을 피력한다. 현상학적 '직관'이나 베르그송의 '직관' 모두 과학적 개념주의에 대한 비판적 용어이며 또한 대상의 본질을 파악하는 수단이라는 점에서 우리의 '통찰' 사고와 같은 맥락의 것이다.

베르그송은 말년의 『사유와 운동』(1934)에 실은 논문 "직관에 대하여"(1911)에서도 직관은 "내적 지속과 관련된 것"으로서 "정신의 직접적 투시"로서 "무의식이 거기에 있음을 알려"주며 "엄격한 논리와는 반대"되는 것으로. "직관이란 정신, 지속, 순수변화를 획득하는 그 무엇"이라고 다시 한 번 직관과 지속의 관계를 추인한다.

이 책의 '비의식'에 해당하는 개념으로 베르그송은 '무의식'이란 용어를 창조적 사고와 관련하여 효시적으로 사용했다. 그리고 이 책의 '통찰'과 유사한 개념으로 '직관'이라는 용어를 사용했다. 하지만, 베르그송의 직관은 이 책의 필자의 통찰과는 그 발생적 기원에 있어서 목적이 다르다. 베르그송은 '사고의 본성'을 살피기 이전에 '지속'으로서의 '삶'과 분절적 개념 세계인 '과학'과의 대별성에 사고의 속성과 유형을 적용하였다.

그러한 베르그송의 사고 분류는 사고작용의 내재적 원리를 살피지 않은 한계를 갖고 있다. 베르그송은 분석이 과학적 사고라고 생각한다. 그러나, 과학의 창조적 사고는 추론적인 분석 사고가 아니라 통찰적인 '직관' 사고이다. 베르그송은 과학이 분석(이 책의 필자의 추론) 사고에 의한다고 생각하지만, 과학이나 시 · 예술 모두 '분석' 사고가 아니라 '직관' 사고에 의한다. 다만, 과학의 경우 직관에 대한 내용을 객관화하기 위해 분석 사고를 수행할 뿐이다.

물론, 베르그송 역시 직관에 대한 '기술'에 관해서는 "직관도 모든 사고와 마찬가지로 결국에는 개념들에 의거한다"고 생각했다 (『사유와 운동』, "직관에 대하여"). 하지만, 그 이전에 분석과 직관은 과학과 형이상학에 대별되는 것이 아니다. 과학 · 시 · 예술 모두 직관(필자의 통찰)에 의해서 창조된다.

베르그송도 인식하였듯, 직관은 무의식(비의식)에서 전일적으로 이루어지므로 그에 대한 객관적 이해와 설명이 요구된다. 이때 우리는 언어 등의 기호와 논리규칙 등을 활용한다. 그러한바, 개념적 분석 사고는 통찰에 대한 객관화의 불가피한 요청이다. 이러한 문제를 극복하기 위한 방편으로 시와 종교적 수행에서는 통찰의 표상에 유비적 비유와 묵시적 선화두를 사용한다.

베르그송 또한 이러한 문제에 관해 "여기서 표현될 수 없는 것은 비유와 은유가 암시해준다. 그렇다고 해서 이것이 길을 우회하는 것은 아니다. 그것은 목적지에로의 직선 대로이다."라고 말했다.[4] 그러나 우리는 보다 명시적 이해를 위해선 다시 추론(베르그송의 분석)에 의한

4) 같은 책. p. 51.

기호를 사용하게 된다.

융 또한 우리가 말하는 비의식에 무의식이라는 용어를 사용하는 한편 우리가 말하는 통찰 대신 직관이라는 용어를 사용했다. 융에게 무의식은 직관이 움직이는 정신계이다. 그런 융 역시 우리와 마찬가지로 직관이 시인과 예술가만이 아니라 과학자에게도 필수적으로 사용되는 사고임을 인식했다.

융은 무의식을 "직관", 의식을 "논리적 분석"과 "추론"에 관계 짓는다. 그리고 추론을 "목표지향적 사고"로 인식했다.[5] 그런 융은 분석과 직관 사고의 성격을 이렇게 정리하고 있다: "우리에게는 사고의 두 가지 형태가 있다고 할 수 있는데, 목표지향적 사고와 꿈 혹은 환상이 그것이다. 앞의 것은 전달을 위한 것이고 언어적 요소를 지니며 사람을 힘들고 지치게 한다. 반대로 뒤의 것은 힘들지 않게, 이미 존재하는 내용을 가지고 무의식적 동기에 이끌려, 말하자면 저절로 작업한다."고 한다("사고의 두 가지 양식에 관하여").

그리고, 무의식적(이 책의 필자의 통찰) 예술 작품은 "의식이 정지되어 있었던 만큼 우리의 이해를 초월"하는 오직 "직관으로만 포착할 수 있는 생각[6]이라고 한다. 아울러, 직관이 시인과 예술가에게만 중요한 것으로 생각해서는 안 되며 과학에도 똑 같이 필수적이라고 말한다.

이와 같이 융은 무의식을 직관이 작용하는 세계로 인식하였고, 또한

---

5) C. G. Jung. 『인간과 무의식의 상징』(이부영 역). 집문당. 1983. pp. 78-79.
6) C. G. Jung. "분석 심리학과 시의 관계에 관하여". 장경렬 외 편역. 『상상력이란 무엇인가』. 살림. 1997. pp. 114-18.

무의식 세계에서의 직관은 시나 과학 분야 모두 필수적인 것으로 인식했다. 물론, 그러한 직관은 우리가 말하는 '통찰'의 다른 표현이다. 그리고 통찰은 비의식기호로 수행되는 전일적 복합판단의 사고이다. 그러한, 시 · 예술이나 과학적 창조에서 수행되는 고도의 통찰은 형상을 초월한 '유비적 사고'를 특징으로 한다.

융은 의식과 무의식을 대별하여, '사고'는 의식적인 것으로, '직관'을 무의식적인 것으로 생각했다. 그리고, 베르그송과는 달리, 직관이 시 · 예술은 물론 과학의 창조에도 마찬가지로 요구됨을 인식했으며, 다만 의식의 '사고'는 직관에 비해 심도가 얕은 사고로 생각했다. 하지만 베르그송이 그러했듯 융 또한, 사고와 직관의 '본성'을 인식하고 그에 바탕하여 사고를 분류한 것은 아니었다. 그런 까닭에 '사고'나 '직관'이 본질에서 '동일화' 정신작용이라는 사실과 '사고(이 책의 추론)'가 본질에서 '직관'(이 책의 통찰)적인 것이라는 생각을 하지 않았다.

오늘날 인지과학계의 상황은, 상식적 의미의 '생각', '사고'라는 용어를 가능한 한 사용하지 않으려 한다. 그것은 "상식적 의미의 '사고' 개념이 여러 가지 다양한 의미를 갖고 있고, 여러 가지 유형이 있으며, 여러 하위 과정들로 나누어질 수 있기 때문"이라고 생각하는 것 같다. 따라서, 인지과학은 "보다 세분화된 용어인 '범주적 사고', '문제해결적 사고', '추리', '판단', '의사결정', '창의적 사고' 등의 용어를 사용한다."[7]

---

7) 이정모.『인지과학: 학문 간 융합의 원리와 응용』. 성균관대학교 출판부. 2009. p. 530.

한편, 베넷과 분석철학자 해커는 추론 · 비유 · 판단 · 가정 · 전제 · 평가 · 의미제시의 사고, 과제해결 · 독창적 사고, 지적 언어의 사고, 연상 · 회상 · 반추 · 백일몽 사고 등으로 구별하며, 더 이상의 구분도 얼마든지 가능하다고 말한다.[8] 하지만, 사고의 유형이 어떠하건, 얼마나 다양하건, 그리고 단순하든, 복잡하든, 깊든 얕든 '사고'는 모두 동일한 하나의 속성에서 비롯한다. 사고의 원리가 복수적이지 않은 하나라는 점은 창조와 학습의 원리 또한 하나임을 의미한다. 한편, 그러한 사고의 제1 원리는 다름 아닌 '동일화'이다.

지각 · 인식 · 비유 · 판단 · 가정 등은 물론 오성 · 이성 · 분석 · 직관 등을 비롯하여 사고에 관한 용어는 다양하나 그것은 쓰임에 있어서의 차이일 뿐, 그것들의 본질적 속성은 모두가 동일하다. 지각은 현재 경험의 사고이며, 인식은 어떤 표상에 대한 확인과 믿음을 갖는 사고이다. 비유는 은유의 사고이고, 판단은 명제적 사고이며, 가정은 가상적인 사고이다. 또한 오성 · 이성 · 분석 · 직관은 앞서 칸트와 베르그송 등의 사고 유형론에서 살펴본 바와 같다. 이외의 여러 사고 유형들 역시 모두는 그 쓰임을 달리 할 뿐, 본질은 '동일화'이다.

생각 · 사고 · 유비 · 비유 · 은유 · 지각 · 직각 · 추론 · 통찰 등은 우리의 '사고 즉 '동일화 정신작용'에 관한 다른 표현들로서 그 심도와 용도를 달리할 뿐이다. 그러한바, 모든 사고의 유형들은 근원적으로 자연적 형태의 원사고인 '통찰'과 그러한 원사고에 대한 이해나 설명을 위한 방법적 사고인 '추론'으로 구별된다.

---

8) M. R. Bennett, P. M. S. Hacker. 『신경과학의 철학』(이을상 외 역). 사이언스북스. 2013. pp. 348-53.

물론, 추론 역시 통찰 사고이다. 단지 통찰을 수행함에 있어서 언어 등의 기호와 논리규칙 등의 인위적 기호체계와 함께 때때로 '의식'을 활용하는 것이 다를 뿐이다. 아울러, 우리는 동일화의 심도에 따라 사고를 지각 · 추론 · 통찰 · 영감적 사고로 대별할 수 있다.

그리고, 우리는 사고를 동일화 유형의 관점에서 동질성의 동일화 사고와 동일성의 동일화 사고로 구별할 수 있다. 동질적 동일화의 사고는 자연적 기호를 생성하고 표상한다. 이와 달리 동일성의 동일화 사고는 자의적 기호를 생성하여 표상한다. 하지만, 이 역시 동일화의 심도에 따라 구별되는 것으로, 전자는 통찰이고 후자는 추론이다.

시 · 예술은 텍스트에 관한 구상에서 텍스트의 제작까지 대체로 동질적 동일화의 사고인 통찰로써 수행된다. 하지만 과학의 경우, 가설의 착상은 동질적 동일화의 통찰에 의하지만, 텍스트 작성은 동일성의 동일화 사고인 추론에 의한다. 그런데, 아인슈타인이나 아다마르를 비롯한 과학자나 수학자들의 경우에 시인이나 예술가들이 그러하듯, 통찰의 내용을 언어로 표현하기 전에 벤다이어그램이나 어떤 도상적 이미지의 자연적 기호로써 먼저 나타낸다.

이와 같이 깊은 통찰을 수행한 경우, 통찰의 전체적 구조를 먼저 이미지로 형상화해 내고, 다시 추론에 의해 언어로 기술한다. 그러한바, 수학이나 과학의 경우에도 가설의 착상은 물론 텍스트의 기술에 있어서 동질성의 동일화 사고를 수행하는 경우가 있다.

보았듯이, 모든 사고는 통찰과 추론 사고로 환원되며, 지각 · 통찰 · 추론 역시 본질에서 모두 통찰 사고이다. 이것은 사고의 본성이 '동일화'이기 때문이다. 그리고 동일화의 심도에 따라 사고는 지각 · 통찰 · 추론 · 영감적 사고와 같이 그 형식을 달리한다. 그러한 우리의 동일화 정신작용은 비의식의 신경생리작용으로 수행되고 의식에서 표상된다.

따라서, 사고의 분류와 용어의 사용, 그리고 사고이론의 전개는 사고의 본성과 작용원리에 바탕해야 한다. 사고의 본성과 작용 원리를 벗어나 사고의 유형을 규정하는 경우, 설득력과 정합성을 잃는다. 개념의 설정과 용어 사용 역시 그러하다. 개념과 용어의 혼미로 인한 이론의 호환 불가능성과 혼란은 앞서 상징과 기호 편에서 충분히 검토하고 살펴보았던 일이다.

인명 찾기(1권)

ı 용어 찾기(1권) ı

융합학문 상징학

I 원리편: 기호와 사고

초판 1쇄 인쇄 2015년 11월 15일
초판 1쇄 발행 2015년 11월 30일

저 자 | 변의수
발행인 | 변의수
발행처 | 상징학연구소

편집 · 교정 | 오창헌
인 쇄 | (주)현문자현

출판 등록 2015년 07월 06일 제2015-000142호
10345 경기도 고양시 일산서구 탄현로 6번길 45, 3층
전 화 | 031-911-9149
이메일 | euisu1@hanmail.net

값 29,000원

국립중앙도서관 출판예정도서목록(CIP)

융합학문 상징학 / 저자: 변의수. -- 고양 : 상징학연구소, 2015
p. ; cm

ISBN: 979-11-956567-0-7 93120 : ₩60000

011-KDC6
011-DDC23 CIP2015031028

* 이 책은 한국출판문화산업진흥원의 2015년 〈우수 출판콘텐츠 제작 지원〉 사업 선정작입니다.